"十二五"国家重点图书出版规划项目
林业应对气候变化与低碳经济系列丛书

总主编：宋维明

世界低碳经济政策与行动

◎ 侯方淼　付亦重　编著

中国林业出版社

图书在版编目（CIP）数据

世界低碳经济政策与行动 / 侯方淼，付亦重编著．－北京：中国林业出版社，2015.5

林业应对气候变化与低碳经济系列丛书 / 宋维明总主编

“十二五”国家重点图书出版规划项目

ISBN 978-7-5038-7934-0

Ⅰ.①世… Ⅱ.①侯…②付… Ⅲ.①节能－经济发展－研究－世界 Ⅳ.①F113.4

中国版本图书馆 CIP 数据核字（2015）第 060328 号

出 版 人：金 旻
丛书策划：徐小英 何 鹏 沈登峰
责任编辑：何 鹏
美术编辑：赵 芳

出版发行 中国林业出版社（100009 北京西城区刘海胡同 7 号）
http://lycb.forestry.gov.cn
E-mail:forestbook@163.com 电话：(010)83143515、83143543
设计制作 北京天放自动化技术开发公司
印刷装订 北京中科印刷有限公司
版 次 2015 年 5 月第 1 版
印 次 2015 年 5 月第 1 次
开 本 787mm × 1092mm 1/16
字 数 332 千字
印 张 17.5
定 价 63.00 元

林业应对气候变化与低碳经济系列丛书

编审委员会

出版说明

气候变化是全球面临的重大危机和严峻挑战，事关人类生存和经济社会全面协调可持续发展，已成为世界各国共同关注的热点和焦点。党的十八大以来，习近平总书记发表了一系列重要讲话强调，要以高度负责态度应对气候变化，加快经济发展方式转变和经济结构调整，抓紧研发和推广低碳技术，深入开展节能减排全民行动，努力实现“十一五”节能减排目标，践行国家承诺。要正确处理好经济发展同生态环境保护的关系，牢固树立保护生态环境就是保护生产力、改善生态环境就是发展生产力的理念，更加自觉地推动绿色发展、循环发展、低碳发展，决不以牺牲环境为代价去换取一时的经济增长。这为进一步做好新形势下林业应对气候变化工作指明了方向。

林业是减缓和适应气候变化的有效途径和重要手段，在应对气候变化中的特殊地位得到了国际社会的充分肯定。以坎昆气候大会通过的关于“减少毁林和森林退化以及加强造林和森林管理”（REDD+）和“土地利用、土地利用变化和林业”（LULUCF）两个林业议题决定为契机，紧紧围绕《中华人民共和国国民经济和社会发展第十二个五年规划纲要》和《“十二五”控制温室气体排放工作方案》赋予林业的重大使命，采取更加积极有效措施，加强林业应对气候变化工作，对于建设现代林业、推动低碳发展、缓解减排压力、促进绿色增长、拓展发展空间具有重要意义。按照党中央、国务院决策部署，国家林业局扎实有力推进林业应对气候变化工作并取得新的进展，为实现林业“双增”目标、增加林业碳汇、服务国家气候变化内政外交工作大局做出了积极贡献。

本系列丛书由中国林业出版社组织编写，北京林业大学校长宋维明教授担任总主编，北京林业大学、福建农林大学、福建师范大学的二十多位学者参与著述；国家林业局副局长刘东生研究员撰写总序；著名林学家、中国工程院院士沈国舫，北京大学中国持续发展研究中心主任叶文虎教授给予了指导。写作团队根据近年来对气候变化以及低碳经济的前瞻性研究，围绕林业与气候变化、森林碳汇与气候变化、低碳经济与生态文明、低碳经济与林木生物质能源发展、低碳经济与林产工业发展等专题展开科学研究，系统介绍了低碳经济的理论与实践和林业及其相关产业在低碳经济中的作用等内容，阐释了我国林业应对气候变化的中长期战略，是各级决策者、研究人员以及管理工作者重要的学习和参考读物。

2014 年 7 月 16 日

总　序

刘东生

随着中国——世界第二大经济体崛起于东方大地，资源约束趋紧、环境污染严重、生态系统退化等问题已成为困扰中国可持续发展的瓶颈，人们的环境焦虑、生态期盼随着经济指数的攀升而日益凸显，清新空气、洁净水源、宜居环境已成为幸福生活的必备元素。为了顺应中国经济转型发展的大趋势，满足人民过上更美好生活的心愿，党的十八大报告首次单篇论述生态文明，首次把“美丽中国”作为未来生态文明建设的宏伟目标，把生态文明建设摆在总体布局的高度来论述。生态文明的提出表明我们党对中国特色社会主义总体布局认识的深化，把生态文明建设摆在五位一体的高度来论述，也彰显出中华民族对子孙、对世界负责任的精神。生态文明是实现中华民族永续发展的战略方向，低碳经济是生态文明的重要表现形式之一，贯穿于生态文明建设的全过程。生态文明建设依赖于生态化、低能耗化的低碳经济模式。低碳经济反映了环境气候变化顺应人类社会发展的必然要求，是生态文明的本质属性之一。低碳经济是为了降低和控制温室气体排放，构造低能耗、低污染为基础的经济发展体系，通过人类经济活动低碳化和能源消费生态化所实现的经济社会发展与生态环境保护双赢的经济形态。低碳经济不仅体现了生态文明自然系统观的实质，还蕴含着生态文明伦理观的责任伦理，并遵循生态文明可持续发展观的理念。发展低碳经济，对于解决和摆脱工业文明日益显现的生态危机和能源危机，推动人与自然、社会和谐发展具有重要作用，是推动人类由工业文明向生态文明变革的重要途径。

林业承担着发挥低碳效益和应对气候变化的重大任务，在发展低碳经济当中有其独特优势，具体表现在：第一，木材与钢铁、水泥、塑料是经济建设不可或缺的世界公认的四大传统原材料；第二，森林作为开发林业生物质能源的载体，是仅次于煤炭、石油、天然气的第四大战略性能源资源，而且具有可再生、可降解的特点；第三，发展造林绿化、湿地建设不仅能增加碳汇，也是维护国家生态安全的重要途径。因此，林业作为低碳经济的主要承担者，必须肩负起低碳经济发展的历史使命，使命光荣，任务艰巨，功在当代，利在千秋。

党的十八大报告将林业发展战略方向定位为“生态林业”，突出强调了林业在生态文明建设中的重要作用。进入21世纪以来，中国林业进入跨越式发展阶段，先后实施多项大型林业生态项目，林业建设成就举世瞩目。大规模的生态投资加速了中国从森林赤字走向森林盈余，着力改善了林区民生，充分调动了林农群众保护生态的积极性，为生态文明建设提供不竭的动力源泉。不仅如此，习近平总书记还进一步指出了林业在自然生态系中的重要地位，他指出：山水林田湖是一个生命共同体，人的命脉在田，田的命脉在水，水的命脉在山，山的命脉在土，土的命脉在树。中国林业所取得的业绩为改善生态环境、应对气候变化做出了重大贡献，也为推动低碳经济发展提供了有利条件。实践证明：林业是低碳经济不可或缺的重要部分，具有维护生态安全和应对气候变化的主体功能，发挥着工业减排不可比拟的独特作用。大力加强林业建设，合理利用森林资源，充分发挥森林固碳减排的综合作用，具有投资少、成本低、见效快的优势，是维护区域和全球生态安全的捷径。

本套丛书以林业与低碳经济的关系为主线，从两个层面展开：一是基于低碳经济理论与实践展开研究，主要分析低碳经济概况、低碳经济运行机制、世界低碳经济政策与实践以及碳关税的理论机制及对中国的影响等方面。二是研究低碳经济与生态环境、林业资源、气候变化等问题的相关关系，探讨两者之间的作用机制，研究内容包括低碳经济与生态文明、低碳经济与林产品贸易、低碳经济与森林旅游、低碳经济与林产工业、低碳经济与林木生物质能源、森林碳汇与气候变化等。丛书研究视角独特、研究内容丰富、论证科学准确，涵盖了林业在低碳经济发展中的前沿问题，在林业与低碳经济关系这个问题上展开了系统而深入的探讨，提出了许多新的观点。相信丛书对从事林业与低碳经济相关工作的学者、政府管理者和企业经营者等会有所启示。

2014年7月9日

前　言

"低碳经济"一词已成为21世纪最流行的词汇之一，它不仅仅是工业高度发达的发达经济体对于气候环境的自我反思和要求，也是各国积极思考经济结构调整、全面减少资源浪费的必经过程。发展低碳经济成为很多国家应对气候变化的长期挑战以及保障能源安全的国家战略，也是提高自身经济活力、重获国际竞争力的重要举措。同时，低碳经济发展所带动的低碳技术飞速发展也有助于提升碳竞争力。在新的国际舞台之上，碳竞争力成为各国发挥其影响力的重要平台。当然，对于低碳经济的起步、低碳技术的发展水平和阶段在各国大有差别，其发展的意图与目的也各有不同。低碳经济成为发达经济体和发展中国家之间在经济发展和气候变化方面达成契合的一种尝试。

从现实与发展看，中国的环境污染问题仍面临严峻的挑战，所以控制环境污染、解决温室气体减排问题，需要在政策研究上进一步加大力度。中国高度重视绿色经济发展，提出要培育以低碳排放为特征的新的经济增长点，加快建设以低碳排放为特征的工业、建筑、交通体系，同时制定颁布了《中华人民共和国可再生能源法》，重点发展太阳能光热利用、风力发电、生物质能高效利用和地热能的利用。近年来，风力发电、海洋能潮汐发电以及太阳能利用等领域在国家的大力扶持已经取得了很大的进展。同时，我国通过植树造林、保护天然林、退耕还林(还草)、草原建设以及建设自然保护区等生态保护政策，积极发展森林碳汇。作为世界上最大的发展中国家，中国一直在践行低碳中国的理念。低碳中国是一个具有更大的服务产业、更先进的劳动者技能和更少环境退化的国家，这种转变是中国发展过程中必不可少的组成部分。发展低碳经济为中国转变经济增长方式提供了难得的机遇。走低碳发展道路，既是应对全球气候变化的根本途径，也是国内可持续发展的内在需求。发展低碳经济有利于突破中国经济发展过程中资源和环境的瓶颈性约束，走新型工业化道路；有利于顺应世界经济社会变革的潮流，形成完善的促进可持续发展的政策和制度保障体系；有利于推动中国产业升级和企业技术创新，打造中国未来的国际核心竞争力；有利于推进世界应对气候变化的进程，树立中国对全球环境事务负责任的发展中大国的良好形象。

面对全球绿色经济的大潮，各国的政策对我国发展绿色经济有较强的借鉴意义。因此，本书以低碳经济在全球的发展为切入点，在国内外低碳经济及其政策研究成果的基础上，探讨了世界低碳经济政策和实践的总体发展及各国的政策与实践，并分析了低碳经济在中国的发展。全书共分为3篇，第1篇从世界低碳经济发展与研究概述、世界低碳经济政策概述和世界低碳经济实践与行动等三个方面综合论述了世界低碳经济的发展；第2篇探讨了世界主要地区与国家低碳经济政策与行动，包括了美洲、欧洲、亚洲等世界主要地区的主要国家的一些低碳政策和推进低碳发展的具体做法；第3篇探讨了中国的低碳经济政策与实践，包括了低碳政策的沿革、可再生能源、可再生技术、碳税等的发展。

本书写作过程中得到了北京林业大学经济管理学院领导的大力支持，尤其是陈建成院长对本书构思和框架给出了许多指导性的意见，在此表示深深的感谢。研究生卜善雯、姚茂元、贾瑞哲、杨嫣、任宇佳、刘安凤等在本书写作过程中收集了大量的数据资料。同时，本书中借鉴了国内外诸多专家学者的论著和文章，在此我们一并表示由衷的感谢！由于作者的水平有限，同时低碳经济的政策和实践也在不断发展和完善中，书中难免存在某些不足之处，在此恳请各位同仁、专家学者及广大读者给予批评指正并提出宝贵意见。

编著者

2014 年 6 月

目　　录

第3篇 中国低碳经济政策与实践

第 1 篇

世界低碳经济发展综述

第1章 世界低碳经济发展与研究概述

“低碳经济”已成为21世纪最流行的词汇之一，它不仅仅是工业高度发达的发达经济体对于气候环境问题的自我反思和要求，也是各国积极思考经济结构调整、全面减少资源浪费的必经过程。发展低碳经济成为很多国家应对气候变化的长期挑战以及保障能源安全的国家战略，也是提高经济体自身经济活力、重获国际竞争力的重要举措。另外，低碳经济发展所带动的低碳技术飞速发展也有助于提升碳竞争力。在新的国际舞台之上，碳竞争力成为各国发挥其影响力的重要平台。当然，低碳经济的起步、低碳技术的发展水平和阶段在各国大有差别，其发展的意图与目的也各有不同。低碳经济成为发达经济体和发展中经济体之间在经济发展和气候变化方面达成契合的一种尝试。

1.1 “低碳经济”在各国的名称、由来和范畴

1.1.1 首次提出“低碳经济”概念的英国

2003年英国政府颁布《能源白皮书》，题为“我们未来的能源：构建一个低碳经济(Our Energy Future, Creating a Low Carbon Economy)”，首次提出“低碳经济”(Low Carbon Economy)概念。《能源白皮书》指出，“低碳经济是通过更少的自然资源消耗和更少的环境污染，获得更多的经济产出；低碳经济是创造更高的生活标准和更好的生活质量的途径和机会，也为发展、应用和输出先进技术创造了机会，同时也能创造新的商机和更多的就业机会”。

2007年，英国贸工部再次发布《2007年能源白皮书：直面能源挑战》，计划在长期能源发展战略中大力发展可再生低碳能源，希望到2020年，将碳排放量减少到2300万~3300万t，到2050年，将碳排放量减少60%。白皮书中还提出了“国际能源和气候变化战略”，该战略与其他一系列战略均服务于英国长远能源发展目标，同时使得英国在促进其他国家制定更加激进的环保政策时，处于更有利的谈判地位。

英国：2003 年能源白皮书

英国：2007 年能源白皮书

英国是在政治、经济和社会环境不断变革的历史背景下提出发展低碳经济的。低碳经济提出的经济和产业背景是其国力日渐衰落并亟待突破的经济发展现状。在 20 世纪，随着产业经济中企业家精神的丧失，英国的工业部门缺乏创新，长期停留在煤炭、钢铁、纺织等传统行业，化学、汽车、电力等新型行业逐渐落后，并最终失去英国在第二次工业革命中获得的领头地位。20 世纪 80 年代之后，英国对产业经济进行了大刀阔斧的产业结构调整，获得重大成效。英国对已经丧失竞争优势的煤炭、钢铁、机械、造船、能源等传统产业进行了出售、调整和升级，大力发展以金融和创意产业等领衔的服务业以及电子、生物和航天等高科技，由此实现了经济发展升级。

与此同时，英国执政党力求在自由放任和政府干预的经济政策与措施之间寻求平衡，提出了重视社会福利的社会民主主义和重视市场经济的自由主义相结合的执政理念。在这种适度政府干预的自由市场经济的政治经济背景下，奠定了低碳经济坚实的经济发展模式基础。另外，在全球化浪潮和国际政治经济新秩序构建这一新的历史环境下，英国开始深刻认识到当前和未来的国际、国内政治经济局势与社会环境状况的巨大变化，开始以低碳经济为契机，积极调整国家战略和政策措施。

英国所提出的低碳经济，侧重于应对气候变化的长期挑战以及在能源开发利用方面实行低碳转型，以便保障长期能源安全，强调产业结构的升级与调整，发展各种低碳技术来提升碳竞争力，这是一种目光长远的国家战略。英国在应对气候变化问题上的激进态度，以及其国内大力推动发展的低碳经济，在一定程度上与其他欧盟国家的国家战略趋同，也是工党政府为迎合国内政治势力和舆论发展并调整全面亲美政策、改善国际形象的政策举措。

英国用实际行动证明了绿色经济发展是可行的，也就是通过低排放同样可以实现经济增长，并成功实现经济增长与排放脱钩：自从1990年，英国经济增长了48%，同期实际排放量降低了超过20%。欧盟自从1990年经济增长了40%，同期排放降低了超过7%。通过提高效率和使用更多碳密集度较低的能源，节约了很多资源。

1.1.2 为"低碳经济"立法的美国

由于美国人长久以来高碳的消费和生活方式，美国对于欧洲高调提出并推行的"低碳经济"并不"感冒"。但是，自2007年全球金融危机以来，美国选择以开发新能源、发展低碳经济作为应对危机、重新振兴美国经济的战略取向，短期目标是促进就业、推动经济复苏，长期目标是摆脱对外国石油的依赖，促进美国经济的战略转型。2007年7月，美国参议院提出了《低碳经济法案》。全球金融危机以来，美国选择以开发新能源、发展低碳经济作为应对危机、重新振兴美国经济的战略取向，短期目标是促进就业、推动经济复苏；长期目标是摆脱对外国石油的依赖，促进美国经济的战略转型。美国政府发展低碳经济的政策措施可以分为节能增效、开发新能源、应对气候变化等多个方面，其中，新能源措施是核心。

2009年6月，美国众议院投票通过了《美国清洁能源安全法案》。该法案包括了以总量限额交易为基础的减少全球变暖计划，通过创造数百万的新就业机会来推动美国的经济复苏，通过降低对国外石油依存度来提升美国的国家安全，通过减少温室气体排放来减缓地球变暖，是一部综合性的能源立法。

尽管美国退出《京都议定书》，不愿意承担减排责任，对低碳经济也呈低调的态度。但是美国在发展低碳技术、增强低碳竞争能力方面的实践从未落后。早在乔治·W·布什执政时期，美国发布了两个重要的能源法案：《2005年能源政策法》和《2007年能源独立安全保障法》。联邦政府还推出了一系列计划和项目，通过政企合作，减少温室气体排放量。在奥巴马总统上任之后又进一步推行了"绿色新政"。

1.1.3 率先提出"碳中和"的新西兰

自1987年以来，为了呼应全球各地依据不同环境与发展现状所制定的政策及具体做法，联合国每年选择一个城市作为联合国的宣传活动中心。2008年获选的城市是新西兰的惠灵顿，其中选原因是新西兰是全世界率先宣示要达到"碳中和"的国家之一，并且将具体以森林管理作为减少温室气体的工具。

新西兰总理海伦·克拉克在2007年9月20日的演说中宣布，该国将采取全面的经济计划，以降低所有温室气体的排放，不同的经济部门将逐步纳入2013年完全生效的国家碳排放贸易计划。其余的承诺包括2025年前将再生发电从现在的70%提高到90%、大幅提升森林面积、广泛应用电动车和2040年前降低50%的运输相关碳排放，目标是成为“全球第一可持续发展的国家”。新西兰的雄心壮志并非空中楼阁，在2007年耶鲁大学发布全球环境绩效指数(Environmental Performance Index，EPI)中，新西兰位列第一名，该指数所囊括的两大领域是环境健康与生态系统活力。

碳中和与碳平衡

树木具有储存二氧化碳的功能，在木材内贮藏的二氧化碳会在木材燃烧时排出至大气中。但是这些二氧化碳本来就存在于地球循环的大气中，经由树木的生长周期而被吸收、释放，因此即使被排出至大气中亦不会再使二氧化碳浓度上升，这就是所谓的碳中和作用(carbon neutrality)。相较于树木，那些原本不属于地球循环中的化石燃料，经由燃烧后所释放出的二氧化碳，对于地球造成额外的负担，破坏了原本平衡的大气生态。

Carbon neutral通常被翻译成“碳中性”“碳中和”，联合国中文网站将其翻译成“碳平衡”，而且通常和“恢复”搭配，其中隐含了碳平衡才是天然状态的意思，而造成温室效应、全球变暖的一大元凶就是人类在各种经济社会活动过程中排出过量的二氧化碳等废气。实现“碳中和”并不意味着可以随意排放，增加造林、减少二氧化碳等废气的排出才是解决当前气候变化问题的根本。

从宏观来看，一国可以通过造林或参与其他国家的造林计划、增强营林水平、多种方式促进减排等方式实现碳平衡。居民和企业等经济单位同样可以实现碳中和，具体流程如下：首先计算出某种产品、某人或某企业等从事活动的碳足迹，然后有选择地进行自愿性碳抵换，可以实际参与某项减量计划，或是直接在市场上购买碳额度，最终实现碳中和。

1.1.4　低碳法律最完备的德国

2009年6月德国政府发布文件，指出“发展低碳经济”应成为德国经济现代化的指导方针。文件主要包含6个方面的内容：环保政策要名副其实，扩大可再生能源使用范围，各行业能源有效利用战略，汽车行业的改革创新，可持续利用生物质能源以及执行环保教育、资格认证等方面的措施，可谓内容详尽考虑周全。文件中强调，低碳经济是当下德国经济的稳定器，并将成为振兴未来德国经济的关键。为了实现传统经济向低碳经济转轨，德国计划到2020年用于基础设施的投资至少要增加4000亿欧元。

其实，德国政府低碳发展与环境立法从20世纪70年代就开始启动了一系列环境政策，1971年公布了第一个较为全面的《环境规划方案》，1972年重新修订并通过从而赋予政府在环境政策领域更多的权力，2004年出台《国家可持续发展战略报告》进而专门制定了“燃料战略——替代燃料和创新驱动方式”。“燃料战略”共提出四项措施：优化传统发动机、合成生物燃料、开发混合动力技术和发展燃料电池，目的是减少化石能源消耗，达到温室气体减排。德国的《废弃物处理法》最早制定于1972年，1986年修改为《废弃物限制及废弃物处理法》。在主要领域的一系列实践后，1996年提出了新的《循环经济与废弃物管理法》，2002年出台了《节约能源法案》，把减少化石能源和废弃物处理提高到发展新型经济的高度并建立了系统配套、相互衔接的法律体系，如抑制废物形成制度、循环名录制度、循环目标制度、技术与工艺标准及技术性指导制度、法律义务和责任制度、市场准入制度、经济刺激制度、信息化建设制度等。

1.1.5 走在欧盟低碳前列的法国

早在2000年1月，法国开始实施《预防气候变化全国行动计划》，同年12月又出台了《全国改善能源消耗效率行动方案》。根据这两项计划，2001年法国政府通过了《节能规范标准》，即根据不同地理位置的光照、温度和湿度等自然条件，评估不同建筑材料的能源利用效能。2007年以后，法国政府把发展低碳经济提升为国家发展的重大战略之一，成为与德国共同引领欧盟快步发展低碳经济的两个国家。

1.1.6 节能实践先行的加拿大

加拿大并非提出“低碳经济”的第一国，但其节能、可持续发展之路确实早在20世纪就起步了。1993年，加拿大出台《加拿大节能法》，赋予联邦政府制定和执行有关

加拿大环境和经济国家圆桌会议标志

节能措施和寻找替代能源的权力。同年，国会立法设立“环境和经济国家圆桌会议(NRT)[①]”，成为唯一的、独立的关于可持续发展的国家政策咨询机构，该圆桌会议直接由国会领导并为可持续发展提出建议和解决方案。

在对待气候变化方面，加拿大的态度举棋不定。由于自身是碳排放大国，从经济、资源和技术水平来看，减排意愿并不迫切，且担心对本国经济产生冲击，因而反对立即采取减排措施。

1.1.7　与欧盟联合提出“低碳社会”的日本

日本环境省与英国环境部门于2006年2月决定联手合作，长期进行一项“2050年迈向可持续低碳社会的研究计划”(Japan-UK Joint Research Project on a Sustainable LCS)，为可持续发展和气候变化议题研究并拟定双赢策略并构建可持续的低碳社会提出必要的、迫切的、可行的区域、国家和国际层面的行动方案。在其举办的2006年6月的第一次低碳社会研讨会中，提出了“低碳社会”的定义，并指出，低碳社会是欧盟与日本共同为解决气候变化问题，通过积极采取各项行动方案，在各个区域和部门，改变现状所欲达成的新社会愿景。

1.1.8　践行低碳经济发展之路的中国

从2003年开始，中国学者开始关注各国和地区气候变化相关战略与举措。中国政府虽然正式提出“低碳经济”较晚，但2007年各个部委就开始制定针对气候变化的立法与政策性文件，并陆续提出雄心勃勃的目标。在2009年9月22日联合国气候变化峰会上，时任国家主席胡锦涛宣布：中国争取到2020年单位国内生产总值二氧化碳排放比2005年有显著下降。同年11月25日，时任国务院总理温家宝主持召开国务院常务会议，研究部署下一阶段应对气候变化工作，明确了到2020年中国控制温室气体排放的行动目标，并提出相应的政策措施和行动。中国政府决定到2020年全国单位国内生产总值二氧化碳排放比2005年下降40%~45%。

2012年11月中国共产党第十八次全国代表大会召开，首次单篇论述生态文明专题，第一次指出要“推进绿色发展、循环发展、低碳发展”“建设美丽中国”。报告中特别提出深化资源性产品价格和税费改革，建立反映市场供求和资源稀缺程度、体现生态价值和代际补偿的资源有偿使用制度和生态补偿制度。

---

①　该机构最初成立于1988年，目标是“将领导能力引入一个新的方式，必须思索环境与经济之间的关系，并必须实践”。

1.1.9 各国提出低碳经济的原因与实质

低碳经济相关表述最早出现在20世纪90年代后期的文献中。各国提出低碳经济的原因大不相同，可以总结为以下几个方面。

(1)气候变化对一国经济的损害开始显现，发展低碳经济可能成为一国新的经济发展引擎。这是低碳经济提出的最直接和最根本的原因。英国首次提出“低碳经济”时，尤其是在《斯特恩报告》发布之后，科学界以及公众都比较信服的一个结论，就是目前大气中浓度过高的温室气体对正在上演的全球气候变暖有直接作用——人类活动造成的二氧化碳等温室气体的排放，引起了全球变暖的现象，导致了各种环境问题，并对水资源、生态系统、海洋体系带来了持久的负面影响。因此，在全球范围内倡导低碳经济是避免灾难性气候变化的必要手段。在2006年，世界银行首席经济学家尼古拉斯·斯特恩(Nicholas Stern)发布报告呼吁全球每年将GDP的百分之一用于应对气候变暖，如果不这么做的话，最坏的情况可能是全球人均GDP收缩20%。斯特恩声称气候变暖是全球经济面临的最大系统性风险。该报告一度造成很大的政治影响，在报告发布的第二天，澳大利亚政府便宣布拨款6000万澳元专门用于降低温室气体排放。为了人类自身的持续性的生存和发展，人们开始对气候变化进行关注。1988年，由世界气象组织和联合国环境规划署联合成立气候变化政府间专门委员会(IPCC)，从科学证据、适应与减缓、政策措施等方面对气候变化全面评估，争取“把大气中温室气体浓度稳定在防止全球气候系统受到威胁的水平上”(全球气候公约目标)。各国也采取各种方式来降低生产和生活活动中温室气体的排放强度、提高碳生产率，寻求低碳经济发展已经变成各国缓解气候变暖长期战略的一个重要组成部分。

除了上述全球气候变化的大背景之外，从国内经济自身发展需求以及结构的角度来看也有很大的动力去发展新能源。一方面，为了实现中长期稳定增长，政府需要寻找到第二增长引擎。另外，在全球许多政府都在大力发展低碳经济的背景下，这可能成为全球未来一个新的长期经济增长点。

(2)发达经济体从高碳动力能源发展阶段步入低碳能源发展阶段。从发达经济体的工业化进程来看，以高能耗、高碳排放为主要特征的“高碳经济”工业化已经基本结束，低碳的服务业已经成为其经济发展的主体，后工业化阶段已经不需要大量消耗煤炭、石油等化石能源，或是采用更高端的技术提高化石能源效率，或是采用更为清洁的替代能源。而发展中国家则不同，高碳生产模式仍是实现工业化的必要手段。因此，对于发达经济体而言，发展低碳经济是理所应当的事情，而对于发展中国家，则是一个巨大的挑战。

生产导致的温室气体排放是全球变暖的重要原因

(3)化石能源消费的快速增长与资源耗竭、价格攀升之间的矛盾是发展低碳经济的内在要求。根据《BP世界能源统计》2014年报告，截至2013年，世界能源消费增长达到2.3%，低于过去十年2.5%的平均增速，区域能源消费量增长差别较大。经合组织国家消费增长了1.2%；非经合组织国家增长了3.1%。化石能源消费造成的全球二氧化碳排放以自1969年以来最快的增速增长。在未来20年，全球能源相关的二氧化碳排放平均每年将增长1.2%(而1990~2010年为年平均增长1.9%)，使2030年的排放比目前高出27%。

夕阳中的地面抽油机

根据《油气杂志》统计，2013年世界石油剩余探明可采储量约2252.76亿t。截至2013年年底，中东石油剩余探明可采储量1094.69亿t，占全球的41%。从世界石油剩余探明可采储量和目前的开采应用情况判断，储采比大约在60年以上。而且，未来新增原油供应将以中质和重质油为主，原油资源的重质化、劣质化趋势明显。从能源价格来看，2013年，即期布伦特原油平均价为每桶108.7美元，较2009年上涨了76%。其他基准原油价格增幅类似。2013年，全球煤炭消费增长超过10%，为1970年以来全球最快的增长水平。目前煤炭占全球能源消费的30.1%，而10年前为25.6%。根据美国石油业协会估计，地球上尚未开采的原油储量可供人类开采时间不超过95年。在2050年到来之前，世界经济的发展将越来越多地依赖煤炭。其后在2250~2500年之间，煤炭也将消耗殆尽，矿物燃料供应枯竭。

资源供求之间的矛盾促使发达经济体把发展重点放在节能、开发利用可再生能源、电动汽车等领域的技术开发上，追求可持续的发展理念。发展低碳经济成为解决资源问题的内在需求。

(4)西方国家在经济衰退的背景下拉动就业。除了奥巴马政府计划在新能源领域创造500万人的就业机会，据约翰·克里在中美清洁能源论坛上透露，德国政府也计划使新能源领域的就业超过传统的汽车行业。在中国，风能产业经过几年的快速发展也已经成为规模化的制造业。根据剑桥气候变化研究中心的报告，当全球制造业产能利用率不高，失业率恶化的时候，发展低碳经济可以创造的就业岗位要大大超过限制高耗能行业所丢失的岗位。

综上所述，我们可以看到，低碳经济是以应对碳基能源对于气候变暖的影响为基本要求，以实现经济社会的可持续发展为基本目的。其实质就是经济发展方式、能源消费方式、人类生活方式的一次新变革，它将全方位地改造建立在化石燃料(能源)基础上的现代工业文明，转向生态经济和生态文明，即从高碳能源时代向低碳能源时代演化的一种经济发展模式。从实践角度来讲，低碳经济是低碳发展、低碳产业、低碳技术、低碳生活等一类经济形态的总称，是以低能耗、低污染、低排放为基础的经济模式。发展低碳经济的目的在于提升能源的高效利用、推行区域的清洁发展、促进产品的低碳开发、减缓和适应气候变化、维持全球的生态平衡、实现可持续发展。

无论世界各国提出低碳经济的背景如何，无论各国对低碳经济的看法是抵触还是赞同，低碳经济都已经成为一种未来发展的趋势和方向，如时代的洪流不可阻挡。可以这样说，在全球共享有限自然资源这一前提下，低碳经济是处于不同经济发展阶段的经济体的必然选择，只是各自发展低碳经济的途径、范围的不同差别。

必须注意的是，发达经济体与发展中经济体实际情况存在相当大的差别，其推行低碳经济的动机与目标截然不同，因此在发展低碳经济的同时，各国应立足本地实际，将独立发展与对外合作适度结合。

1.2　发展低碳经济的全球实践——气候变化与绿色经济

1.2.1　应对气候变化的国际行动

1.2.1.1　气候变化及其危害

《联合国气候变化框架公约》(UNFCCC)第一款，将“气候变化”定义为：经过相当一段时间的观察，在自然气候变化之外由人类活动直接或间接地改变全球大气组成所导致的气候改变。国际社会讨论最频繁的气候变化问题是温室气体增加所产生的全球气候变暖问题。产生气候变化的原因较为复杂，有自然因素，也有人为因素。而气候一旦发生了变化，极端天气气候事件的发生频率将会增加，给人类和经济社会带来更多不确定性和威胁。

国际联盟 2009 年提出的《哥本哈根诊断报告》(The Copenhagen Diagnosis 2009)中指出，许多观测资料显示温室气体排放量几乎接近政府间气候变化专业委员会(以下简称 IPCC)预估的最上线，而且很多指标都显示气候变化已经远远超过自然变化所能造成的改变范围，这些指标包括了全球地面平均温度、海平面上升、全球海温、北极海冰的面积、海水酸化和剧烈气候。由于温室气体等影响气候的物质排放仍未减少，所以气候变化的趋势只会加剧，这大大增加了因气候巨变和无法挽回的气候状态改变所造成的伤害。

描述气候变化的人为驱动因子、影响和响应及其相互之间联系的示意框架如图 1-1。在 2001 年 IPCC《第三次评估报告》(TAR)公布时所获得的信息主要描述了顺时针方向的联系，即：从社会经济信息和排放推导出气候变化和影响。随着对这些联系认识的不断提高，IPCC 有可能开始评估逆时针方向的联系，即：评估可能的发展路径和全球排放限制，从而降低未来气候变化受到社会经济影响的风险。

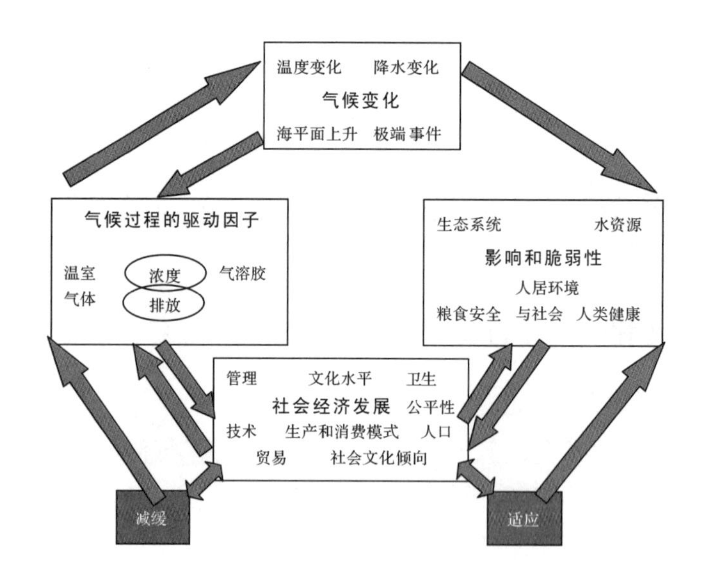

图1-1 气候变化的人为驱动因子、影响和响应的示意框架图

气候变化怎样改变人类的生活

气候变化在不同行业——水资源、粮食、生态系统、海岸线和健康——产生多重影响。气候变化导致中纬度地区和半干旱低纬度地区的可用水减少、干旱增多，数亿人口面临更为严重的供水压力。气候变化引起的洪水和干旱等极端天气将会影响粮食产量，并为粮食的储存和转运增添麻烦。国际粮食政策研究所公布的一份预测结果表明，全球变暖的趋势如果无法得到控制，2050年将发生全球规模的粮食减产及物价高涨，届时营养不良的儿童将比气候不再恶化的情况下多2500万人。另外，气候变化对生态系统的影响巨大。全球气温升高迫使大部分陆地物种向两极和高山地区迁徙，但很多物种无法实现迁徙。据科学家的保守估计，2050年物种将消失15%~37%，平均有26%的物种将因为气温升高、无法找到适宜的栖息地而灭绝。气候变化对海洋生态系统也构成更大的威胁，并对森林和其他生态系统产生更多影响。气候变化将导致洪水和风暴造成的损失增加，未来全球海岸带湿地面临消失的威胁，每年将有几百万人可能遭受海岸带洪水灾害。气候变暖所导致的灾害性天气，除了直接导致死亡和伤残之外，还为疟疾、霍乱等传染性疾病提供传染环境，威胁人类身体健康；气候变暖带来的热量和高温，能使病菌、病毒、寄生虫更加活跃，损害人体免疫力和抵抗力；气候变暖还会使有害物质浓度提高，加重空气污染，导致更多呼吸系统疾病。

环境正义基金会发表的一份报告警告，由于全球气候变暖，在未来40年，10%的全球人口(约5亿~6亿人)，将面临沦为“气候难民”的风险，他们将被迫迁往其他国家。已有2600万人因为气候变暖而开始搬迁，到2050年时，这一人口数量可能上升至1.5亿人。

IPCC的2007年第四次报告中，详细分析了气候变化对非洲、亚洲、澳大利亚和新西兰、欧洲、拉丁美洲、北美洲、极地地区和小岛屿的危害。地球上很多美丽的小国和岛屿，将因气候变化导致的海平面升高而消失。

1.2.1.2　应对气候变化的国际行动

1.2.1.2.1　应对气候变化的国际进程

世界环境日标志

1972年第27届联合国大会，
把每年的6月5日定为“世界环境日”

(1)1972~1994年，针对气候变化的国际行动。鉴于气候变化带来的威胁与不确定性，1979年2月，在世界气象组织的倡导下，在日内瓦召开了第一届世界气候大会。会议指出，地球上人类活动的不断扩大可能影响到区域，甚至全球的气候变化。迫切需要全球协作，探索未来全球气候可能的变化过程，并根据这种新知识制定未来人类社会的发展计划。并于同年6月，召开了讨论当代环境问题的第一次国际会议(也称斯德哥尔摩联合国人类环境会议)，达成了《联合国人类环境会议宣言》(简称《人类环境宣言》)。在本次会议之后，国际社会开始以各种国际会议的形式探索气候变化问题的解决方案(表1-1)。

表1-1　1972~1994年间针对气候变化的国际会议

时　间	地　点	会议名称或发起机构	会议主题与主要内容
1972年6月5~16日	瑞典斯德哥尔摩	联合国人类环境会议	会议通过了全球性保护环境的《人类环境宣言》，其中提出和总结了7个共同观点，26项共同原则。号召各国政府和人民为保护和改善环境而奋斗，这是人类环境保护史上的第一座里程碑
1979年2月	瑞士日内瓦	世界气象组织(WMO)第一届世界气候会议	通过《世界气候大会宣言》
1982年5月18日	肯尼亚内罗毕	联合国环境规划署	通过《内罗毕宣言》，提出大气变化进一步严重威胁人类环境
1985年	奥地利菲拉赫	国际科学理事会、联合国环境规划署、世界气象组织	会议确定评估未来气候状况是一项紧迫的任务

（续）

时间	地点	会议名称或发起机构	会议主题与主要内容
1988年6月	加拿大多伦多	加拿大政府(三国参加)	会议题为“气候变迁对全球安全的意义”。提出对气候变化问题要做进一步研究，号召采取政治行动，呼吁立即着手制定保护大气行动计划，并提出到2005年将二氧化碳排放量比1988年减少20%
1988年11月		世界气象组织和联合国环境规划署	建立了政府间气候变化专业委员会(IPCC)，任务是对气候变化科学知识的现状，气候变化对社会、经济的潜在影响以及如何适应和减缓气候变化的可能对策进行评估
1988年12月		联合国第43届大会	通过题为《为人类当代和后代保护全球气候》的43/53号决议，决定在全球范围内对气候变化问题采取必要和及时的行动
1989年11月	荷兰诺德韦克	国际大气污染和气候变化部长级会议	通过《关于防止大气污染与气候变化的诺德韦克宣言》，提出设立CO_2排放目标的建议，决定召开世界环境问题的会议，讨论制定防止全球气候变化公约的问题。该宣言在启动气候变化公约谈判上的作用远远超过之前的多个宣言、公报和其他文件
1990年10月	瑞士日内瓦	第二届世界气候会议	呼吁立即开始关于气候变化公约的谈判，并通过了一项《部长宣言》，在“共同但有区别的责任原则”、可持续发展原则、风险预防原则等问题上达成了一致的认识。为起草《联合国气候变化框架公约》奠定了坚实的基础
1990年12月		联合国第45届大会	设立政府间谈判委员会(INC)，进行有关气候变化问题的国际公约谈判，正式启动UNFCCC谈判进程
1991年6月	中国北京	发展中国家环境与发展部长级会议	会议通过《北京宣言》，为今后发展中国家参与气候谈判的立场奠定了基调
1992年6月	巴西里约热内卢	联合国环境与发展大会	153个国家和区域一体化组织正式签署了《联合国气候变化框架公约》(以下简称，UNFCCC)，通过了《21世纪议程》《联合国生物多样性公约》等。中国签署了UNFCCC
1994年3月21日		UNFCCC正式生效	189个国家和区域一体化组织(欧盟)成为UNFCCC缔约方，这是迄今为止在国际环境与发展领域影响最大、涉及面最广、意义最为深远的国际法律文书

尽管针对气候变化的国际活动与号召始于 1972 年[①]，其实，直到 1987 年年底，人类活动导致全球变暖学说在全世界范围内并没有引起多少反响，因为最大的工业国——美国并没有官方的反应。人们的主要关注点还在于修补臭氧层空洞上面，这种情况一直持续到 1988 年。1988 年是一个转折年，全球温度逆转上升已经进入第 10 个年头，该年戈尔与沃思参议员共同组织了美国的第一次气候变化国会听证会。其后，针对气候变化的国际行动之中发生了几件非常具有里程碑性质的事件：政府间气候变化专业委员会(IPCC)的成立，《关于防止大气污染与气候变化的诺德韦克宣言》的达成，政府间谈判委员会(INC)的建立以及《联合国气候变化框架公约》(UNFCCC)的正式签署。

(2)1994 年至今的国际行动及主要成果。

①UNFCCC 的建立。1994 年《联合国气候变化框架公约》(UNFCCC)是世界上第一部为控制温室气体排放、应对全球气候变化给人类经济和社会带来不利影响的国际公约，为应对气候变化的国际合作提供了基本框架和法律基础。

UNFCCC 由序言及 26 条正文组成，是一个有法律约束力的公约，旨在控制大气中二氧化碳、甲烷和其他造成“温室效应”的气体的排放，将温室气体的浓度稳定在使气候系统免遭破坏的水平上。UNFCCC 对发达经济体和发展中国家规定的义务以及履行义务的程序有所区别。要求发达经济体作为温室气体的排放大户，采取具体措施限制温室气体的排放，并向发展中国家提供资金以支付他们履行公约义务所需的费用。而发展中国家只承担提供温室气体源与温室气体汇的国家清单的义务，制订并执行含有关于温室气体源与汇方面措施的方案，不承担有法律约束力的限控义务。公约建立了一个向发展中国家提供资金和技术，使其能够履行公约义务的资金机制。

1994 年 UNFCCC 正式生效之后，每年组织召开缔约方会议(Conferences of the Parties，COP)以评估应对气候变化的进展，在国际社会应对气候变化的历史过程中，各国和各个利益集团之间不断博弈，截至 2010 年，COP 已经举办了 16 次会议(表 1-2)，其最重要的成就是 1997 年在第三次缔约方会议(COP3)上达成的《京都议定书》和 2007 年的《巴厘路线图》。

---

① 最早的国际气候活动可追溯至 1857 年第一次国际海洋气象大会的召开，该次会议提出无论是气象学还是海洋学的发展，必须通过开展国际合作，这次大会促成了 1873 年第一次国际气象代表大会的召开以及国际气象组织(IMO)的建立。

表1-2 UNFCCC召开的历次缔约方会议的相关情况

时 间	地 点	会议内容与进展
1995年3月28日~4月7日	德国柏林 COP1	会议通过了《柏林授权书》等文件。文件认为，现有UFCCC所规定的义务是不充分的，同意立即开始谈判，就2000年后应该采取何种适当的行动来保护气候进行磋商，以期最迟于1997年签订一项议定书，其中应明确规定在一定期限内发达国家所应限制和减少的温室气体排放量
1996年7月8~19日	瑞士日内瓦 COP2	就“柏林授权”所涉及的“议定书”起草问题进行讨论，未获一致意见，决定由全体缔约方参加的“特设小组”继续讨论，并向COP3报告结果。通过的其他决定涉及发展中国家准备开始信息通报、技术转让、共同执行活动等
1997年12月11日	日本京都 COP3	149个国家和地区的代表通过了《京都议定书》，它规定2008~2012年期间，主要工业发达国家的温室气体排放量要在1990年的基础上平均减少5.2%，其中欧盟将6种温室气体的排放削减8%，美国削减7%，日本削减6%。2005年2月16日，《京都议定书》正式生效
1998年11月2~14日	阿根廷 布宜诺斯艾利斯 COP4	一直以整体出现的发展中国家集团分化为3个集团，一是环境脆弱、易受气候变化影响，自身排放量很小的小岛国联盟(AOSIS)，他们自愿承担减排目标；二是期待CDM的国家，期望以此获取外汇收入，如墨西哥、巴西和最不发达的非洲国家；三是中国和印度，坚持目前不承诺减排义务
1999年10月25日~11月5日	德国波恩 COP5	通过了《公约》附件I所列缔约方国家信息通报编制指南、温室气体清单技术审查指南、全球气候观测系统报告编写指南，并就技术开发与转让、发展中国家及经济转型期国家的能力建设问题进行了协商
2000年11月13~24日 2011年7月16~27日	荷兰海牙 COP6 德国波恩 COP6续会	谈判形成欧盟—美国等—发展中大国(中国、印度)的三足鼎立之势。美、日、加等少数发达国家执意推销“抵消排放”和“换取排放”方案，并试图以此代替减排；欧盟凭借其人口和能源等优越条件，强调履行京都协议，试图通过减排取得与美国的相对优势；中国和印度，坚持目前不承诺减排义务。COP6期间，美国坚持要大幅度折扣它的减排指标，因而使会议陷入僵局，不得不休会并延期到2001年7月在波恩继续举行。2001年7月23日，在波恩会议上，日本与EU等联合通过了“没有美国参加的妥协方案”
2001年11月	摩洛哥 马拉喀什 COP7	通过了有关京都议定书履约问题(尤其是CDM)的一揽子高级别政治决定，形成马拉喀什协议文件。该协议为京都议定书附件I缔约方批准京都议定书并使其生效铺平了道路

（续）

时　间	地　点	会议内容与进展
2002年10月	印度新德里 COP8	会议通过的《德里宣言》强调抑制气候变化必须在可持续发展的框架内进行，这表明减少温室气体的排放与可持续发展仍然是各缔约国今后履约的重要任务。“宣言”重申了《京都议定书》的要求，敦促工业化国家在2012年年底以前把温室气体的排放量在1990年的基础上减少5.2%
2003年12月	意大利米兰 COP9	在美国两年前退出《京都议定书》的情况下，二氧化碳排放大户俄罗斯不顾许多与会代表的劝说，仍然拒绝批准其议定书，致使该议定书不能生效。然而，为了抑制气候变化，减少由此带来的经济损失，会议通过了约20条具有法律约束力的环保决议
2004年12月	阿根廷布宜诺斯艾利斯 COP10	来自150多个国家和地区的政府、政府间组织、非政府组织的与会代表围绕《联合国气候变化框架公约》生效10周年取得的成就和未来面临的挑战、气候变化带来的影响、温室气体减排政策以及在公约框架下的技术转让、资金机制、能力建设等重要问题进行了讨论
2005年11月	加拿大 蒙特利尔市 COP11	来自全世界189个国家的近万名代表参加了此次会议，并最终达成了40多项重要决定。其中包括启动《京都议定书》新二阶段温室气体减排谈判，以进一步推动和强化各国的共同行动，切实遏制全球气候变暖的势头。本次大会取得的重要成果被称为“控制气候变化的蒙特利尔路线图”
2006年11月	肯尼亚 内罗毕 COP12	这次大会取得了2项重要成果：一是达成包括“内罗毕工作计划”在内的几十项决定，以帮助发展中国家提高应对气候变化的能力；二是在管理“适应基金”的问题上取得一致，基金将用于支持发展中国家具体的适应气候变化活动
2007年12月	印度尼西亚 巴厘岛 COP13	《京都议定书》第一承诺期在2012年到期后如何进一步降低温室气体的排放。15日，联合国气候变化大会通过了《巴厘路线图》，启动了加强《公约》和《京都议定书》全面实施的谈判进程，致力于在2009年年底前完成《京都议定书》第一承诺期2012年到期后全球应对气候变化新安排的谈判并签署有关协议
2008年12月	波兰波兹南 COP14	2008年7月8日，八国集团领导人在八国集团首脑会议上就温室气体长期减排目标达成一致。八国集团领导人在一份声明中说，八国寻求与《联合国气候变化框架公约》其他缔约国共同实现到2050年将全球温室气体排放量减少至少一半的长期目标，并在公约相关谈判中与这些国家讨论并通过这一目标

（续）

时 间	地 点	会议内容与进展
2009年12月7~21日	丹麦哥本哈根 COP15	192个国家的环境部长和其他官员达成《哥本哈根协议》，维护了各国应对气候变化问题“共同但有区别的责任”原则，就发达国家实行强制减排和发展中国家采取自助减缓行动做出了安排，但这一协议并不具有强制约束力，尽管被喻为“拯救人类的最后一次机会”的会议，其成果低于预期
2010年11月29日~12月10日	墨西哥坎昆 COP16	敲定以 Mexico Text，IPCC/ AWGLCA /2010/ CRP. 2 为蓝本的《坎昆协议》(Cancun Agreement)，接替即将到期的《京都议定书》减碳行动方案；就适应、技术转让、资金和能力建设等发展中国家关心的问题取得了不同程度的进展，但《坎昆协议》仍是不具法律效力的折中、平衡与灵活的“一揽子方案”
2011年11月28日~12月11日	南非德班 COP17	德班大会“决定”《京都议定书》第二承诺期在2013年1月开始，2017或2020年12月31日截止；基于附件Ⅰ国家(签署《京都议定书》并承诺量化减排的发达国家)的“决议”和“意图”，制定第二承诺期的量化限制和减排目标。但是，文件没有反映任何“共同但有区别的责任”这一重要原则
2012年11月26日~12月7日	卡塔尔多哈 COP18	最终就2013年起执行《京都议定书》第二承诺期达成一致。第二承诺期以8年为期限。通过长期气候资金、《联合国气候变化框架公约》长期合作工作组成果、德班平台以及损失损害补偿机制等方面的多项决议。加拿大、日本、新西兰及俄罗斯明确不参加第二承诺期
2013年11月11~22日	波兰华沙 COP19	通过了德班平台、资金、损失损害补偿机制一揽子决议
2014年12月2~5日	法国巴黎 COP20	形成了关于继续推动德班平台谈判的决议，即气候行动利马倡议。以利马倡议附件的形式进一步细化了2015年协议的要素，包括减缓、适应、资金、技术、能力建设、透明度等。就提高2020年前行动力度做出了进一步安排，但发达国家落实京都议定书第二承诺期的进展有限，2020年前行动力度仍有待提高。绿色气候基金有所进展，注资已经达到102亿美元

②《京都议定书》的签署。《京都议定书》是人类历史上首次以法规形式限制温室气体排放，目的是“将大气中的温室气体含量稳定在一个适当的水平，进而防止剧烈的气候改变对人类造成伤害”。它规定了2012年前主要发达经济体减排温室气体的种类、减排时间表和额度等，并建立了具有创新性的三个灵活的国际合作机制：联合履

行机制(JI)、排放贸易机制(ET)、清洁发展机制(CDM)。前两个机制适用于发达经济体之间，CDM 适用于发达经济体和发展中国家的合作。

《京都议定书》附件 B 中规定，UNFCCC 附件Ⅰ所列缔约方，应个别地或共同地，在 2008～2012 年的承诺期内，将二氧化碳排放量在 1990 年水平上平均减少 5%，美国减少 7%，日本和加拿大减少 6%，澳大利亚、冰岛和挪威分别增加 8%、10%、1%，俄罗斯、乌克兰和新西兰则保持不变。《京都议定书》豁免中国、印度和其他发展中国家的减排任务。

由于各国实际情况差别较大，发达经济体与发展中国家就自身承担的责任颇有微词。作为全球排放第一大户的美国，认为《京都议定书》对美国经济有害，而且认为不对中国和印度等主要发展中大国的温室气体排放做出限制是不公平的做法，因此，在 1998 年 11 月美国副总统戈尔象征性地签署《京都议定书》之后第三年，布什政府宣布美国退出《京都议定书》。这一行为沉重打击了世界各国为应对气候问题而进行的努力。签署后又退出的国家还有加拿大。2002 年 12 月 17 日，加拿大签署了《京都议定书》。当时众多的民意测验显示，对该条约的支持度约为 70%。哥本哈根会议后，加拿大成为第一个将承诺目标降低的国家，也是《京都议定书》第二承诺期的坚定的反对派。2011 年 12 月 12 日德班会议结束之时，加拿大环境部长彼得・肯特宣布，加拿大正式退出《京都议定书》。另外，日本、俄罗斯也已经表示不再加入《京都议定书》第二承诺期。

《京都议定书》一直在争议和艰辛中前进。《京都议定书》规定，在不少于 55 个参加国签署，且温室气体排放量达到附件Ⅰ所列国家在 1990 年总排放量的 55% 后的第 90 天，在这两个条件同时满足时才能生效。2002 年 5 月 23 日，冰岛签署《京都议定书》，第一个条件实现，但距 1997 年《京都议定书》的签署已过 7 年。1998 年 5 月，中国作为 UNFCCC 的缔约方签署并于 2002 年 8 月核准了议定书。2004 年 12 月 18 日，俄罗斯通过《京都议定书》，第二个条件才满足。2005 年 2 月 16 日，《京都议定书》强制生效。但是，京都议定书只规定了第一阶段(2008～2012 年)的减排目标，2012 年之后的目标还没有落实。2011 年的德班会议将《京都议定书》的第二阶段确定为 2013 年 1 月～2017 或 2020 年 12 月 31 日截止。但是，由于美国依然游离于《京都议定书》之外，加拿大宣布退出《京都议定书》，日本与俄罗斯不再加入第二阶段；在发展中国家之间也出现步调不一的状况，《京都议定书》的未来充满悬念，缺乏政治意愿减排的气候谈判似乎陷入了“形式陷阱”。

③《巴厘路线图》。2007 年 12 月 15 日，在印度尼西亚巴厘岛经历 2 个星期艰苦谈判之后，《巴厘路线图》得以达成，《巴厘路线图》确定了今后加强落实 UNFCCC 的领

域。1992年，联合国环境与发展大会通过了《公约》，这是世界上第一个关于控制温室气体排放、遏制全球变暖的国际公约。在1997年的《公约》第三次缔约方大会上，《公约》实施取得重大突破，缔约方在日本京都通过了《京都议定书》，对减排温室气体的种类、主要发达经济体的减排时间表和额度等作出了具体规定。此次出台的《巴厘路线图》，将为进一步落实《公约》指明方向。

《巴厘路线图》共有13项内容和1个附录，主要内容如下：

首先，强调了国际合作。《巴厘路线图》在第1项的第1款指出，依照《公约》原则，特别是“共同但有区别的责任”原则，考虑社会、经济条件以及其他相关因素，与会各方同意长期合作共同行动，行动包括一个关于减排温室气体的全球长期目标，以实现《公约》的最终目标。

其次，把美国纳入进来。由于拒绝签署《京都议定书》，关于美国如何履行发达经济体应尽义务这一问题，其他国家一直存在疑问。《巴厘路线图》明确规定，《公约》的所有发达经济体缔约方都要履行可测量、可报告、可核实的温室气体减排责任，这把美国纳入其中。

第三，除减缓气候变化问题外，还强调了另外三个在以前国际谈判中曾不同程度受到忽视的问题：适应气候变化问题、技术开发和转让问题以及资金问题。这三个问题是广大发展中国家在应对气候变化过程中极为关心的问题。《巴厘路线图》把减缓气候变化问题与另外三个问题一并提出来，就像给落实《公约》的事业“装上了四个轮子”。

第四，为下一步落实《公约》设定了时间表。《巴厘路线图》要求有关的特别工作组在2009年完成工作，并向《公约》第十五次缔约方会议递交工作报告，这与《京都议定书》第二承诺期的完成谈判时间一致，实现了“双轨”并进。

第五，中国为《巴厘路线图》作出了自己的贡献。中国把环境保护作为一项基本国策，将科学发展观作为执政理念，根据《公约》的规定，结合中国经济社会发展规划和可持续发展战略，制定并公布了《中国应对气候变化国家方案》，成立了国家应对气候变化领导小组，颁布了一系列法律法规。中国的这些努力在缔约方大会上得到各方普遍好评。在《巴厘路线图》中，中国与其他发展中国家一道，承诺担当应对气候变化的相应责任。

《巴厘路线图》虽然并不具有法律意义，但是，它是人类应对气候变化历史中的一座新里程碑，它是一个指导气候变化谈判的纲领和计划，是一个“意向书”，其中确定了各方都愿意继续参加谈判的时间表。

④《哥本哈根协议》。2009年，在UNFCCC第15次缔约方会议上（COP15），来自

192个国家的代表参与并商讨《京都议定书》第一期承诺到期之后的后续方案，就2012~2020年全球应对气候变化的行动签署新的协议，并于12月18日达成《哥本哈根协议》。该协议并不具有法律约束力，各国可以根据自己的意愿参加，协议的效力可见一斑。

该协议进一步重申“共同但有区别的责任”的原则，但对一些国家放松了限制，第五条规定“最不发达经济体及小岛屿发展中国家可以在得到扶持的情况下，自愿采取行动”。发达经济体就对发展中国家提供额外资金进行承诺，协议第八条指出，发达经济体通过国际机构进行林业保护和投资，在2010~2012年期间提供300亿美元，在2020年以前每年筹集1000亿美元资金用于解决发展中国家的减排需求。协议中提出升温控制目标，确保全球平均气温升幅不超过2℃。第12条指出：“在2015年结束以前完成对该协议及其执行情况的评估，包括该协议的最终目标。这一评估还应包括加强长期目标，比如将全球平均气温升幅控制在1.5℃以内等。”

在《哥本哈根协议》达成期间，世界依然是两大阵营，发达经济体阵营与发展中国家阵营，“共同但有区别的责任”原则是其对立的焦点。发达经济体强调“共同”，发展中国家强调“区别”。令《哥本哈根协议》具有法律性的两个根本要件，即各国承诺减排时间表及全球2050年减排目标——到2050年全球减排50%，发达经济体在同一时间必须减排80%，因为各国意见相左最终未能达成，使得《哥本哈根协议》低于预期。

⑤《坎昆协议》。2010年12月11日，在UNFCCC第16次缔约方大会(COP16)会议宣布结束的第二天凌晨，《坎昆协议》得以达成，用乐施会全球气候变化政策顾问迪姆·戈尔(Tim Gore)的话来说，《坎昆协议》真的是一个“各方都不太满意，但各方都能接受”的结果。

《坎昆协议》坚持了《联合国气候变化框架公约》《京都议定书》《巴厘路线图》，强调了“共同但有区别的责任”原则，确保2012年德班谈判仍然按照《巴厘路线图》进行。2010年的《坎昆协议》同意建立一项技术机制，其下设立技术执行委员会(Technology Executive Committee)和气候技术中心和网络(Climate Technology Centre and Network)的技术机制，以加强协助拟定和实施低排放发展策略、国家减缓行动、国家适应计划和行动等技术合作，并希望在2011年的德班会议上能够就技术机制的运行形成决定，争取使气候机制能够在2012年正式启动实施。然而，由于发达经济体与发展中国家在技术转让核心和关键问题上的立场仍然有相当的差距，尤其是在知识产权保护、技术转让形式、技术转让资金保障、联合国机构在技术转让上的作用等问题上，仍存在不少争议。

2010年的《坎昆协议》还取得了一项重大进展，即设立一个大规模投资的“绿色气候基金(Green Climate Fund)”。决议中包括工业化国家在目前至2012年期间，提供总额为300亿美元的快速启动资金，以协助发展中国家进行气候因应行动，并预期在2020年时达到每年筹集1000亿美元长期资金成果，用以支持发展中国家应对气候变化的行动。在气候融资领域方面，推出一套缔约国会议程序来设计一项绿色气候基金。该基金董事会将由来自发展中国家和发达经济体同等数量的代表组成。基金来源非常广泛，包括发达经济体公共基金、多边投资及银行投资等。目前，基金管理、筹资途径、使用指南等存在很多不同的看法，具体细节问题还在谈判中。

坎昆会议尽管差强人意，但其达成的结果也是未来加强全球气候行动的坚实步骤，其内容涵盖各国为减少温室气体排放量所做出的最大集体努力(表1-3)。

表1-3 2020年各国温室气体消减量目标

附件I国家	2020年消减量	基准年	非附件I国家	2020年消减量	相对正常情境(BAU)	排放密度基准年
澳大利亚	5%提高到15%或25%	2000	巴　西	36.1%~38.9%	√	
白俄罗斯	5%~10%	1990	智　利	20%	√	
加拿大	17%	2005	中　国	40%~45%		2005
克罗地亚	5%	1990	印　度	20%~25%		2005
欧盟及27成员国	20%/30%	1990	印度尼西亚	26%	√	
冰　岛	15%/30%	1990	以色列	20%	√	
日　本	25%	1990	墨西哥	30%	√	
哈萨克斯坦	15%	1992	朝　鲜	30%	√	
列支敦士登	20%/30%	1990	新加坡	16%	√	
摩纳哥	30%	1990	南　非	34%	√	
新西兰	10%~20%	1990				
挪　威	30%~40%	1990				
俄罗斯	15%~25%	1990				
瑞　士	20%/30%	1990				
乌克兰	20%	1990				
美　国	17%	2005				

资料来源：FCCC/AWGKP/2011/INF.1，FCCC/SB/2011/INF.1

1.2.1.2.2　应对气候变化的国家立场

从《京都议定书》之后几次谈判及其结果来看，如何达成广泛全球气候变化的政治协议或共识，已非单纯环境保护课题，而变成各国势力的较量与角力。对于各种协议是否具备足够的法律约束力是非常重要的，有助于推动各国采取相应的行动。但实际上更重要的还是各国是否有采取实际行动的政治意愿，如果联合国提供了具有法律约束力的协议，但有关成员国不采取具体行动加以落实，也将无济于事。此外，一个新的政治现实也充分反映出来：无论是寻求实现“修订京都议定书”或一个具有约束力新协议，还有巨大工作需要完成。目前形势下，只有发达经济体的排放量受到限制，此种情形将引起对绿色竞争力和碳泄漏的合理关注。八大工业国(G8)高峰会议、二十大国(G20)高峰会议、亚太经济合作组织(APEC)经济领袖高峰会议及主要经济体能源气候论坛会议(MEF)与伴随联合国大会举行的各项环境与能源部长级会议，仍未能对气候磋商结果取得实质进展。

1.2.2　全球绿色经济的发展与相关国际策略和机制

1.2.2.1　联合国环境规划署：绿色经济倡议

2008年10月，联合国环境规划署(UNEP)首度提出“绿色经济倡议(Green Economy Initiative)”，同年12月联合国秘书长潘基文进一步提出“绿色新政(Green New Deal)”概念，呼吁全世界各国领袖应积极共同投资绿色的未来。2011年2月UNEP发布的一份新报告表示，至2050年，每年将全球生产总值的2%(目前约值13000亿美元)投资于10大主要经济部门中，便可实现绿色经济转型。10大部门包括：1080亿美元用于绿色农业，包含小型自耕农田；1340亿美元用于绿色建筑业，着眼于提高能源效率；逾3600亿美元用于绿色能源供给；约1100亿美元用于绿色渔业，包括减少世界渔船队的捕捞能力；150亿美元用于绿色林业，这会带来对抗气候变迁的额外效益；逾750亿美元用于绿色工业，包含制造业；约1350亿美元用于绿色旅游业；逾1900亿美元用于绿色交通运输业；约1100亿美元用于废弃物处理，包含回收利用；约1100亿美元用于水资源部门，包含解决卫生条件。这些投资必须得到国家和国际政策改革的激励。该报告指出，在绿色经济情景下，经济增长与环境可持续性并不矛盾。相反，绿色经济可创造就业机会并促进经济进步，并且可避免大的负面风险，如气候变化的影响、水资源短缺和生态系统服务的丧失等。每年将GDP的约1.25%投入能源效率和再生能源领域可使全球的初级能源需求到2020年减少9%，到2050年减少近40%。

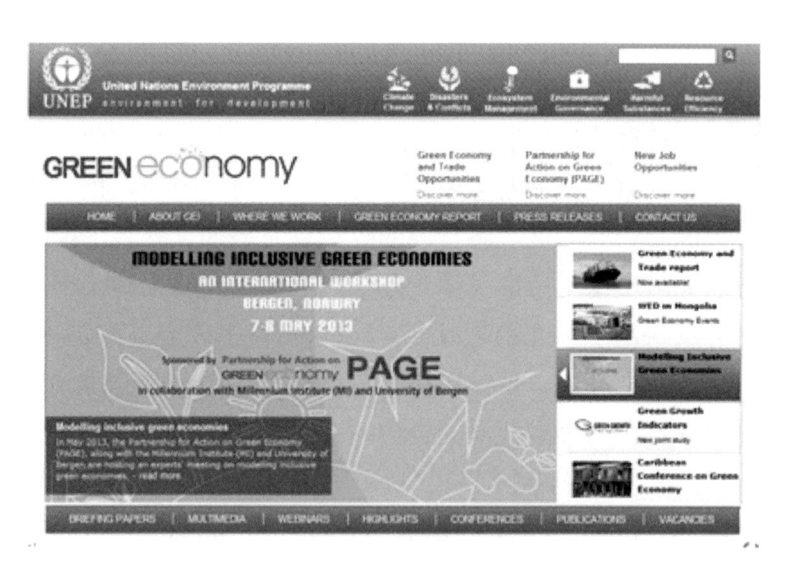

联合国环境规划署：绿色经济倡议

1.2.2.2 经济合作与发展组织(OECD)：迈向绿色成长报告

为因应气候变迁，促进经济可持续增长，世界各国均致力发展绿色经济。OECD为协助各国评估绿色经济发展进程，于2010年发表《绿色成长策略中期报告》(Green Growth Strategy Synthesis Report)，具体揭示促进绿色成长的五大策略。2011年5月OECD发表《迈向绿色成长》报告，揭示绿色成长要求更有效地利用资源，减少环境压力，资源的有效利用和管理是经济政策的核心目标。同时，指出未来面临的挑战，如外部性的价格信号不明显或过低、新技术在竞争、开辟市场和推广方面困难重重及贸易和投资壁垒可能会严重阻碍绿色技术在全球的发展和传播。报告不但提及绿色成长还需要透过各项政策建立适用于新一代技术的网络基础设施，在能源、水、交通和通信领域尤应如此。投资绿色基础设施可避免成长被困在代价昂贵的低效能模式上。这些投资还可提升经济成长，带来社会和健康方面的好处。由于大多数国家都需要进行大规模投资，所以需要利用公共和私人融资的杠杆作用。例如：通过公私伙伴关系、关税和税收并用、利用改革监管障碍和可靠的长期政策信号促进大型机构的投资、提供发展援助等。此外，绿色成长策略要想取得成功，重要的是要有明确的行动架构和统一的经济和环境政策标准。

最后该报告总结了各国未来在绿色成长议题须注意的多项重点，如：确保劳动力市场的顺利过渡、处理分配问题、国际合作促进绿色成长、监控绿色成长取得的进展等，当然也有赖于各国将其绿色成长策略纳入政府政策。

1.2.2.3　联合国气候变化框架公约(UNFCCC)：低排放量发展策略

低排放量发展策略(low-emission development strategies，LEDS)的建立在目前尚属自愿，因此未有应该涵盖项目的建议或要求事项。LEDS 的原始提案是由欧盟 2008 年提出，指出针对规划低碳路径的信息，可以协助国际社会取得融资需求与优先次序，并协助衡量全球气候行动。这一概念随后被多个国家所接受并对策略性气候变化规划文件进行了补充。各国领导人于 2009 年 7 月在意大利拉奎拉(L'Aquila)举行的主要经济体论坛会议(Major Economies Forum)中宣告将拟定低碳成长计划(low-carbon growth plans)。

UNFCCC 气候磋商中，LEDS 被提议为国家适当减缓行动(NAMA)内容之一，主要是应用 UNFCCC 第 4.1 条(特别是第 4.1b 条)规定。在 2009 年哥本哈根会议(COP15)中，一项 AWG-LCA 的决议草案中提到以排放量计划作为对发达经济体的要求，发展中国家则有条件地拟定低排放量计划。

在先前各项国际环保公约中，已经提出各种相似与具备前瞻性的策略，例如在《21 世纪议程(Agenda 21)》中拟定出的"国家可持续发展策略(national sustainable development strategies，NSDS)"。这些现有策略中纳入气候变化考虑的程度不同，同时现有各国气候变化策略，未必与发展规划进行整合。LEDS 是否具备强制性气候发展策略的性质，将依据国家情况与优先事项来决定。若是太多策略彼此重复或潜在冲突，则存在产生额外负担的风险。因此各国应该仔细考虑这些规划工具之间如何配合。因为气候政策亦能冲击更为广泛的国家优先事项，例如可持续发展、经济成长与消除贫穷。因此，一些国家已经开始考虑与拟定更为广泛与具备整合性之气候变化策略。未来如何在 UNFCCC 架构下，即时启动绿色气候基金机制将可在协助各缔约国推动 LEDS 方面具备关键作用。

LEDS 可以具备多重功能，但其主要是用于在更为协调、一致与策略性方式下，来推动国家气候变化与发展政策。另外，推动全球气候技术中心和网络(climate technology centre and network，CTCN)机制将可在协助各缔约国方面具备关键重要性，该项机制将可支持创新、发展和传播新技术，并可协助并支持拟定和实施低排放发展策略、国家温室气体适当减缓行动和国家调适计划和行动的支持。

1.2.2.4　国际能源署(IEA)：2010 能源技术展望(ETP2010)

约 84% 二氧化碳排放量和能源相关，所有温室气体排放量的 65% 可以归因于能源供应和能源使用。如果要使全球二氧化碳排放量减半，所有行业都必须大幅降低其二氧化碳排放强度。IEA 报告分析主要排放部门实现成本最低的减碳潜力所需的技术和政策。但是，这并不意味着每一行业都必须减量 50%。每个行业都有不同的增长前景和不同的降低排放量的低碳技术选择范围。为促进所有行业现有技术和新技术的推广，一个关键讯息就是要迅速行动，考虑长期目标。

依据2010 IEA 的评估，如果2050年全球二氧化碳排放维持在450μL/L(全球温度升高不超过2℃之目标)，需减碳的目标量约为430亿t，从发展关键技术解决，促成节能、再生能源及核能产业市场扩充。未来大部分的减量责任将由非OECD国家承担。IEA许多技术路线图建议加强各部门之间的伙伴关系，以加快创新和从示范到商业应用的转型。未来十年至关重要。如果2020年左右排放量没有达到高峰且之后没有稳定下降，到2050年实现减量50%的成本将更加昂贵，需要更短时间内采取更为激进的行动，且需要比政治上可以接受的程度高得多的成本。

目前，许多最有前途的低碳技术与使用化石燃料相比成本较高。只有通过技术研发、示范和推广才会减少这些成本，且技术才会表现出经济性。因此，各国政府和企业需要通过并行和相互关联的若干途径进行能源技术创新。大多数新技术在某个阶段都需要研发和示范的“推力”和市场推广的“拉力”。适当情况下，政策需要涉及整个研发、示范和推广阶段，这样可以减少其他参与者在技术发展早期的风险，然后逐渐让技术应对更激烈的竞争，同时当低碳经济站稳脚跟时允许参与者获得合理的投资回报。

1.2.2.5 气候变化政府间专家委员会(IPCC)：再生能源特别报告(SRREN)

2011年5月在阿拉伯联合酋长国阿布扎比举行之IPCC会议中各国批准《再生能源来源和气候变迁减缓之特别报告(SRREN)》的“决策者摘要(summary for policymakers)”。该报告显示的不只是资源的可取得性，也呈现今后几十年要扩大再生能源开发时所需具备的公共政策。该项报告内容将纳入IPCC目前进行内容更为广泛的第五次评估报告(AR5)中，AR5报告的综合报告预期于2014年9月最后确定内容后推出。批准通过的SRREN报告中，审查目前六项再生能源技术之现有普及率及其在未来数十年的部署潜力。如果辅以正确推广政策，至2050年时再生能源将可提供全世界能源需求量之77%，远高于2008年时再生能源仅占全球总初级能源供应总量之13%，能源需求量是美国在2005年能源供应量(亦类似欧洲大陆当年能源供应量)的三倍。

依据针对这些分析情境的上端结果显示，可以较正常情境排放量，减少大约三分之一温室气体排放量，并因此协助维持大气层温室气体浓度在450μL/L，有助于维持全球气温上升幅度低于2℃之目标。尽管在某些情况下再生能源技术已经具备经济竞争力，但是目前其生产成本往往高于市场能源价格。对于多数再生能源，在过去几十年来成本已经下降。该项报告作者们也预期未来将发生重大技术进展和进一步降低成本，造成对于减缓气候变化之更大潜力。如果可以将环境影响(例如排放污染物和温室气体)予以货币化并纳入能源价格中，再生能源技术将可能具备更多经济吸引力。推出承认和反映再生能源的更广泛经济、社会和环境效益(包括其减少空气污染和改善公众健康效益者)的公共政策，将是达成最高再生能源部署情境的关键。

1.2.2.6　各国的低碳发展战略(计划)

联合国气候变化框架公约缔约方大会认为，“低碳发展战略或计划”(LCDPS)指的是旨在在某个特定时期内最终消除或降低到非常低水平的净温室气体排放量(包括但不限于碳)，同时能够推进其他可持续发展目标的全面和协调的战略。虽然这一术语没有具体说明这些战略是什么，LCDPS 被理解为包括减少气候变化的脆弱性和提高适应能力的规定。

各国在形容此类计划时常使用下列术语：低碳行动计划(LCAPS)和零碳行动计划(ZCAPS)(世界自然基金会常使用这样的字眼)；低排放，气候抗御能力的发展战略(LECRDS)(由联合国开发计划署使用)；低排放发展战略(LEDS)[由美国国际开发署(US AID)，经合组织使用]；低碳(气候韧性)发展计划(LCGP)[由主要经济体论坛(MEF①)，欧洲气候基金会使用]。

在实践过程中，这些计划凝聚了新的和现有的元素，以一种新的方式结合起来，以解决现行政策目标并满足迫切的、新兴的减缓气候变化的需求，并为气候变化的影响做好准备。同时将气候变化政策与包括经济发展等长期问题整合。正如经合组织在《低排放的发展战略(LEDS)：技术，体制和政策教训》中提到的，低碳发展计划“提供了新的机遇，要考虑气候变化和发展，以更综合性、系统性和战略性的方式”，同样，一份报告项目(Climate Works 基金会的倡议)《低碳增长计划——推进良好实践(2009)》中指出：“这些计划都有一个共同关注的焦点缓解和适应经济增长和发展纳入国家战略。”

1.3　各国家与地区发展低碳经济的蓝图

鉴于发展低碳经济的内外部需要，发达经济体积极制定了自身的减排目标以及可再生资源的发展计划(表1-4)，将低碳经济和国家与地区的经济振兴结合在一起，勾

---

① 主要经济体论坛(Major Economies Forum，MEF)，以温室气体减排为目的，由美国主持成立的国际会议。作为发达国家与新兴国家就全球变暖对策进行对话的平台发挥作用。其前身是在布什政府呼吁下于2007年召开的“主要经济体能源安全与气候变化会议”(MEM)。在奥巴马总统主导下于2009年3月改为MEF。由二氧化碳排放量较大的中国、俄罗斯、日本、印度等16个国家和欧盟组成。成员国及地区排放的温室气体总量约占全世界的8成。

画了自身低碳发展的蓝图，将其重要性提高到国家战略的层面上，提出了雄心勃勃的目标和实施方案。

表1-4 发达经济体减排目标及可再生能源发展计划

法 国	节约能源、大力发展可再生能源和保持核电发展。长期以来，法国一直优先发展核电，全国78%以上的电力供应来自核能发电，这使法国在应对国际石油价格不断上涨方面较为主动。为了促进可持续发展、加强环境保护和提高绿色电力的比率，法国2008年制定了发展可再生能源的总体规划，目标是到2020年将可再生清洁能源占总能源消耗的比例由2005年的10.3%提高至23%
欧 盟	通过了到2020年将温室气体排放量在1990年的基础上减少20%、可再生能源在欧盟能源消耗中的比例提高到20%的强制目标，并表示愿意和其他发达经济体一道将减排目标提高为30%
英 国	2008年颁布实施的《气候变化法案》使英国成为世界上第一个为温室气体减排目标立法的国家，并成立了相应的能源和气候变化部。按照该法律，英国政府必须致力于发展低碳经济，到2050年达到减排80%的目标。英国也是全球率先推出并开始征收气候变化税的国家
美 国	《美国清洁能源和安全法案2009》规定到2025年，电力公司出售的电中有25%要来自于可再生资源。计划到2020年减排17%，到2050年减排83%
日 本	到2020年的温室气体减排中期目标定为与2005年相比减少15%
澳大利亚	澳大利亚政府计划到2020年前使澳大利亚碳排放比2000年的水平减少5%~15%之间，并且当哥本哈根会议达成全球协议后将此目标增加至25%
德 国	到2020年能源利用率比2006年提高20%，CO_2排放量降低30%，可再生能源占能源消费总量比例达到25%
加拿大	中期目标是在2020年将温室气体排放减少到2006年排放量的80%，长期目标是在2050年将温室气体排放减少到2006年排放量的30%至40%

1.3.1 欧盟“低碳经济发展蓝图”

欧盟委员会曾提出了关于有资源效益的“2020年欧洲旗舰倡议”，在此框架内，欧盟开始在运输、能源以及气候变化等领域推动一系列长期的政策计划。这一系列的计划构成了欧盟的气候行动，成为协助欧盟在2050年前变成一个有竞争力的低碳经济体的关键要素。该倡议认为，创新的解决方案需要调动在能源、交通、工业及信息和通讯技术上的投资，而且需要将更多的焦点放在关于能源效率的政策上。欧盟成员已承诺减少20%的温室气体排放，增加再生能源在欧盟能源结构中的份额成为20%，并且在2020年前实现20%的能源效率目标。欧盟目前正在按计划实现那些目标的其中两项，但是将不会满足其能源效率目标，除非再做进一步的努力。因此，当务之急仍然是实现所有的2020年既定目标。

为了使气候变化小于2℃，欧洲议会已在2011年2月再次确认了欧盟的目标，与1990年相比较，要在2050年前减少温室气体的排放达80%~95%，根据由发达经济体组成的联合国气候变化政府间专家委员会(IPCC)的必要减量文件中，这是与世界领袖在哥本哈根以及坎昆协议中的立场相同的。这些协议包括了承诺提供长期的低碳发展战略。某些成员已经向这一方向迈进，或处于该过程的某一阶段，包括制定2050年的排放减量目标。

迈向2050年前达到80%减量的途径，以5年为单位的步骤方式显示。图1-2的参考预测显示现行政策下境内温室气体排放量将如何发展。一个符合80%的境内减量的目标则可以说明整体及行业的排放量应如何发展，如果其他政策落实且到位，同时随着时间的推移考虑到可供选择的新技术。为此，技术的研发、示范及早期部署，如各种形式的低碳能源、碳捕捉及封存、智慧电网以及复合动力车技术，具有至关紧要的重要性，以确保它们往后的成本效益和大规模渗透。

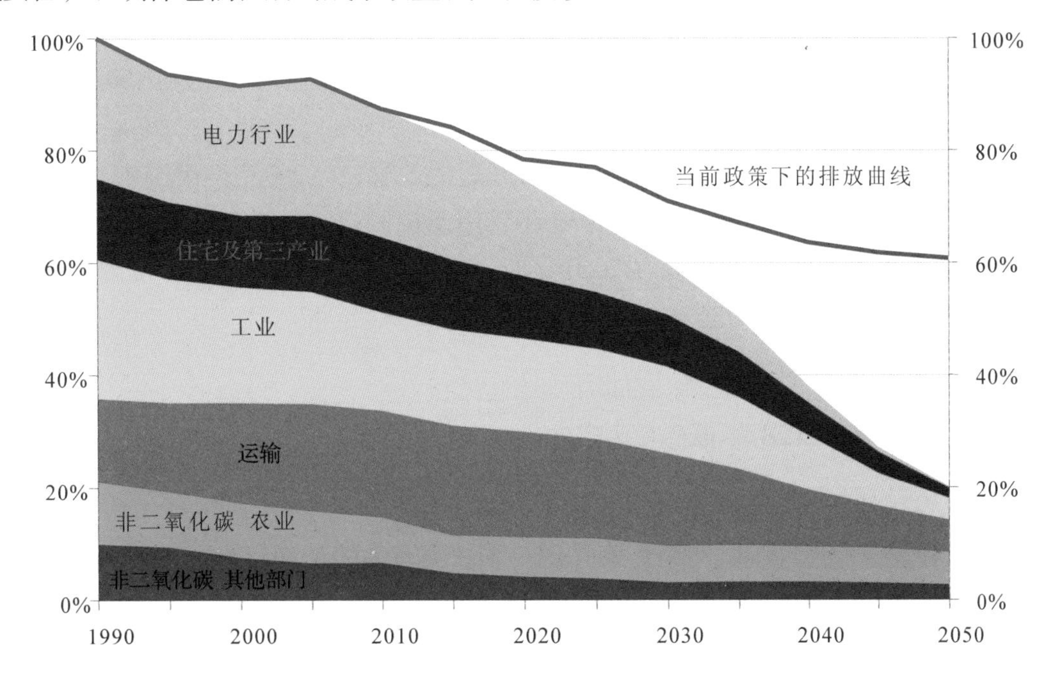

图1-2　迈向80%境内减量目标的欧盟温室气体排放(100%=1990)

资料来源：The European Economic and Social Committee and the Committee of the Regions. A Roadmap for Moving to A Competitive low carbon economy in 2050, 8 March 2011.

这将需要大量且持续的投资。未来的40年，根据计算在公共及私人投资上的增加速度大约达到平均每年2700亿欧元。这代表2009年在目前整体的投资占欧盟国内生产总值(GDP)的19%上，往后每年欧盟都需要有额外约1.5%的欧盟国内生产总值的投资。

在整个40年间，据估计，能源效率提高以及切换至境内生产的低碳能源来源，每年将可以使得欧盟的平均燃料成本减少1750亿~3200亿欧元。

尽早在低碳经济上投资将逐步刺激经济的结构性变化，并且能够创造新的就业机会，无论是在短期和中期，有可能在2020年前增加就业总量到150万个就业机会。

(1)温室气体减排和空气质量的措施合并后的效果，与2005年相比较，2030年将减少超过65%的空气污染。在2030年，用于控制传统的空气污染物的年成本将可能降低超过100亿欧元，而且在2050年时，每一年将可以节省近500亿欧元。这些情形的发展同时也将减少死亡率，预期的收益在2030年将达到170亿欧元，而且在2050年将高达380亿欧元。

(2)在整个40年的期间，据估计，其能源效率以及切换至境内生产的低碳能源来源，每年将可以使得欧盟的平均燃料成本减少1750亿~3200亿欧元。

(3)早在低碳经济上投资将逐步刺激经济的结构性变化，并且能够创造新的就业机会，无论是在短期或中期，有可能在2020年前增加就业总量达到150万个就业机会。

(4)温室气体减排和空气品质的措施合并后的效果，与2005年相比较，在2030年将可减少超过65%的空气污染。在2030年，用于控制传统的空气污染物的年成本将可能降低超过100亿欧元，而且在2050年时，每一年将可以节省近500亿欧元。这些情形的发展同时也将减少死亡率，预期的收益在2030年将达到170亿欧元，而且在2050年将高达380亿欧元。

1.3.2 澳大利亚“2050年低碳经济”

全世界正朝向一个低污染的未来前进。其计划之一就是要确保一个清洁能源的未来，澳大利亚政府已在削减污染方面采用一项较强有力的长期目标。政府的削减目标是要在2020年之前达成至少低于2000年水平的5%，并且在2050年之前达到低于2000年水平的80%，代表澳大利亚对全球维持温度上升少于2℃的目标的公平的贡献。碳税从2012年7月起正式启动，首批征收对象是污染最严重的500家企业，碳价为每吨23澳币，逐年调高2.5%，至2015年后将转型至排碳交易计划，碳价格由市场决定。在2020年之前，不论有或没有碳定价，澳大利亚的就业，据预测会增加160万个工作岗位，但是碳价格将会打破经济成长和碳污染之间的联结。

一个清净能源的未来需要对电力部门作重大的改变。电力发电大约占澳大利亚三分之一的排放。没有碳价格的情况下，来自电力发电的排放据预测将比过去40年增加超过60%。预测实施碳价格可在2050年之前使得电力发电碳排放低于目前水平的60%，因为部门和家庭改善其能源效率而且发电机转换成较低排放的技术。随着时间的推移，电力部门将从燃煤发电朝再生能源前进，随着再生能源在2050年之前从发电组合的10%上升到40%，而且传统的燃煤发电在2050年之前从发电组合的70%降低到低于10%(图1-3)。这将促使到2050年的期间大约1000亿美元的投资将被投入在再生能源部门中。来自再生能源部门的产出，排除水力，到2050年将成长超过1700%。一旦商业运转可行，碳捕集和储存(CCS)技术将可达成重大的排放减量，在2050年之前将能够覆盖30%的发电。当然，发电组合将大大地取决于一些不确定因素，包括新技术的成本和能源商品的价格(比如说天然气)。

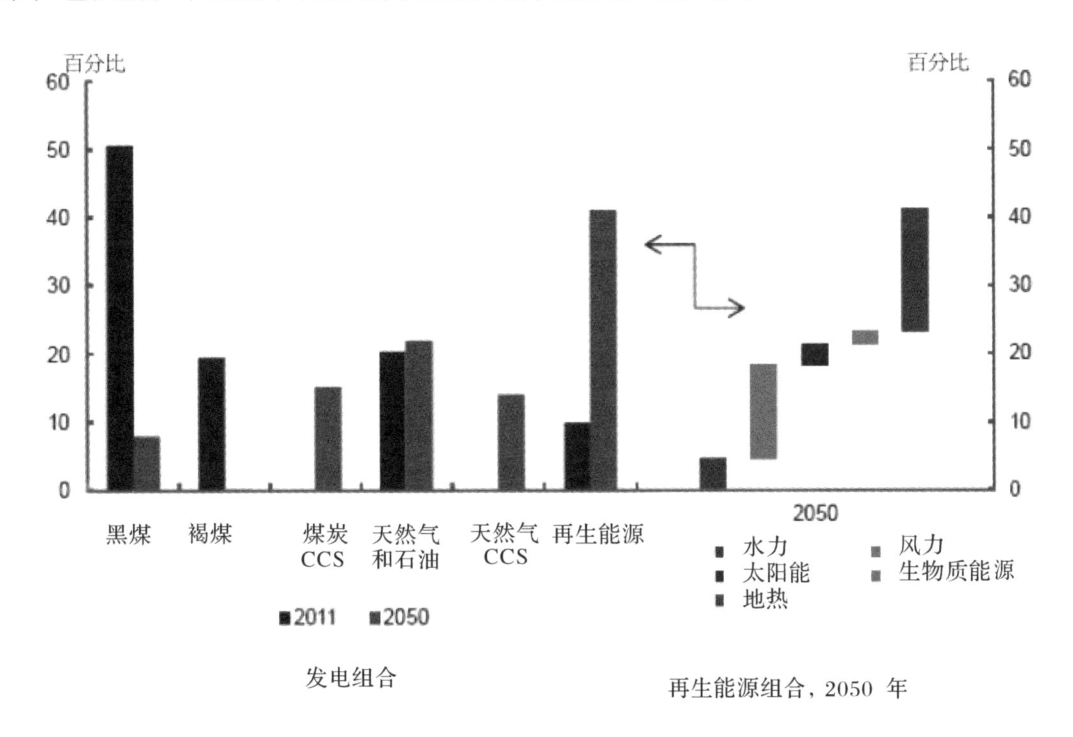

图1-3 澳大利亚创造洁净能源的未来

资料来源：Australia. Strong growth, low pollution-modelling a carbon price, July 2011.

1.3.3 美国“低碳经济发展蓝图”

美国发展低碳经济的政策框架主要以奥巴马政府提出的《清洁能源安全法案》中提出的新能源战略与绿色发展战略与美国国际开发署提出的应对气候变化战略所组成。其中，《清洁能源安全法案》是美国绿色能源发展的蓝图。法案的核心是限制碳排放量，通过设定碳排放上限，对美国的发电厂、炼油厂、化学公司等能源密集型企业进行碳排放限量管理。该法案表明了奥巴马政府意欲在绿色经济领域引领全球步伐的雄心，但是对该法案却出现了众多不同的看法，美国国内有人士声称该法案无法从实质上解决日益紧迫的环境问题。

2009年2月17日，奥巴马政府正式通过了《美国复苏与投资法》，实施总额为7872亿美元的经济刺激政策。其中大约580亿美元投入到环境与能源领域。绿色新政由绿色能源、能源效率、温室气体排放、向低碳经济转型共四个部分组成。

美国国际开发署发布了最新的《2012~2016年气候变化与发展战略》，为美国国际开发署提供了一个战略框架，以解决与气候变化相关的挑战和机遇，其中概述了该机构的目标，气候变化的战略目标、规划及指导原则。该战略还提出了一个实施的路线图，认为制定更详细的研究、监测、培训、学习、宣传计划是非常必要的。美国国际开发署的气候和发展战略的目标是使国家具备气候韧性，并实现低排放的发展，以促进加速向可持续的经济增长过渡。

在该战略的指导下，美国国际开发署采取了应对气候变化的两个互补的方法。首先，美国国际开发署将投资于专用的项目，以解决气候变化带来的风险和机会，通过努力，减少温室气体排放，并建立适应气候变化不可避免的影响。其次，美国国际开发署将气候变化的考虑融入整个机构的发展计划的核心部分（例如，在粮食安全、卫生、水、经济增长、减少灾害风险和更多领域提高气候适应能力并使用低排放的方法）。

美国国际开发署的气候变化和发展战略，将采取三项战略目标：加快过渡到低排放的发展，通过投资于清洁能源和减缓气候变化的可持续景观；通过增加适应气候变化的投资提高人员、地点和生计的适应能力；通过将气候变化整合到美国国际开发署的项目、学习、政策对话和业务之中，加快发展成果产出。

1.3.4 日本"福田蓝图"

日本在能源需求方面，住户与运输部门近年能源需求大幅增长，故日本最初于1998年6月制定《地球温暖化对策推动法》，将节约能源推动重心由工业部门，推广至住户、运输等部门，以落实各部门全面节约能源。

2008年6月，福田康夫首相以"低碳社会与日本"为题发表了日本低碳革命宣言，又称"福田蓝图"，指出"在应对气候变暖的对策上，日本必须有新的价值观"，并提出日本将把"向低碳社会的转型当做是'新的经济增长机会'"，日本应该"把二氧化碳的排放当成一种'负债'，确立这种新的观点可以保证日本的创新会带来最高的国际竞争力”。

“福田蓝图”减排的长期目标是到2050年温室气体排放量比目前减少60%~80%，把日本打造成为世界上第一个低碳社会。减排的中期目标是到2020年日本实现与欧盟同等程度的减排目标，即2020年比1990年减排20%的目标。在具体政策方面，福田首相提出了日本的四大核心政策：技术创新、全国构建低碳经济的基础框架、促进日本各地方的低碳社会建设和实现国民低碳化，其中技术核心为四大核心政策之首。

作为当时世界第二大经济体，日本是世界上主要能源消费大国。近几年来，日本不断研发的新能源技术使能源利用效率大幅度提高，新能源开发利用展现出扭亏为盈的倍增趋势，使日本经济的抗风险能力不断增强，大大降低了对传统能源的依赖程度。日本已经在不知不觉中谋求着从“耗能大国”到“新能源大国”的转变。2008年7月，日本政府选定了包括横滨、九州岛、带广市、富山市、熊本县水俣、北海道下川町6个不同规模的城市作为“环境模范城市”，以表彰和鼓励它们积极采取切实有效措施防止温室效应。此外，重启太阳能鼓励政策，将是日本经济转型中的核心战略之一。2009年日本把发展太阳能首次正式列入日本经济刺激计划，足见太阳能能源的受重视程度。

日本由于能源资源贫乏，大多仰赖进口，加之核能电厂场址土地取得不易、原油价格大幅上升、温室气体减量压力以及中国与印度等新兴国家经济崛起所导致全球能源供需巨大变动等挑战，日本经济产业省于2006年5月公布《新国家能源策略》，以期透过节约能源、加强推动海外资源开发、降低石油依存度、加强国际合作及大力扶植国内能源企业等六大战略目标，加速完善国家能源安全战略的新部署。另外，整理日本《地球温暖化对策推动法》《新国家能源策略》等能源政策，以及《能源使用合理化法》《日本能源政策基本法》等法规及其目标。依照地球温暖化推进相关法规定，自2005年起即要求年排放量达3000t以上的排放源于每年7月底前申报前一年的排放量，且以各部门依能源法应该做报告的对象为主，申报家数约1万家，以书面方式向中央申报，未申报及申报有误者可依法处分。日本《地球温暖化对策基本法（2010年草案）》，提出企业可自愿减碳。《地球温暖化对策基本法草案》将取代1997年通过地球温暖化推进相关法，于2010年10月通过内阁会议，该基本法草案的基本对策为：优先推动国内排放量交易制度（但目前正积极检讨中），征收温室气体税（尚在国会审议中）及再生能源收购价格（已于2010年6月制定）等，但是由于因政党对立与“3·11”震灾后重新审议国内减量目标及能源整体问题尚未通过。

1.3.5 韩国“国家绿色愿景”

韩国政府2008年提出“低碳，绿色成长”的国家绿色愿景，并于2009年2月25日经内阁会议讨论后通过了《低碳绿色成长法》。该法案涵盖温室气体、新再生能源、资源循环、能源自主等议题的基本方针，以及成立主导执行各项工作的委员会，并研究制定应对国家气候变化与能源政策的基本原则，以20年为期，每5年检讨实施的气候变化应对基本计划。不过，为保持未来应对国际趋势的弹性，在韩国低碳绿色成长法案中并未订立任何数据，包括温室气体减排量、资源循环利用、绿色技术推广、石化燃料减量等的具体目标。

该法案共有8章64条。其中第1条及第4条第1、2款，提出立法目的：为推动未来经济发展奠定低碳绿色成长的基础，兼顾经济、环境及国际责任，提升生活品质，并迈向顶级先进国家水平。第3条中提出，国家应承担的重任包括应对气候变化、解决能源资源问题、扩大成长引擎、提升产业竞争力、有效利用国土、发展舒适环境、运用市场机制、强化绿色产业等。第14条至第21条，提出通过绿色成长的总统委员会选任各委员并使其发挥管理功能。法案中还提出减碳责任平衡，包括中央、地方、产业、人民等。架构要完整明确，涵盖的领域包括低碳社会、绿色生活、可持续发展、核能、水资源、国土管理、气候适应等(表1-5)。

表1-5 韩国低碳绿色成长基本法架构（2009年4月23日公告英文版）

一、总则（1~8条）
立法目的、定义、基本原则，国家、地方政府、事业和国民的职责，与其他法案、政策及计划的关系等
二、低碳绿色成长策略（9~13条）
经济体系、技术、产业、气候变迁的国家策略、中央和地方行动计划、执行成效检讨与评估，委员会对成效的检讨及政策的建言等
三、绿色成长的总统委员会及相关组织（14~21条）
委员会的组成、运作、功能、会议、分组委员会、项目小组、人员派遣、地方组织、绿色成长官员等
四、低碳绿色成长的推动(22~37条）
实现绿色经济的基本原则、强化并支持绿色经济、绿色产业、资源循环及绿色管理、绿色技术的研发与商业化、信息及通讯技术的扩散与应用、财税系统、绿色产业培育与支持、绿色技术与产业的优惠与群聚、标准化与认证、支援中小企业、绿色就业、国内法规合理化及国际规范的因应等

（续）

五、低碳社会的实现（38～48条）
因应气候变化基本原则、能源政策基本原则、因应气候变迁基本计划、能源基本计划、气候变迁和能源目标管理（含温室气体减量目标）、促进温室气体早期减量、报告温室气体排放及能耗、整合性温室气体信息系统、总量管制与排放交易系统、运输部门温室气体管理、气候变迁冲击及调适对策等
六、绿色生活和可持续发展的实现（49～59条）
绿色生活及可持续发展基本原则、可持续发展及绿色国土管理、因应气候变化的水管理、建立低碳交通系统、扩大绿色建筑、促进环境友善农林水产并扩大碳汇、促进生态旅游、推展绿色生产及消费文化、绿色生活、绿色生活教育与倡导等
七、附则（60～64条）
委员会要求提交资料、政府增进国际合作、向国会报告、准备国家报告书、违反人的罚款(不高于1000万韩元）等

1.4　低碳经济发展的未来与全球新格局

1.4.1　低碳经济覆盖的领域及未来发展

低碳经济，其根源和核心是减少人类行为产生的碳排放。因此发展低碳经济涉及人们生产、生活以及全社会的方方面面，涉及每一个经济单位从自身出发，充分考虑低碳经济的诉求，实现低碳发展的目标。

从生产型企业来说，发展低碳经济要求企业生产的各个环节：从上游原材料的使用，到中间产品的运送，到下游产品的生产、销售，均要符合低碳发展的要求。这意味着：在生产过程中，减少各种生产要素的无故浪费，使用更清洁的原材料，使用更清洁的能源，或者提高现有能源的使用效率以达到单位能耗的相对下降；采用更有效率的运送方式，减少物流、运输能耗；下游产品的设计过程，考虑更多碳友好的措施，包括产品的碳标签等，在销售过程中引导消费者选择更清洁、更环境友好的商品。对于服务型企业来说，采用更先进的信息技术，实现低碳、高效作业，就成为其对自身的要求。

就政府来说，一个完整的低碳政策体系的构建是最大的难题，这是由于低碳政策体系不仅包括了对产业、对个人行为的引导、约束，更体现在整个国家的战略制定与战略目标的实现。而与温室气体排放减量最关系密切的几个方面的事项：温室气体排放交易、温室气体税(碳税)、相关的能源政策，虽然是政府最为关注的问题，但是也由于利益群体的复杂性，变得更为复杂。

低碳经济将彻底改变人们的生活、生产状态。它对更高的生产技术提出了要求，为低碳技术创新设立了新的挑战，在促进创新、实现高碳到低碳转变方面，对政府的配套与激励政策设立了更多考验，它将进一步改变人们的消费行为、消费观念与偏好。不论低碳经济目的为何，它确实已经成为迈向一个新时代的里程碑。

1.4.2 全球低碳经济发展的趋势与新格局

纵观全球各国低碳经济方面的政策与实践状况，低碳经济将促使金融、投资、产业转型、全球贸易等多个方面出现新的问题与转变，进而导致全球形成以低碳技术、低碳金融为中心的新格局。

1.4.2.1 低碳经济吸引更多的机构投资者并增强其对于应对气候变化的影响

机构投资组合经理人拥有将碳治理与碳策略纳入投资决策主流的力量。这些机构包括了养老基金、共同基金、各类保险公司、经纪人、捐赠基金及其他基金会等。在资产配置分析和股票价值评估过程中，投资者如果不考虑气候变化与碳金融问题，有可能使得投资于重大风险之中，影响投资分析与收益。另外，由于机构投资者在分析投资机会时需要遵循披露管制的规则，因此机构投资者必须充分考虑环境问题，尤其是气候变化的应对措施。因此作为发展低碳经济全球目标的应对气候变化问题，是机构投资者未来关注的焦点。

总体来说，美国公司普遍被视为低估全球变暖的威胁，企业运转如常；而欧洲、日本、加拿大公司则更多报告其财务风险及应对气候变化的减缓战略。金融投资机构获得排放资料来源不充分，因此需要从其他环境分析系统中获得估计数据以分析公司和部门的碳组合。另外，由于机构投资者在全球的巨大影响，他们可以采用多种方法对公司施加压力以使其对环境影响负责，如将环境机会、环境风险纳入投资战略，与环境表现不佳的公司进行对话，在公司股东大会上提出环境解决方案和代理投票来提升企业环境表现等。

从投资银行的角度来看，投资银行正在拟定应对气候变化的计划。比如荷兰银行在2005年推出的气候风险管理服务；高盛在2005年将气候变化因素纳入股票估值模型。气候变化因素也可能对基金的长期投资产生重大影响。

1.4.2.2 低碳经济促使政府投资向低碳技术创新倾斜

从主要发达经济体低碳实践来看，他们凭借低碳领域技术领先优势与制度创新优势，正加紧构筑新一轮世界产业和技术竞争的新格局。结合当前世界经济的总体发展形势，大规模在低碳领域投入资金，刺激经济复苏，寻找并培育新的经济增长点，成为主要发达经济体的共同目标，其所推出的大规模经济刺激计划均将低碳领域作为投资的重点。而发展低碳技术创新是抢占低碳领域发展高地的重要战略步骤，是主要发达经济体在低碳技术领域争夺引领权的重要途径。

低碳技术创新经历研发、试点推广、产业化应用等阶段，每一个阶段都需要大量的资金投入。发达经济体不断地投入巨额资金。根据欧盟研究局发表的资料，2007年，欧洲国家以及美国、日本对低碳技术研发的投资总额为89.1亿美元。其中，日本为39.1亿美元，美国为30.2亿美元，欧洲主要国家为15.8亿美元(其中法国5.7亿美元，德国5.6亿美元，意大利3.2亿美元，英国1.3亿美元)。美国政府2008年低碳技术创新预算为41.80亿美元，2010年为60.6亿美元，增加45%，用于基础能源科学、化石能源、输电和配电、能源效率、可再生能源、氢能源、核裂变、核聚变等领域创新。

发达经济体政府投入大量低碳技术创新资金，同时建立运作良好的资金使用机制，成立相对独立的低碳技术创新机构，以确保资金使用效率。几乎所有国家都明确规定，尽管低碳创新机构隶属于某些政府部门，但是整体创新促进计划并不受个别政府部门的直接控制。

1.4.2.3 因地制宜的绿色经济将进一步在全球展开

应低碳经济与可持续发展的要求，各国均在积极探索发展绿色经济的有效模式。全球范围内出现了绿色城市、低碳区域，但发展绿色经济并没有绝对的标准和统一的模式，各国根据自身的特点，应自主决定绿色经济转型的路径和进程。

2012年，联合国可持续发展大会在巴西举行，绿色经济再次成为全球关注的焦点。本着体现环境、发展、公正的原则，实现绿色经济至少应包含以下3个方面：发达经济体应首先改变其生产和消费模式；发展中国家保持原有发展目标，但采取可持续发展方式和途径；发达经济体承诺向发展中国家提供资金援助和技术支持，并相应地改革全球经济金融贸易体制，为发展中国家创造良好的外部环境。关于绿色经济的发展原则已经基本上获得了全球的共识，在充分考虑每个国家的发展阶段和水平的前提下大力发展可持续的绿色经济，将有助于创造更多就业机会，有助于消除贫困，提高投资效益，降低绿色转型的成本和风险，开拓绿色产品市场等。低碳经济引致更多新兴低碳产品和产业的开发与崛起。

1.4.2.4 低碳经济引发全球范围更频繁的技术转移

依托技术研发与转移来应对气候变化已经成为全球共识，发达经济体通过多种形式的技术转移为发展中经济体提供技术支持，不仅能够使发达经济体弥补其技术开发的费用，扩大技术推广，而且也能够帮助发展中经济体更快将先进低碳技术引入到生产过程之中。另一方面，发达经济体有责任向发展中国家转让气候友好的技术，这也是为了全世界用最低的减排成本尽可能降低二氧化碳的排放。2009年世界知识产权组织总干事指出，“一般来说，国家越不发达，在创新技术转让过程中需要的帮助越多。因此发达经济体不仅应在技术创新、使用和转让方面加大对发展中国家的帮助力度，而且也要在技术转让后续安排上为发展中国家提供更多援助”。

发达经济体向发展中经济体进行技术转移有两种模式，一是简单技术成果转移模式；二是技术成果与技术能力相结合转移模式。此外，目前各国对技术合作、技术转让问题形成了一个基本的共识，即推广发达经济体和发展中国家要进行合作、共同研发。无论以何种方式来推进，全球范围内的技术转移更加频繁是不可避免的。

1.4.2.5 低碳经济导致全球贸易新问题与挑战

根据《京都议定书》提出的三种交易机制：议定书第六条确立的联合履行(JI)、第十二条确立的清洁发展机制(CDM)和第十七条所确立的排放贸易(ET)，国际贸易面临了新的问题。首先是“碳”成为一种新的商品加入到交易的行列之中；其次，不同国家在不同生产环境下——高碳与低碳生产环境——生产出来的产品在国际贸易中可能会面临新的问题，即高碳环境低效率中生产出来的产品在国际贸易中可能会遭遇新型的贸易壁垒。对于国际贸易商品来说，越来越多的商品注重标记“碳标签”或说明产品生产的“碳足迹”来增强消费者对低碳产品的认知程度，而这种行为一方面将提升企业的成本，另一方面导致了更大程度上的产品差异性。碳关税的问题也成为国际贸易政策工具中各国所关注的新问题。碳关税是指对高耗能产品进口征收特别的二氧化碳排放关税，目前世界上并没有征收范例，但是欧洲的瑞典、丹麦、意大利以及加拿大的不列颠和魁北克在本国范围内征收碳税以及一些边境碳税收等。碳关税受到了各国的积极关注和讨论，但对于一些由高碳生产向低碳生产转型的国家来说，碳关税仍可能构成“理论上合理而实际上歧视”的新壁垒，一旦广泛实施，有可能产生新的、以环保为名义的贸易摩擦。

发展低碳经济不仅为国际贸易运行提出了新的问题，它对一国的贸易结构、产业结构的升级也提出了新的要求。各国不仅要重新思索自身比较优势的来源，而且要将可持续发展与低碳生产相结合重新检视自身的产品生产。对产品的低碳要求而新增的贸易成本必将导致贸易条件的改变，进而影响一国商品的国际竞争力。另外，在技术贸易层面，随着技术转让的频繁，技术和知识产权将再次成为贸易问题上的新宠。低碳经济的全球推进必将影响世界贸易的规则，进而调整世界贸易的格局。

1.4.2.6　低碳经济下的碳市场机制重塑全球碳格局

全球经济在2011年的疲软表现使得碳市场也未能免受影响。由于欧盟气候政策的支持，欧盟排放交易计划长期供给过量的趋势越来越明显，在全球碳市场的驱动等多重因素的影响下，碳价格在2011年年底时暴跌。但即使是价格有所下降，在交易量强劲增长的显著推动下，全球碳市场的价值在2011年仍然有所攀升。市场增长总量年增长11%，达1760亿美元(约合1260亿欧元)，交易量达到103亿t二氧化碳当量的新高。

全球碳贸易量增长之中，欧盟排放配额(EUA)的贸易量增长达79亿t二氧化碳当量，价值1480亿美元。核证减排量市场流动性的增强以及新生的二级排放减量单位交易行为，促使了东京二级市场冲销的贸易量在2011年达到了43%的增长率，为18亿t二氧化碳当量，价值230亿美元。在对冲交易与套利的强力推动下，所有资产的贸易量都有所增长，而欧盟温室气体年排放量在三年之内第二次下降(主要由于欧盟的产业活动减弱所致)，对合规需求的预测由于排放配额的过度供给下降了。由于合规需求与价格的恶化，现行碳价格是否能够充分刺激长期低碳投资的问题引起了多方的讨论与关注，国际碳市场面临的新挑战已经出现：现有宏观经济形势下导致的最终需求与现在相比差异极大的市场条件下形成的预先确立的供给之间的差异，将导致过度供给。

当前碳市场面临不确定性的同时，评估碳市场机制的累积效应尤为重要。迄今为止，大约有价值280亿美元的远期核证减排量(pre－2013CERs)的合约已经订立了合同(加上ERUs价值共达300亿美元)。如果所有的基础项目全部实施，这些合同将能够支持发展中国家内超过1300亿美元的额外投资，并且诸多以项目为基础的机制能够促进资本有效地向成本效益好的低碳投资方面流动。更广义地说，低碳举措，包括市场机制已经打破了惯性并且引起了对气候变化的极大关注。

2011年以及2012年年初，一些国内与区域的低碳方案以及市场机制，在发达经济体与发展中经济体内得到了持续的推动。2011年末，国际碳市场迎来了澳大利亚国会通过《清洁能源法案》这一好消息，该管制法案提出到2015年澳大利亚将实行全国范围内的总量管制与交易计划。粗略估计，该计划将覆盖澳大利亚年排放6亿t二氧化碳当量的60%。2011年，美国加利福尼亚空气资源署采纳了总量管制与交易。加利福尼亚计划于2013年开始生效；2015年扩大覆盖的范围，该计划将覆盖加利福尼亚年排放量的85%。魁北克，占加拿大年温室气体排放的12%，采取了自身的总量管制与交易计划，该省正致力于从2013年起与加利福尼亚采取联合行动。另外，墨西哥和朝鲜均在2012年4月的数日之内通过了综合气候法案。这些举措，与未发生大事的

2010年相比，特别显得瞩目。目前，世界正聚焦欲在低碳经济发展方面前排领跑的中国。中国的几个区域性的总量控制与交易计划有望在未来几年为全国性计划打下基础。因此，尽管近期内碳市场前景低迷，但是很多国家和地区通过的新的国内以及区域市场机制还是为碳市场的潜在发展带来了曙光。

市场机制能够刺激有竞争力的私有部门参与到气候减缓与适应的进程中来。然而，私有资本向新型低碳技术的渗透受到了短期低价的限制。由于长期缺乏价格信号，金融市场的紧张情绪也导致了私有资本对低风险资产与市场的青睐。更多的国家需要更雄心勃勃的目标来培育需求，为真正的、具有转换性的碳市场打下基础，这个市场可以从分散但有效的市场举措中脱颖而出。这一挑战迫使各国减排计划彼此联动，从而更紧密地联系在一起，并且将潜在地重塑全球碳格局。

第2章　世界低碳经济政策概述

各国政府当前关于低碳经济的政策大致可以分为三个方面，一是整体减排目标的设立；二是节能标准的设立及补贴，这里面包括工业节能，建筑物节能和电器节能；三是新能源发电最低比例的设立和相关的财政补贴，值得注意的是，各项新能源技术现在仍处于百花齐放的状态，因此各国政府普遍没有设定不同技术的最低发电比例。如果按政策扶持的力度来选择投资领域的话，我们认为应该遵循的一个原则是直接财政补贴力度(通常是直接按照投资额提供补贴)大于价格补贴，而价格补贴要大于税收优惠。

推进低碳经济的政策工具，根据管理手段分为4大类：环境命令控制、经济刺激政策、教育与宣传、自愿协议。这些管理方式分别作用于能源需求管理和能源供给管理中，从而推进能源效率提高、新能源的开发和利用、低碳技术的研发与推广、消费模式的转变等(表2-1)。

表2-1　低碳经济的政策工具与政策目标

类别	环境命令控制	经济刺激政策	教育与宣传	自愿协议
措施	法律、法规、法令、规章、条例	税费	节能咨询	行业间倡导、倡议
	认证制度	补贴	技术培训	政府企业间协议
	排放标准	押金返还制度	节能标识	
	环境处罚	排放权交易 认证交易制度		
政策目标	提高能源效率，开发与利用新能源	提高能源效率 转变消费模式 开发低碳技术 调整能源结构	转变消费模式 提升公共意识	提高能源效率 增强企业社会责任

其中，环境命令与控制属于一种规制手段，是传统的环境污染控制的做法，通过政府的强制命令来减少污染的管理方法，如：环境标准、认证制度、行政处罚、禁令

等。自20世纪70年代开始，欧美国家以该种政策方式为主，制定了大量规章、法令，出台各种新标准与认证要求，强制企业执行。

20世纪80年代开始，欧美等发达经济体的环境管制手段开始转向经济刺激型政策。经济刺激型政策试图通过财政政策和市场机制，鼓励促进社会福利最大化的环境友好行为，或惩罚环境损害行为，通过采取正向、反向的刺激方案，在环境保护和社会经济福利之间找到最理想的平衡点。另外，通过市场机制的充分引入，构建排放权交易市场和其他类型的碳交易市场，使得企业能够利用市场调节碳排放权的供需。各国具体使用低碳政策工具的案例详见表2-2。

表2-2　各国应用低碳政策工具的具体案例

低碳政策工具类型	具体案例
政府管制碳排放税财政补贴碳基金	德国、丹麦、英国等国对可再生能源强调入网、优先购买义务；建筑物节能标准；欧盟强制淘汰高能耗照明设备等；英国大气影响税、日本环境税、德国生态税等；德国、丹麦等对可再生能源生产、投资补贴；英国节碳基金；亚洲开发银行“未来碳基金”等
碳排放交易	欧盟碳排放交易、美国芝加哥碳排放交易市场等
标签计划自愿协议	意大利白色认证、绿色认证等；丹麦绿色认证等；日本经济团体联合会自愿减排协议等
能源合同管理	美国等能源合同管理公司
生态工业园规划	丹麦卡伦堡生态工业园等

教育与宣传是在全社会普及低碳理念、宣传低碳知识的一种主动做法。主要通过对消费者开展低碳理念教育，为生产管理者提供节能技术培训和咨询，或通过环境友好型技术的标签化(labeling) 等途径间接改变消费观念和消费行为，促进消费者对低碳产品和低碳技术的购买，直接或间接地降低能源消耗的环境影响。

自愿协议是一种新型环境治理工具，其包括政府－企业协议、企业自主协议、企业在减排项目中的自愿参与等方式。西方发达经济体的自愿协议政策往往作为能源税、排放权交易、补贴等经济刺激型政策的辅助工具，是企业自治的充分体现。

2.1　世界低碳经济的财政政策

财政政策并非减少温室气体排放的唯一工具，但它是目标性最强的、特别的工具之一。从减缓气候变化来说，举个例子，采用汽车绩效标准限制每公里行驶油耗，并不对边际公里数征收排放费用。选择性的使用规制和财政工具的偏好与传统都有所区别，但是最具导向性的政策是为温室气体排放制定一个合理的价格。财政政策包括财政投资、财政补贴、政府采购、相关征税(如碳税或其他相关税)、税收优惠等。

2.1.1　财政投资政策

财政投资是最基本的国家经济政策，对于低碳经济发展的推动效果是最直接的。财政政策具有发展导向性，通常体现了一国在一定时期内对某一行业或产业的导向性支持或促进。2002～2008 年，随着各国对可持续能源的关注，全球在可持续能源投资领域的投资增长，累积可达 5 倍以上(图 2-1)。

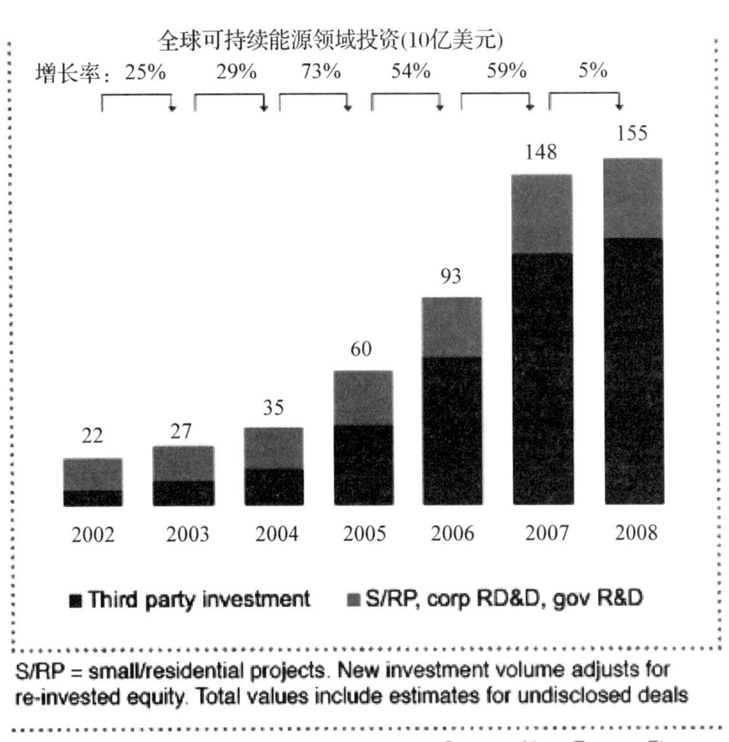

图 2-1　2002～2008 年全球可持续能源投资情况

各国根据自身的发展需要以及国内经济的形势，采取了多重财政投入政策，一方面起到发展低碳经济的作用，另一方面，对于发达经济体而言，也是在经济低迷时期寻找新的经济增长点的积极行动。各国投资领域主要集中在：新能源，碳储存捕获项目、可持续能源、绿色技术等方面。

美国把发展新能源作为摆脱经济衰退、创造就业机会、夺取全球新能源技术最高点的战略产业进行大规模投资。2009 年，奥巴马政府提出了以发展新能源为核心的“绿色新政”，拟在两年内投资 1000 亿美元，建设节能建筑、公共运输系统、智能电网、风电、太阳能发电、第二代生物燃料六大领域的绿色基础设施项目。未来十年，将投入 1500 亿美元自助替代能源的研究等。2009 年奥巴马签署的《复苏与在投资法案》中规定实施总额为 7872 亿美元的经济刺激计划，用于新能源开发、节能增效和应对气候变暖方面，其中与开发新能源相关的投资总额超过了 400 亿美元。

欧盟各成员国于 2008 年 12 月发起了《欧洲经济复苏计划》。出资 10. 5 亿欧元用于 7 个碳储存和捕获项目，9. 1 亿欧元用于电力联网，5. 65 亿欧元用于波罗的海和北海的海上风能项目。欧盟委员会宣布在 2013 年之前投入 1050 亿欧元支持欧盟的“绿色经济”，促进就业和经济增长，保持欧盟绿色技术的领先地位。款项全部用于环保以及预期相应的就业项目，其中 540 亿欧元用于欧盟成员国落实和执行欧盟的环保法规，280 亿欧元用于改善水质和提高对废弃物的管理和处理水平。

英国在 2009 年 7 月发布的《英国低碳转换计划》中，拨款 32 亿英镑用于住房的节能改造；首次提出所有英国政府机构必须建立自己的“碳预算”，严格控制碳排放量，不达标准则处以罚款。英国已经将碳预算直接纳入财政预算之中，每年有大量财政资金用于节能技术研发、能效示范项目投资。2009 年，为了配合“碳预算”的执行，英国政府安排了 14 亿英镑的预算资金，直接投向与发展低碳经济领域相关的领域，其中 90% 的资金被用于支持海上风力发电、提高能效以及支持低碳产业与绿色产业的发展。另外，一个英国推行的碳基金是一种特别的财政投入方式，是该国实施《英国气候变化计划》的一项重要措施，是 2001 年英国主要利用气候变化税的部分收入(部分来自政府拨款)创立的，是一家由政府投资并以企业模式运行的独立公司，主要为帮助企业和公共部门减少碳排放，鼓励和促进开发低碳技术，提高能源利用效率，加强碳管理以及投资低碳技术开发。

2005 年德国联邦政府退出了以能源效率和可再生能源为重点的能源研究计划，由德国“高技术战略”提供资金支持。2007 年，德国联邦教育与研究部又在该战略框架下制定了气候保护高技术战略。根据这项战略，德联邦教育与研究部将在 10 年内额外投入 10 亿欧元用于研发气候保护技术。此外，该部门还建立了持续资源能源研究的机制，2008 年拨款 3. 25 亿欧元用于能源研究，其中至少 1. 25 亿欧元用于资助项目，2 亿欧元用于资助亥姆霍兹国家研究中心。到 2010 年项目资助超过 4 亿欧元，研究重点集中在能源效率和可再生能源领域的研究，对其资助将增加 30% 以上。

2.1.2 与节能减排相关的税收政策

促进能源效率的税务措施目的在于降低和能源效益投资有关的成本，对于特定的能源效率技术给予不同形式的税务减免：如加速折旧、减税、免税；另外，对于以能源效益为目标的工业，给予一定的税务减免。加速折旧指的是有资质的设备购买方能进行比标准设备更快的设备成本折旧。减税指的是买方能从年度收益中扣除一定的和设备有关的投资成本百分比。免税，指的是免除买方在进口能源效益设备的进口税。而另一种税收政策，是直接对能源的使用或能源使用排放的二氧化碳进行征税。

2.1.2.1 各国加速折旧的税务减免

加拿大采取加速折旧的做法来加速资本成本补贴，以30%的速度加速对特定的能源效益和可更新能源设备的注销，成本涵盖了预先可行性和可行性研究成本、流通成本、场地批准成本。从1996年开始，加拿大投资于协同生产和特定废燃料（燃料渣）发电系统、活动太阳能系统、小规模水电安装、热回收系统、风能源转换系统、光电式发电系统，地热电发电系统和特定废燃料（燃料渣）生热设备等。2001年，扩大到包括与钢厂高炉瓦斯发电系统相关的投资。瑞典在环境投资项目中采用加速折旧的方式，即允许投资者更快地加速合乎环境友好的机器投资的折旧，降低营业利润和税款支出，包括减少那些使用水资源、污染土壤和空气、制造噪音、使用废次产品与能源的设备。日本的《节能和循环补贴法》中包括了加速折旧的具体做法，即加速相当于下列投资购置成本30%的折旧补贴：热泵、地龙式加热器、CHP系统、区域制热和冷却系统、高效电力机车、低排放机动车、能源－效益纺织品制造设备、太阳能系统、中小水力发电机、再生纸和塑料生产设备。新加坡《所得税法案》中提出在有资质的能源－效益设备上的投资可以一年折旧取代三年，其中不包括获取为了确定和分析装备购买所需的信息或顾问费等相关费用，包括替换装备（新的空调系统、锅炉和抽水机）和能源节约设备（高效发动机、变速驱动发动机或可计算能源管理系统）的项目。

2.1.2.2 减税措施也被多个国家采用

以日本为例，其《节能和循环补贴法》中指出，在中小型公司购买能源节约型设备时，可以获得购买价7%的公司退税。韩国规定5%的税收用于能源效率投资，例如旧工业窑的替换、锅炉和熔炉；节能设备的安装、联合生产设备、供热设备或节能装备；可替换能源使用设备；其他降低能源达10%的设备投资等。荷兰规定能源投资扣除项目允许每年能源保持设备投资的55%从财政收入中被扣除，最多达1.07亿欧元。“能源列表”中提供了有效的设备，并且包含了购买设备时和相关意见有关的成本。英国提出加强资本补贴方案，允许一个商业可以将第一年的资本补贴100%花费在质量优良的技术上。

2.1.2.3 免税措施

德国为高效的热量和能量(CHP或者联合产生)的联合设备免除石油税，它们月利用率或者年利用率达到70%或者更高。罗马尼亚全面免除进口能源效率技术的进口税，同时公司收入和与能源效益投资直接相关的收入所得税全免。

对于针对特定技术的税务减免各国评价各有不同。具有代表性的特定能源效益技术的税务减免项目有大量参与者，如荷兰1997~1999年，几乎46个工业部门的14000个实体利用15种不同的技术从荷兰项目中获益。在2001年，超过28000种应用有超过10亿欧元的进账。而日本，1996~1998年，每年大约有25000种设备加速折旧。这一政策的缺陷在于没有提供减少能源使用的激励措施，而且通常需要大量的公共基金支出，在部分人受益的同时，有大量的"没有受益的人员"——他们同样购买设备，但甚至没有税收减免。但是其优点在于减轻了资本限制，关于能源效率技术购买的决定更多的是基于设备的成本而不是驱动设备的能源的期望成本，这使得能源效率技术的税收减免比能源征税更为有效。

2.1.2.4 能源税或与能源相关的二氧化碳税

征收这些税目的原因是为了增加能源使用成本以间接激励在能源效率上的投资。种类广泛的与环境有关的或"绿色"的税种在理论上被认为优于其他政策手段，因为它们使环境成本和消费内在地联系起来。自20世纪90年代以来，该税种在欧洲就非常普遍。作为一种用于降低能源消费或者二氧化碳排放的政策，此税被用于特别燃料或电力。征收此类税的优势在于：其目标是降低对征税产品的需求，增加税收可用来调整工业其他方面的成本(例如与劳动力相关的税)，结果成为了税收中立的税种。但是，其缺点在于：很可能产生非预期的不良效应，例如在社会的某些特定阶层中(如贫困家庭)或者在竞争的工业部门中，产生不均衡效应。另外，税收的控制与审批相对于政府而言成本高昂；还有，也是最复杂的一点，就是征收该种税种可能遭到强烈的反对，同时，政策的制定也会陷入政治争论中。12个欧洲国家有能源税或者与能源相关的(二氧化碳)税：奥地利、捷克共和国、丹麦、爱沙尼亚、芬兰、法国、德国、意大利、荷兰、挪威、瑞典和英国。

以挪威为例，挪威1991年引入CO_2(烟尘)排放税，应用于所有CO_2排放的65%，在所有的工业中应用了电力税，水泥、纸浆/纸和鱼粉工业中施行特殊的免税，能源税务系统由于那些进入能源效率协议工业的免税，正在变成一个"单一的"电力税务系统。瑞典在同年也引入了CO_2(烟尘)排放税。大多数工业用户获准50%~70%的免税来保护竞争；一些用户获准全额免税(商用园艺业、采矿业、制造业和纸浆/纸业)。

有相关批评针对于瑞典的税制存在缺陷，其并未能反映出燃料中碳的实际排放水平；同时低排放的柴油燃料和高排放的柴油燃料税收是相同的。在1987年和1994年间，瑞典碳的排放减少600万~800万t，排放水平降低了13%。一个关于瑞典CO_2(烟尘)排放税的评估研究发现，该税有助于减少CO_2的排放，符合瑞典的环境政策。

荷兰于1996年引入调节能源税，主要包括燃料油税、柴油税、液化石油税、天然气税与电力税。税收主要是直接针对家庭及小型能源消费者；降低工业能源消费的努力主要是通过一个自愿协议计划来引导。税务通过能源账单支付，本税是税收中立税种：会通过减少税收收入的方法来平衡负面影响。荷兰于2000年期望的结果是CO_2排放量每年减少170万~270万t(这是荷兰CO_2排放总量的1.5%)，三年中(从1999年开始)税收上升了15.4亿欧元，期望在2010年CO_2减少360万~380万t，2020年减少460万~510万t。工业的自愿协议计划到2012年减少460万t CO_2排放。

德国在1999年引入生态税改革，征收发动机燃料税、轻质民用燃料油税、重质民用燃料油税、天然气税和电力税。税收循环进入员工养老基金中，这降低了员工和雇主必须分摊的税费，并导致了工资的增长。在2002年年底，德国共减少了超过700万t的二氧化碳排放，同时创造了60000个新的就业机会。德国当时对计划进行评估，“期望的生态效益的清洁标记”包括能源消费的降低，期望到2005年二氧化碳的排放将会减少2%~3%，创造250000个新的就业机会。

丹麦1991年在企业与家庭能源消费领域引入CO_2税。1993年丹麦开始绿色税收改革，目的在于通过消除税收负担来引导远离对环境有害的行为和对自然资源的使用。一些主要的措施包括：降低所得税的同时，提高煤电能源税，引入新的绿色税(例如水和塑料)。改革是为了“启动”丹麦经济的消极税收效应，企业活动未受影响。由于1994年欧盟CO_2/能源税方案丹麦提议遭到失败，因此在1996年引入新的企业能源和CO_2税方案：针对天然气和SO_2引入新税，使所有家用能源和CO_2税率同商用“空间采暖”能源产品处于同一水平（像办公室采暖一样覆盖家庭类型消费），生产过程中使用的能源产品的CO_2税增加，通过减少与劳动相关的税收和能源效率资助使新的税收收入全部循环到企业中。2004年企业CO_2税部分调整到新的欧盟排放贸易制度。丹麦能源税系统包括3类税种：各产品能源含量平衡后的能源税（约为每10亿焦耳7欧元），各产品CO_2含量平衡后的CO_2税（约为每吨二氧化碳12欧元），SO_2实际排放量的SO_2税(约为每千克二氧化硫1.35欧元)。能源税包括电力税征收方案为：用于家庭供暖：每兆瓦小时69欧元，用于供暖以外的家庭能源消耗：每兆瓦小时78欧元，用于发电的燃料可免除征税；煤税，征收方案为：每10亿焦耳7欧元；天然气税，征收方案为：每立方米2.75欧元；矿物油税，征收方案为：汽油/煤油供暖：

每1000升250欧元，重燃料油：每1000 千克281欧元。

能源税是由注册为能源供应商的公司支付给有关部门。注册能源供应商将该税转嫁到最终用能企业或家庭。注册增值税的业务可获得全部已支付的生产过程中因使用能源产品的能源税的返还（小部分电力税除外）。用于“供暖”和交通目的的能源产品不予退税。能源税面向所有非增值税部门，除了家庭，还包括如公共组织、非政府组织以及财政部门等。CO_2 税由已注册的能源供应商支付，它们将此税转嫁给最终用能企业或家庭。签署能源效率协议的企业，有权获得部分 CO_2 税退还的回报。企业可以因其高耗能生产流程而获得 CO_2 附加税的退还。CO_2 税面向所有非增值税部门，除了家庭，还包括公共组织、非政府组织与财政部门等。

对二氧化碳（烟尘）排放税效应的评估显示出，它们大体上达到了降低排放的目标。美国一个有关中小工业公司的研究发现，短期来看，对于产生效益，降低效益投资前期成本的政策（例如补贴和减免税收）比提高能源价格更为有效。

2.1.3 公益基金

在美国、英国、澳大利亚、挪威和瑞典等国家，对公益基金（public benefit funds, PBF）的很多管制已经解除，并普遍使用。RD & D 公益基金资助那些可更新的、有效率的计划、面向穷人的计划和新的供应与终端应用技术的研究、开发及示范类项目。这些资金项目方案服务于多种客户，而不仅限于工业客户，而且收取的费用较低。PBF 有很多其他名称，公益费用（public benefits charges），公益产品收费（public goods charges），公益体系费用（system benefits charges），直线费用（line charges），网络费用（wires charges），不管其以哪种名称出现，其主要目的是为公众利益筹措经费，费用收取通常有以下三种类型：每千瓦时（最常用的），内部（嵌入式）费用，统一费用（率）。

对于 PBF，美国已经拥有较多的经验，25 个州拥有公益基金，这些州的能效项目费用范围为0.03～3个密尔/千瓦时（1 密尔 =0.001 美元），中间值为1.1个密尔/千瓦时。2003 年通过这些州的公益基金筹措的用于能效率计划的资金超过9亿美元。PBF 的授权期数已延长，从3～5年到5～10年或无限期。过去，美国各州主要依赖于使用公共利益管理效率方案，现在更多的州依靠州立机构和非营利组织，不过没有一种方式能最佳地适用于所有情况。通过采用因地制宜的管理方式，上述三种方式都曾获得成功运用。

公益基金（PBF）取得了诸多积极成效：州计划使每年的电力消耗减少了全年电力需求的0.1%～0.8%，中间值为0.4%，总共减少了超过1000兆瓦的电力需求，能效计划中的全生命周期成本范围为 0.023 ~0.044 美元/千瓦时；额外的好处是电力工厂减少了空气污染物的排放。但也有批评指出公益基金是间接税。

另外，美国的公众效益收费为州政府项目，其中 14 个州在可再生能源方面采用了公众效益收费，18 个州在能源效率方面采用了公众效益收费，19 个州在支持低收入阶层方面采用了系统效益收费，另有 3 个州在研究与开发方面采用了系统效益收费。目前美国每年的公众效益收费达到 9 亿美元。美国州公众效益费用取得了良好的成效，州公众效益费用计划使美国全年电力需求量减少了 0.1%~0.8%，约 1000MW，该计划在获得减低能源需求的同时，也减少了电力部门的温室气体排放量。

在绝大多数的州中，工业公司使用 PBC 收益参与到计划中，在极少数情况下，工业客户由于感到不利而选择放弃参与。纽约能源研究发展局(NYSERDA)通过公益基金为工业提供服务。50% 的费用用于 Flex/Tech 技术支持研究(保护措施的优先目录中所列)，如能源服务公司改良照明、发动机和空间制冷方面的商业/工业执行计划。这有效地降低了能源效率和回报期低于十年的再生能源项目的利润率的借贷投资。

澳大利亚、荷兰、瑞典等国家纷纷建立了公众效益收费体系。英国在能源效率和可再生能源方面采用了公共受益收费(PBC)。

2.1.4　补贴审计

补贴审计指一个关于能用来提高效率的措施的技术信息团体的能源效率的评估。补贴审计能由政府或公用事业部分地或完全地投资，其总量通常基于公司规模、能源消耗总量或职工人数。审计机构首先根据企业的规模、能源消耗总量、雇员数和特定消费群体等影响因子对需求企业客户(一般为大公司)进行能耗评估，其次再对其做出具体的能源调查，为企业列出优先节能和提高能效的领域，并最终对企业的节能减排提出建议措施。补贴审计为希望更加高效的公司降低事务成本，能够成为参与自愿协议能获得的一种利益，仅有 400 万美元的公共基金和 235 万美元来自工业，澳大利亚企业能源审计计划(EEAP)得到了 600 万美元的存款。补贴审计的成功依靠于能源价格和其他可提供的财务激励。其缺点在于存在免费搭车者，缺乏关于审计程序的知识，对审计员要求更高，审计员必须熟悉产品和操作，能够熟练审计。丹麦、瑞典和荷兰作为自愿协议参与的好处提供审计。澳大利亚企业能源审计计划(EEAP)，挪威的 IEEN 和 Enova 计划提供了可信任的审计员名单。美国工业技术最佳实践项目办公室向公司寻求帮助去寻找有潜质的审计员。英国的碳基金会(Carbon Trust)通过电话和行动计划去帮助消费者实施措施。

2.1.5 赠款与补贴

赠款和补贴通常作为政府优先选择实施的政策措施，被最广泛用作财政激励手段，其提供方式为公共基金直接地给予企业实施能源效率项目，包括给予固定总量，如投资百分比或与总节约量成比例的总数，或者无经济回报给投资赠款者。赠款和补贴的优点在于能源效率项目对于个体消费者来说是不经济的，但从社会/国家总体来说在财政上是有好处的。在某些特定的情况下，赠款和补贴也是更优的选择，比如投资的市场环境风险很高，与更多的诸如基础设施扩建等传统投资存在过多竞争，基于资产的投资相比风险过高，能源效率项目太小而无法吸引投资者，能源价格不能真正地反映能源成本，等等。

赠款与补贴的缺点也是显而易见的：存在着免费搭车的现象，或是目标消费者缺乏一定的认识无法理解该种手段，事务成本或手续比较受限等。因此在操作中可以针对这几种缺点采取特别的解决方案。比如说采取目标方法，如荷兰的最佳项目计划，专门针对小的或中等规模企业给予；另外，挪威工业能源效率网络(IEEN)和澳大利亚温室气体消除计划(特别是减排量大于25 万 t 二氧化碳的项目)都是聚焦大企业给予。美国纽约、德克萨斯州通过“节能执行”项目将80%的公众效益收费用于企业补贴。荷兰的BEST项目则应用于中小型规模的企业，为小企业的热冷却等减排技术研发和应用提供25%的成本补贴。目标明确可以减少免费搭车的现象。针对消费者知识限制的情况，可以按照优先顺序给予那些参与到志愿协议的公司，如丹麦的做法。在实际操作中可以坚持成本－效率原则，如泰国能源保存计划基金需要每个能源效率测量，实现超过9%的内部回报率；挪威工业能源效率网络(IEEN)需要在7%~30%之间的回报率。

2.1.6 政府贷款与担保

政府促进能效的贷款方式以两种形式为主，软贷(public loans)和创新基金(innovative funds)。其中，创新基金包括4 种，即通过能源服务公司进行股本投资，担保基金，周转基金，风险基金。低利率贷款，也被称为软贷款。贷款为能源效率投资提供了比市场利率低的利率。该种贷款由公共基金投资，比补贴占用的金额少，公共贷款通常由创新基金部分地投资。创新基金包括想从贷款中获取利润的私营部门(例如，银行)，引入私营部分以从能源效率项目上获取利益，希望发展长期的自我可持续的市场，但是又有良好的短期快速投资回报。德国政府则利用资本市场和商业银行以十分优惠的利息和贷款期，为终端客户提供支持节能和温室气体减排的绿色金融产品和服务。

另外，担保基金与循环基金也是广为采用的做法。为长期的能源效率计划的银行贷款提供中介担保，担保涵盖了与能源效率融资有关的信用风险。担保成功的关键是资金管理者应该有能源效率方面的经验，并且资金管理者应该有能源效率方面的经验。以法国节能担保基金为例，该基金由法国环境能源管理署(ADEME)与法国中小企业开发银行(BDPME)合作建立，法国环境能源管理署在国家提供的40%担保基金之上提供附加的30%担保，其项目选择标准为：在受资助的30个项目中，已经有10个经过效率审计(比较可靠的项目)。如果偿还的贷款重新循环进入基金以支持新的项目，就成为了循环基金，它通常需要公共部门或国家干预去补贴利率或资本投资，可包括商业金融机构(或不可包括)。循环基金具有很少的成本（管理的），可以通过股份投资，并且鼓励了公众与私人公司的合作。比如说，加拿大的绿色市政投资基金(GMIF)，以高于政府公债1.5%的利率提供超过占项目资本25%的贷款，利润用于有限的成本和赠款(针对高创新项目)，其优势在于具有良好声誉的金融和环境经历的职员并具有极低的利率。泰国的能源保护基金由可替代能源发展和能源效率部(DEDE)管理，可替代能源发展和能源效率部提供培训和技术援助。该基金建立了六个金融机构，但是更多的机构已经提出申请成为项目成员。银行处理贷款、簿记、信用检查和客户选择的风险，利率设定为4%，根据6个月一次的评估结果重新分配到每个银行的基金。

从各国采取的财政政策来看，单一采取某种财政政策效果并不明显，多数国家采用综合性财政政策以期达到最好的效果。比如说丹麦，征收二氧化碳税的同时，与能效自愿协议、补贴、补贴审计及减税相结合，并与欧盟排放贸易计划相结合。英国对气候变化征税，同时结合气候变化协议，对特殊的能效技术免税，对达到能效目标的行业减税，并利用国内的排放贸易体制。

2.2　世界低碳经济的外资政策

外资对于应对气候变化带来的挑战具有相当重要的意义，它可以成为必要的金融与技术的来源。这需要将投资政策与气候变化框架与可持续发展战略更好地整合起来。与此同时，全球性的举措，如农业投资、全球金融体制改革以及缓解气候变化等，正日益对投资政策产生直接影响。

一项估计表明，要将温室气体排放量限制在实现2℃的目标(如《哥本哈根协议》

所述)所需的水平，在2010~2015年间，全球需要每年额外投资4400亿美元。到2030年，这一估计数甚至更高，达每年1.2万亿美元。所有研究都强调，要在促使全世界经济更加有利于气候方面取得进展，私营部门的资金贡献必不可少，尤其是在全球出现巨额公共财政赤字的情况下。因此，为应对气候变化，需将以跨国公司和外国投资为目标的低碳政策纳入国家经济与发展战略。

2.2.1 全球低碳经济外国投资发展状况

联合国贸发会议估计，2009年，仅流向三大低碳商业领域(可再生能源、循环利用和低碳技术制造)的低碳直接外资即达到900亿美元。如果考虑到其他产业内含的低碳投资和跨国公司的非股权形式参与，则此类投资总额要大得多。跨界低碳投资潜力已然很大，而随着世界转向低碳经济，这方面的潜力将是巨大的。对于发展中国家来说，跨国公司的低碳外国投资能够有助于其生产能力及出口竞争力的扩张和升级，帮助其过渡到低碳经济。但是，此种投资也具有经济和社会风险。

据估计，低碳外国直接投资已经达到很高的水平。仅在替代/可再生发电、回收利用以及环境技术产品(如风轮机、太阳能电池板和生物燃料)制造这三个主要行业，2009年的投资流量就达900亿美元。这些行业成为开展新的低碳业务方面最初机会的核心。随着时间的推移，低碳投资将渗透所有行业，例如在跨国公司采用降低温室气体排放量的工序时。如果不只考虑直接外资，则现在和将来的低碳外国投资还会更多，因为它还包括非股权形式的跨国公司参与，如建造-经营-转让安排。

近年来低碳直接外资迅速增加，虽然由于金融危机，这些投资在2009年有所下降(图2-2)。2003~2009年，在可查明的低碳直接外资项目中，按价值计约有40%是在发展中国家实施的，包括阿尔及利亚、阿根廷、巴西、中国、印度、印度尼西亚、摩洛哥、莫桑比克、秘鲁、菲律宾、南非、土耳其、坦桑尼亚和越南。知名跨国公司是主要投资者，但新的投资者正在出现，其中包括南方投资者。其他行业的跨国公司也在向这个领域拓展。2003~2009年，大约10%可查明的低碳直接外资项目是发展中经济体和转型期经济体的跨国公司实施的。其中大多是对其他发展中国家的投资。

2.2.2 跨国公司在低碳经济外国投资中扮演的角色

2.2.2.1 跨国公司参与东道国减排的方式

跨国公司既是碳排放大户，又是主要的低碳投资者。因此，它们既是气候变化问题的一部分，又是其解决办法的一部分。低碳经济外国投资可被定义为跨国公司向东道国进行的技术、做法与产品的转移——通过资产(FDI)或非资产形式的参与——这

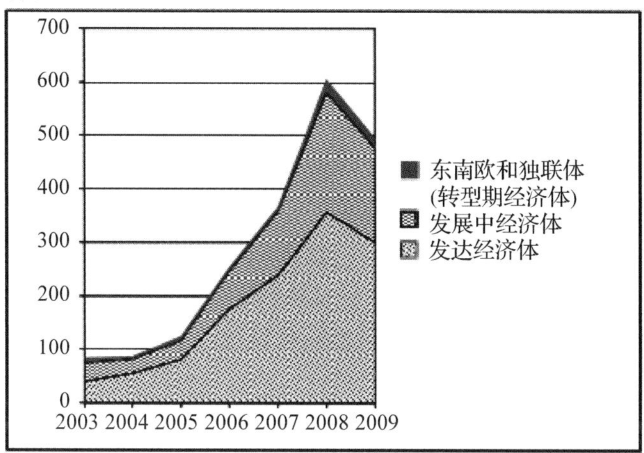

(b)价值(百万美元)

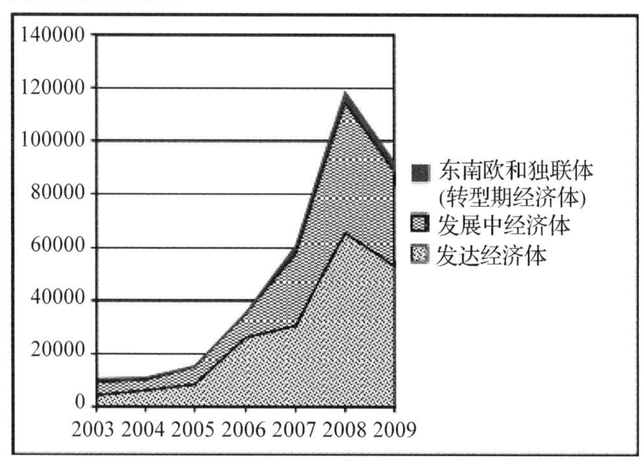

图2-2　2003～2009年按经济体类别分列的三个低碳行业的直接投资情况

资料来源：贸发会议，《2010年世界投资报告》。

样来说，他们自身或相关业务的运营，包括其产品与服务的应用，比东道国产业的通常情况下，能够产生更低的温室气体排放。低碳经济外国投资也包括进入到低碳技术、工艺过程与产品中的FDI。

低碳经济外国投资通过两种方式大大降低东道国温室气体排放：首先，跨国公司运行模式及其全球价值链上的相关公司能够通过引进低碳工艺获得升级。尽管这一类型的投资在东道国实施时往往需要软、硬技术共同的投资。对于低碳流程的外国投资通过提升跨国公司现有的运营与新投资进行。首先，所有产业部门的公司可以原则上转而使用较低排放的投入品。以电力供应公司为例，可能从使用化石能源，转向使用生物质能源，可再生能源或核能进行发电。其次，公司可以改变工序以降低某种特定投入品的消费(即提高原料或资源的效率)。第三，公司可以改变生产流程以降低相关排放(如通过引进更具效率的化石燃料电厂，提高能源供给效率，或提高工艺的自动化以使用较少能源)。最后，公司可以采用低碳方式来循环或处理运营中产生的废物。在能源部门，碳捕获与封存(CCS)是最好的例子：公司仍然使用高碳技术，如煤炭发电厂，但是在工序末尾捕获二氧化碳并将其隔绝在地下。在其价值链或其他的网络当中，公司也可以要求供应商、工业用户或其他方升级其低碳进程，以此作为自身向低碳投入转化的目标的一部分。在这种情况下，公司可以向上述人员提供技术支持、指导或结成同盟来创造新技术(图2-3)。

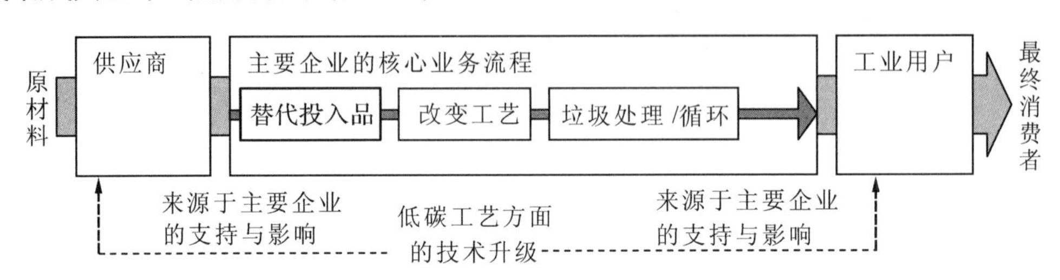

图2-3 在特定价值链上引入低碳进程以降低温室气体排放

电力和工业部门是全球任何减排努力的基础。这两个部门的跨国公司实力雄厚，最有条件推广清洁技术和工艺。工业部门还提供有助于减少其他部门排放量的技术和设备。运输、建筑和废物管理部门2030年的排放量均将低于电力和工业部门。这三个部门的温室气体排放量在很大程度上与消费者和公共使用有关。例如，在运输部门，要减少温室气体排放量，需要采用节能车辆，并改变消费者和公司习惯。同样，在建筑部门，使用经改进的电器、照明和绝缘材料以及取暖和制冷的替代能源，可大大有助于减少排放量。废物管理部门的排放量主要来自垃圾填埋和废水，缓解潜力主要是在垃圾填埋的甲烷回收方面。两个与土地相关的部门，森林和农业部门的减排潜力很大，林业部门因其潜在的造林和再造林，减排潜力大于本身的排放量。跨国公司对上述所有部门都可作出重要贡献。

2.2.2.2 跨国公司开展低碳外国投资的驱动因素和决定因素

在跨国公司关于对外国低碳活动进行投资的决定中，诸如母国政策、公共舆论和股东实力等驱动因素(推动因素)起到的作用越来越大。其中许多驱动因素影响到所有的外国直接投资，但有些因素只与气候变化有关，例如：利用可再生能源实现农村电气化的对外投资促进措施；促进建立相关技术能力并随后进行国际推广的政策；或促使更多地披露气候变化风险和机会的消费者压力和股东需求。

地点决定因素是影响到跨国公司决定在哪里营业的东道国因素(拉动因素)。有针对性的政策框架和商业便利对于吸引低碳外国投资至关重要。除了外国投资的一般决定因素(例如市场规模和发展、原材料的获取、不同的竞争优势或熟练劳动力的使用)外,有些因素只与气候变化有关:建立或界定市场的政策可以刺激对新的低碳产品和服务的需求,尤其是在电力、运输、建筑和工业部门——从而能够吸引寻求市场的外国投资。同样,特定国家的低碳技术也可吸引寻求战略性资产的外国投资者的注意。与任何动态技术一样,企业也可在低碳领域通过并购活动进行合并;投资者还可寻求参加工业或技术集群,以便通过集聚效应和相关效应获取知识。

2.2.3 制定低碳外国投资政策的尝试——构建新型全球伙伴关系

发展中经济体在应对气候变化和转向低碳经济两方面面临着两大挑战:首先是调动必要的资金和投资;其次是开发和推广相关技术。在这两个领域,外国投资均可作出重要贡献。但发展中经济体在决定是否应当以及在多大程度上促进低碳外国投资时,需要权衡这种投资的利弊。一旦采取促进战略,该战略应能有助于改进生产工序,并促进新技术、新行业的出现。这除了能带来通常与一揽子直接吸收外资有关的好处外,还可以带来其他优势,例如跳跃式采用新技术,特别是高效利用能源和其他投入的新技术,并获得先动优势和随之而来的关键行业出口机会。

因此在外资战略布局时,发展中经济体需要对这些有利之处和一些可能的不利之处加以权衡,不利之处包括:国内公司被挤出市场;产生技术依赖;基本货物和服务成本提高,以及有关的社会后果等。这些是最不发达经济体和其他经济结构上处于弱势的国家尤其无法单独应对的挑战。

在促进低碳外国投资时,决策者需要一方面从经济增长角度,另一方面从环境、人类健康和可持续发展角度考虑利弊,以尽量减少潜在的负面影响,并尽量扩大积极影响。没有“通用的”解决办法。因此,宜采用符合各国国情的政策组合,即低碳外国投资的相关政策需要立足于单个国家的社会、经济和管制条件,力求实现低碳投资效益最大化和风险最小化。为支持全球应对气候变化的努力,联合国贸发会议提议建立一种全球伙伴关系,以使投资促进和缓解气候变化之间建立协同作用联系,并鼓励进行低碳投资,推动可持续增长和发展。

2.2.3.1 制订清洁投资促进战略

联合国贸发会议在对国家投资促进机构进行的调查表明,多数国家的现行投资政策框架和促进战略都未考虑到吸引低碳投资的问题。因此,一个重要的前进步骤应是将低碳外国投资的潜在作用纳入发展中经济体适合本国的行动方案。这特别意味着制定政策，吸引可有助于降低传统行业碳密集度的外国投资。此外还意味着利用新出现的商业机会，促进新型低碳外国投资，如可再生能源投资，并采取积极主动的措施来促进低碳投资。

(1)建立扶持性政策框架。这包括提供适当的投资促进、保护和法律保障。其他支持性政策包括采取激励措施和缔结区域一体化协定，以克服低碳外国投资市场规模方面的约束。低碳外国投资新领域——如生产可再生能源及相关产品和技术、节省燃料或使用替代燃料的运输方式以及新建筑材料等的出现可能要求制定具体政策，对政策框架的“传统”内容予以补充。

新低碳产业的外国投资可能一开始并不具有竞争力，因此需要政府支持，例如可再生能源的电网馈入价格或公共采购。此外，这类建立市场的机制可能需要修订管理框架，包括制定排放标准或提出报告要求。必须增强发展中经济体的能力，使其能够应对这些复杂的任务。

(2)促进低碳外国投资。促进低碳外国投资还有一个重要的体制组成部分。各国政府需要确定本国的此类投资机会，并制定促进这些投资的战略。瞄准投资者、塑造形象、投资后期服务和政策宣传都是国家投资促进机构可为此目的而发挥的主要职能。这些机构在发现可以发展国内低碳增长级和(或)提高出口潜力的大好机会时，应当侧重于具体的经济活动，并制定这些领域的一揽子促进方案。建立清洁技术工业园也可便利外国投资者的进入。国内投资促进机构可提供中间服务，帮助低碳外国投资者建立网络并与当地企业家联系。这些机构还可宣传国家政策，提高国家对低碳外国投资的吸引力。

2.2.3.2 为传播低碳技术建立有效的平台

跨国公司掌握着大量的技术和专门知识，在向发展中经济体传播推广低碳技术方面发挥重要作用。但技术传播是一个复杂的过程，许多发展中经济体在制定有效政策方面存在困难。需要考虑的主要问题如下：

(1)瞄准相关技术。有些因素可能会影响到东道国政府为改善技术传播前景而进行的对外国投资的轻重缓急的确定和对外国投资的选择。例如，一国政府可通过对国家自然资源和所创造资产的评估，确定促进工作的目标。在一些行业和价值链的特定部分，国内公司的吸收能力较强，但缺乏低碳技术和专门知识，对此，政府可以瞄准特定的外国投资者，以获得必要的专门知识。马来西亚、摩洛哥和韩国等国就采取了这种办法。

(2)建立有利的技术跨界流动框架。为低碳技术的跨界流动创造有利环境的主要因素包括：具备必要的技能；适当的基础设施(如有些国家正在建立低碳特别经济区)；界定和建立低碳产品市场的措施；有针对性的激励办法(如对必要的研发或技术调整的投资)；以及强化的法律制度等。但在不同的经济体中，这些问题的具体情况有所不同；例如，有些发展中经济体拥有促进必要的技能教育和培训所需的资源。技术跨界流入东道国方面的另一个问题是知识产权保护问题。有些部门的外国投资者认为，有力的保护和执行是技术传播的前提，但各国的实际效果并不相同。一些发展中经济体认为，知识产权保护制度不仅应当支持知识产权的保护和执行，而且还应当确保在更大程度上获取适当的技术。

(3)促进通过联系传播技术。国内公司能否从跨国公司获得技术，取决于二者之间平台(如合营企业或子公司与供应商的联系)的类型、规模和质量。促进联系的一种方法是推动建立当地技术和工业集群。在国内公司和外国子公司的参与下，这些集群可有助于加强知识与人员的交流，以及在当地公司和国际公司之间建立合营企业。

(4)增强国内企业的吸收能力。发展中东道国应当制定战略，增强国内吸收和变通使用技术与专门知识的能力。政府推动的"尖端绿色"技术研究与发展可以发挥重要作用。在建立区域技术协作中心方面仍有余地，这些中心应侧重于发展中经济体的低碳技术以及将这种知识应用于工作所需的工业和其他能力。促进技术传播可能还需加强当地公司的财政和创业能力。在这种情况下，应当考虑建立"绿色发展银行"。

(5)尽量减少低碳外国投资的负面影响。切实有效的产业和竞争政策是消除低碳外国投资负面影响的关键，这些影响包括：当地公司被排挤出市场，以及由此导致的对外国低碳技术供应商的依赖。产业政策可有助于改进和完善受影响的国内公司。有效的竞争政策则可控制垄断的出现，并防止滥用市场主导地位。社会政策可有助于减轻就业影响和其他社会后果。例如，技术再培训措施可帮助工人适应新的职业要求，或促进他们向新兴行业过渡。要做到这些，贫困国家需要发展伙伴在重新确立的全球可持续发展伙伴关系框架内提供援助。

2.2.3.3 确保国际投资协定为缓解气候变化作出贡献

包括在今后的国际投资协定中引入有利于气候的条款(如促进低碳投资的内容，环境例外规则)，以及达成多边谅解，以确保现有国际投资协定与气候变化方面的全球和国家政策动态相一致。让国际投资协定和气候变化政策发挥协同作用。

操作过程中，各国需要注意国际投资协定的双重性质。一方面，通过在国际上承诺创造一个稳定和可预测的投资政策环境以及提供投资保护，国际投资协定可有助于提高一国对低碳外国投资的吸引力。另一方面，国际投资协定可能会限制东道国为促进向低碳经济过渡而采取的措施方面的管制力。国际仲裁法庭的有关裁决表明，国际投资协定中与公正和公平的待遇以及最低待遇标准、征用等有关的规定和旨在稳定外国投资者方面法律框架的总括条款值得特别注意。

在实现各国气候变化和国际投资政策之间的协同作用，促进对国际投资协定作出有利于气候变化的解释以及利用这些协定的潜力确保产生有利于气候变化的结果方面，有许多政策办法，其中包括在今后的国际投资协定中采取新办法。例如，加强国际投资协定中促进低碳外国投资的规定，并重新拟定和阐明其中可能导致与气候变化相关政策措施之间冲突的规定；决策者还适宜考虑更广泛的补充措施；发布多边声明，说明不妨碍国际投资协定各方采取善意制定的气候变化相关政策，可有助于增强国际投资协定与气候变化机制之间的一致性。

2.2.3.4 处理碳渗漏问题

碳密集产品的生产地点可能会从监管力度大的地区迁移到对排放管制不严或不予管制的国家，这引起了人们的关切。有人担心由于“免费搭车”而造成的这种“碳渗漏”会妨碍全球减少排放量的努力，而且这种产地的迁移可能会导致母国损失一些投资相关利益(如税收和就业)。

各国现已开始就是否应采取边境调整措施(如关税)来处理碳渗漏问题展开讨论。在评估具体进口货物的碳密集度方面存在技术困难，而且在不同类型的边境调整政策是否与世界贸易组织规则相一致方面也有疑问。此外，以与碳有关的政策措施为借口实施保护主义会对追求效率和出口导向型的对外投资产生影响，各国要谨防此种倾向。

碳渗漏的程度难以确定。而且，由于各国的“一切照旧”(business - as - usual)的情景不同，在一国被认为是碳密集型的某个新投资项目在另一国也许被认为是低碳型的。对于急需扩大生产能力的贫困国家而言，这些外国投资可能会由于与之有关的有形和无形资产而带来巨大的发展成果。但从长远来说，转向节省能源和投入的低碳经济对所有国家都有利。

此外，不应在边境处理碳渗漏问题，而可以在源头处理这一问题。这需要采用公司治理机制，例如鼓励改善环境报告和监测。最值得注意的是，对各国——包括管制比较宽松的东道国——适用一致的排放政策，可能会给跨国公司带来经济利益和声誉方面的好处。在经济利益方面，公司一体化生产体系内的一致性不仅符合价值链逻辑(从而有助于实施公司碳政策)，还可有助于降低生产、监测和其他成本。关于声誉方面的好处，跨国公司在各地采取的行动的一致性有助于为该公司赢得“好公司”的名声。因此，改进气候报告，尤其是以统一和可核实的方式进行报告，可有助于确保公司名实相符。进一步提高市场透明度可以便利消费者的选择。

2.2.3.5 统一公司温室气体排放披露做法

在衡量和报告公司的气候变化相关排放量方面，采取可靠的国际统一办法对于有效实施和评估气候变化政策(如“上限和交易”方案及碳税)、使气候风险成为资本市场的内在因素、监测温室气体排放量以及通过跨国公司价值链传播技术等，都非常重要。气候相关管理和报告在较大的跨国公司中比较常见，但所报告的信息缺乏可比性和有用性，而且往往缺少按外国子公司和价值链分列的排放量信息。要解决实行统一的全球温室气体报告标准的长期需要，还须采取协调一致的全球对策。

统一管制机构、标准制定机构和多个利害关系方的工作，可以加强和加快为制定统一和高质量的全球气候披露标准所作的努力。联合国可通过提供一个既有的国际论坛即国际会计和报告准则政府间专家工作组来促进这一进程。决策者可在这一问题上发挥领导作用，促进统一气候披露做法的国际努力，并通过现有的公司治理管制机制(如股票上市要求)和分析工具(如指标)，将气候披露方面的最佳做法纳入主流。

2.2.3.6 通过多重手段支持发展中经济体

发展中经济体在促进低碳外国投资和利用跨国公司的技术潜力方面，需要得到援助。母国可支持在外国进行低碳投资。例如，国家投资保证机构可以“奖励”低碳投资者，为它们提供优惠条件，如降低收费。另一种方式是为投向发展中经济体的投资提供信贷风险保证。发达经济体增强对发展中经济体低碳发展项目的资金和技术支持也会有所帮助。中国与欧盟建立了以技术合作和企业界参与为重点的积极务实的气候变化伙伴关系，应当效仿它们的做法。

国际金融机构(如世界银行集团和各区域开发银行)正在积极支持发展中经济体向低碳经济转变。这些机构的参与应当着眼于进一步促进在公私营部门之间建立伙伴关系，以帮助发展中经济体应对气候变化，包括在不为跨国公司活动提供直接补贴的情况下，引导私人参与高风险领域。

应努力通过跨国界投资和技术流动，进一步加强对发展中经济体低碳发展的国际技术援助。可以建立一个国际低碳技术援助中心。低碳技术援助中心可支持发展中经济体特别是最不发达经济体制订和实施国家气候变化缓解战略和行动计划，并参与能力和机构建设。该中心可帮助受援国迎接发展挑战，实现发展愿望，包括受益于低碳外国投资和相关技术。除其他外，低碳技术援助中心可通过包括多边机构在内的新的和现有渠道利用专业知识帮助多个国家实现低碳技术推广与应用的目标。

2.3 世界低碳经济的文化与教育政策

2.3.1 低碳文化的内涵

低碳时代有与之适应的低碳时代文化，低碳经济有与之匹配的低碳经济文化。低碳文化以零碳或低碳技术为载体文化，以新能源革命、减排 CO_2 为行为文化，以《京都议定书》等一系列控制温室气体的协议、文件为制度文化，以碳强度、碳浓度、碳生产率等为核心文化，构成低碳文化与低碳文化体系，简称低碳文化。

低碳文化是低碳经济时代全方位的文化，它不仅是要淘汰高能耗的产能，改变能耗结构，改变对高碳能源的基本依赖以解决气候变化难题，而且是人类生活方式、生活习惯、消费方式的变革，因此，需要培育低碳消费文化，创建跨越商业、社会和政府的低碳创新文化，培育低碳消费意识，认同低碳价值理念，形成低碳消费习惯，促进更多利益相关者的积极参与。

低碳文化是发展低碳经济的根本要求，是低碳社会建设的精神保障。低碳文化的内涵主要体现在以下方面，这些构成了低碳文化教育政策的主要引导方向。

2.3.1.1 低碳价值观

价值观是人对事物的属性能够满足人的需要程度的总体评价和看法，反映事物的使用价值和功能。低碳价值观的评价标准不仅以人为尺度，而且以更深层次的自然生态为尺度。在认识人与自然、资源、环境的关系问题上，应摒弃传统的人类中心主义倾向，以人类与自然的和谐共生为发展准绳。在价值关系方面，承认自然对人的各种价值和功能，是维持人类生存与发展的基础和前提，是人类进行物质资料生产活动的先决条件。同时也要承认其自身的存在价值，即它是地球生命系统的重要组成部分，维系着生命和自然界的可持续发展。在处理人与自然关系的问题上，要求尊重自然，以审美和欣赏的态度热爱大自然，以高尚的情怀和人性关心大自然，尊重自然规律，追求自然生态与经济社会发展、科技进步与环境保护、物质满足与人的心灵净化之间的平衡协调，寻求人与自然共生共荣，和谐发展。

2.3.1.2 低碳动力

低碳文化的核心动力是以人为本，实现人的自由而全面的发展，力求达到三方面的和谐统一、均衡发展，即物质满足与精神满足的统一、人的身心健康发展、人与人、人与社会及人与自然的协调发展。人的发展既脱离不了社会环境的影响，还需要良好的自然环境的熏陶。在人与自然的和谐共生中，优美的自然画卷能给人提供视觉和心灵美的享受，有利于激发人的创造热情和灵感，丰富人的情感，净化人的心灵，使人变得宁静而致远，提升人的精神境界，使其身心平和，富有智慧，人生充实而有意义。反过来，人类在从大自然母亲那里获得慷慨馈赠的同时，心怀感恩，有助于正确处理人与人、人与社会、人与自然的关系，以更加积极饱满的热情和动力进行物质文明、政治文明、精神文明和生态文明建设。

2.3.1.3　低碳意识

首先，低碳意识表现为责任意识。由于我国受人口众多、人均资源占有量小等国情限制，加之处在社会转型期阶段，人口资源环境问题突出，发展低碳经济又面临着技术和资金的两大瓶颈，单纯依靠政府和企业力量是远远不够的，还需要广大民众自觉参与到低碳行动中来。“不积小流，无以成江海”，千百万民众的低碳行动是推动低碳生活的力量源泉，也是发展低碳经济、建设低碳社会、实现人与自然和谐共处的重要保证。联合国环境规划署执行主任阿西姆·斯泰纳说：“在低碳减排过程中，普通民众拥有改变未来的力量。”这就需要发扬勤俭节约的优秀传统文化美德，践行低碳生活方式，进行科学合理消费，为促进低碳发展协同努力，为兑现我国向国际做出的减排承诺做出个人应有的担当。再者，低碳意识还要具备节俭意识。节俭意识倡导人们在日常生活中养成节电、节水、节能的好习惯，尽量将个人的碳排量降低。提倡“勤俭节约型”的生活方式，杜绝挥霍和浪费，崇尚简约、精致而纯粹的生活。最后，推动低碳减排，还需要公众具有环保和“碳汇”意识。“碳汇”主要指通过植树造林、种草等绿化手段和方法，净化空气，吸纳空气中的 CO_2 以美化环境的活动和过程。通过引导公众树立环保和“碳汇”意识，珍爱自然，呵护自然，共建人类美好的精神家园。

2.3.1.4　低碳态度

低碳态度倡导人们履行全球应对气候变化的共同责任，以如期实现国家承诺的到2020年单位国内生产总值 CO_2 排放比2005年下降40%~45%的目标，为建设“资源节约型和环境友好型”社会的宏伟蓝图做出个人的努力和行动。低碳态度告诉我们：低碳不只是个人的自愿行为，更是公众承担社会责任和公民精神的有力表现。所以，有了勇担使命的责任意识和厉行节约的愿望和决心，纠正个人的浪费、不当消费的习惯，拥有给予大自然深度关怀的人文情怀和态度，那么以每个人的绵薄之力乘以13亿人口汇集而成的低碳力量是难以想象和超越的。

2.3.1.5　低碳认知能力

若要科学而有效地进行低碳生活，除了个人的热情外，还需要一定的低碳知识和能力。通过宣传、教育，普及低碳常识，可以提高公众对低碳的认识水平。通过家庭公约、社区公约、个人承诺等形式，组织调动社会广大力量，彼此相互监督，形成强大的舆论道德压力，以此约束个人不合理的生活方式和行为。低碳的文化教育政策应渲染一种氛围——即努力用个人的低碳能力和热情感染他人，影响其他社会成员，共同采取行动。

2.3.1.6　低碳行为

在20世纪占主导地位的西方工业文明模式是，追求最大效率的最大生产，最大开发以刺激最大消费。在物欲横流、消费主义价值观的影响下形成一种“浪费型生活方式”，外在表现形式就是“多买、多用、多扔”，高消费和高浪费，由此形成了“炫耀消费”“面子消费”“消费至上”的消费文化心理。这种消费模式对社会的危害性很大，不仅过度消耗了能源、资源，加重了地球的负担，更使人的欲望在“消费盛行”的年代变本加厉，不断膨胀，表现出了任性、放纵、不受约束、为所欲为的精神气质，结果成了构建和谐社会的绊脚石。在这种认识基础上，低碳行为提醒我们：“在自以为追求幸福而实为追求财富的时候，千万要头脑清醒啊。”（美国戏剧家、诺贝尔文学奖获得者尤金·奥尼尔）。倡导低碳行为，就要戒除个人“过度消费”“便利消费”“一次性消费”等不良消费嗜好，彻底改变自己的生活方式和习惯，崇尚自然，奉行节俭主义，在追求物质满足的同时，注重精神满足，正确处理协调人与人、人与社会、人与自然的关系，从而使自己的生活方式同生态环境、自然资源之间保持平衡稳定。

2.3.2　构建低碳文化的对策与建议

2.3.2.1　加强低碳文化的理论研究

一方面，借鉴传统文化和现代文化、中外文化有关或类似于“低碳文化”的思想观念，根据和谐社会建设的目标和要求，对其进行去粗取精和总结提高，在深入调查研究中努力寻找低碳文化存在与发展的根基，构建低碳文化的理论表达体系，使之具有科学性、民族性和时代性。

2.3.2.2　增强低碳文化的创新力、吸引力和生命力

加快建设以政府为主导、企业为主体、产学研相结合、发展清洁能源和可替代能源为核心的低碳技术创新体系，以高等院校、科研院所为主体的低碳研究研发体系、以各种科技、绿色服务组织为纽带的社会化、网络化科技环保中介服务组织体系。把资源节约利用、环境保护和公共安全保障列于科技发展的重要领域和优先主题，实施一批重大科研专项，力争取得突破性成果。低碳文化要在借鉴传统文化合理成分的基础上有所创新，并结合现实发展需要和时代精神，于发展低碳经济和低碳社会建设的实践中，尽可能创造出大量丰富生动、富有文化魅力和感染力的文学艺术作品，形成

浓厚的低碳文化氛围，使人们深刻认识到大自然的内在价值和存在价值，激发人们用低碳文化的先进理念指导自己的行为。

2.3.2.3 加大低碳文化宣传教育

全力推进人与自然和谐共生的重要价值观的树立和传播，在全社会确立和弘扬人口、资源、环境的可持续发展的低碳价值观、低碳意识和低碳道德伦理观。围绕建设资源节约型和环境友好型社会，政府鼓励、支持环保组织、教育机构和专家学者广泛开展低碳化系列活动，引导人们践行科学发展观，进行绿色低碳合理消费，形成健康、文明、科学、优雅的生活方式。强化企业和社会大众节约资源、低碳行动的责任和义务，通过税收等优惠政策支持低碳经济产业和低碳文化产业的发展，丰富精神文明和生态文明内涵，充分发挥低碳文化对人们思想的引导作用。通过宣传教育，增强公众低碳的自主意识和能力，在追求人与人、人与社会、人与自然的和谐发展中，以期提高其生活水平，改善其生活质量，培养自身的审美情趣，在不断追求高品质的幸福生活中，实现人的自由而全面的发展。

2.3.2.4 强化发展文化产业

作为服务型产业之一，文化产业自身就是低碳、可持续发展的产业，可以看到在很多经济体发展低碳经济的过程之中，都将文化产业视为产业发展重点之一。以日本为例，2009年日本提出新经济增长战略，其中的产业结构蓝图中，将文化产业作为未来重点发展的五个领域的产业之一，这体现了日本促进能源结构转型方面的新思路。

2.4 世界低碳经济的生态政策与绿色产业

2.4.1 生态经济与绿色产业的概念与范畴

生态经济是指在生态系统承载能力范围内，运用生态经济学原理和系统工程方法改变生产和消费方式，挖掘一切可以利用的资源潜力，发展一些经济发达、生态高效的产业。生态经济是实现经济腾飞与环境保护，物质文明与精神文明，自然生态与人类生态的高度统一和可持续发展的经济。发展清洁生产作为发展生态经济的基础，也是各国目前发展的重点。

联合国环境规划署针对工业部门于1989年提出“清洁生产”理念，定义为：“持续应用具有整合型与预防性的环境策略于生产过程、产品及服务中，以增加环境生态效益和减少对于人类及环境的危害。”由此可知，在生产过程上，清洁生产可节约资源，拒绝使用毒性原料，并减少污染排放之危害和毒性。在产品上，清洁生产要求产品在整个生命周期中尽可能减少对环境的负面影响。在服务上，清洁生产也要求产业由系统设计，到提供消费者服务，皆须考虑对环境的影响。总之，清洁生产概念可借由产业改变生产态度或采取负责任的环境管理制度来达成。如果将该概念扩展到应对气候变化及健康生活领域，我们可以提出绿色产业的概念，也即以清洁生产为概念的绿色产业和与应对气候变化、生态环境与健康生活相关的绿色产业两大类。前者包括环保产业（如提供环保设备、技术及服务的产业）以及绿色能源产业（如再生能源、电动车产业等），后者包括观光休闲、绿色仓储与物流、绿色金融服务、数码产品、生态科技、光电半导体、通信产业、医疗照护产业、精细农业和绿色建筑等等。

2.4.2 主要经济体发展生态经济和绿色产业的策略与政策

2.4.2.1 美国绿色产业推动政策

美国于1990年通过污染防治法后，在原料、能源、水资源及土地资源方面，提高使用效率，并减少污染物以保护自然资源。由于污染防治概念涵盖面甚广，于是成立污染防治与毒物研究室（OPPT）负责统合、倡导相关事项，并分别以美国产业污染防治的技术、环境管理，以及产品三个面向推动绿色产业相关政策。

（1）技术面。针对有害物质与污染物，推动和产业相关的技术方案甚多，包括自愿性污染减量计划、环境伙伴计划、技术支持，以及对污染防治降低成本的替代方案与展示方案的补助等。方案包括：

①有毒化学物质管制：推动顽强、不易分解及有毒污染物管制计划、源头减量审查计划、共识创制计划及环境伙伴方案等四个计划。

②为环境设计：委托田纳西大学清洁产品与清洁技术中心，发展清洁替代技术评估，有系统地针对人类健康、环境风险、竞争力及节约资源等方面，比较传统技术与替代技术，并形成新的技术数据库。

③绿色化学：借由化学产品与制程研发，减少及消除有毒物质的产生，降低对人体健康及环境的危害。

（2）环境管理面。积极帮助产业获得各项推动资金，并以环境会计、产业资金及自愿性标准网等计划，教导企业如何考虑环境决策，提供产业决策时的相关参考。

①环境会计计划。始于1992年，目的在鼓励企业界对其环境成本有整体性的评估，并了解应如何将其纳入企业的决策当中。

②产业资金计划。联合金融界、产业界及各相关机构，特别提供环保署一条资金管道，推动企业对环保的责任，此即“污染防治企业发展与资金计划”。基于污染防治

目的，商业银行评估贷款给相关企业时所能获得的利益；中小型企业的环保借贷如何为企业本身带来效益与成本；投资人如何看待污染防治工作对企业的获利意涵，以选择最具潜力的企业来投资。

③自愿性标准。目的是参与国际环境管理标准系统（ISO14000）的发展，并据以讨论美国国内的相关政策，就自愿性标准的发展、查核以及协调工作制定政策及推动。

（3）产品面。绿色产品目标一则降低毒性物质的使用，二则减少天然资源的使用。借由推动绿色标章制度及环境标准制度来达成绿色产品目标，主要工作分别为成立“环保伙伴计划”并与产官学界成立联盟，执行生命周期评估技术与环境影响评估方法等项目。

2.4.2.2　英国绿色产业发展政策

（1）对各部门（包括能源、工业、交通、住房等）提出减排要求，促进太阳能、风能等新能源产业的发展。在政策刺激下，英国国内和外国的企业将进一步扩大对英国新能源产业的投资，有效地缓解英国当前严峻的就业压力，提高环保产品和服务的收益。英国政府在2009年的预算中专门拨出4.05亿英镑，支持绿色产业和绿色技术。旨在扶持关键企业应对气候变化，包括海上风力发电、水力发电、碳捕获及储存。英国还将投资600万英镑，开发智慧电网；向地方政府拨款1120万英镑，加快对可再生能源项目的审批程序；将1.2亿英镑投入海上风力发电，6000万英镑投入海浪及潮汐发电；将600万英镑投入地热探索，仅英格兰西南部的地热资源就能满足全英国每年2%的用电需求；将400万英镑用于投资制造业，包括核电制造业。

（2）促进传统产业的低碳化升级改造。《低碳工业战略》指出，英国政府将在政策制定、产品采购、教育培训、标准化和资金投入等方面予以制造业全面支持，包括软件、制药、化工、发电、汽车、航空等领域，协助解决低碳工业发展的瓶颈，打造创新氛围，包括改变机制、消除壁垒和支持研发等。

（3）透过碳排放交易获利。据伦敦国际金融局数据显示，2013年全球碳交易成交量为104.2亿t，而伦敦则是关键性交易市场。2006年伦敦跨洲期货交易中的碳融资合同，占欧盟通过交易所交割的碳交易量的82%。2001年英国成立碳信托有限公司，于2008年已累计投入3.8亿英镑，主要用于促进研究开发、加速技术商业化和投资孵化器三个方面。该公司成立以来，已累计减排1700万t二氧化碳，节省能源支出超过10亿英镑。在项目碳交易市场，英国的投资也达到了全球项目交易的50%，伦敦已逐渐成为全球碳交易中心。《低碳过渡计划》的实施将制造更多的碳排放配额，用来出售交易，在获益的同时，还有利于巩固伦敦作为碳交易的中心地位。

2.4.2.3　德国绿色产业发展战略

2009年6月第四届德国环境部创新会议召开，打造了一份旨在使德国经济现代化的战略，其内容包括：①落实环保政策；②各行业能源有效利用战略；③扩大可再生能源使用范围；④生物质能；⑤汽车行业改革创新；⑥执行环保教育、资格认证等六个方面。为实现传统经济与绿色经济转轨，德国除加强与欧盟工业政策协调和国际合作之外，计划增加国家对环保技术创新投资，并鼓励私人企业投资。

2.4.2.4　法国优先发展绿色行业

法国根据目前技术水准及未来市场发展潜力，确立6个优先行业：①清洁汽车；②海洋能源；③第二、三代生物燃料；④离岸风能；⑤节能建筑；⑥二氧化碳捕获和储存。未来5大潜力行业：①嵌入式电池；②绿色化工；③生物质材料；④太阳能技术；⑤智慧电网。在计量领域的卫星应用、高附加值垃圾的回收、深层地热、生质能4个领域中，法国则具技术优势。此外，评估未来能在全球占有领先地位的绿色产业则分别为：①电动汽车；②CCS；③海洋能；④离岸风能；⑤第二、三代生物燃料；⑥卫星应用；⑦高附加值的垃圾回收。而支持大型外国企业参与合作的行业为：①CCS；②离岸风能；③计量领域的卫星应用；④生物质材料；⑤智慧电网。

2.4.2.5　意大利绿色产业发展策略

意大利电力能源无法自给自足，超过20%的电力从邻国输入，而原油为其主要发电能源，但原油价格日益高涨，因此，意大利政府计划增加天然气发电比例，并于2010年实现全国发电量25%来自再生能发电，规划2012年实现水电及其他再生能源发电量增1倍的目标。

(1)绿色产业发展策略。意大利政府为改革能源生产系统，采用排碳量较低的能源，同时采取奖励措施，推动再生能源发展，并鼓励工业部门改用低耗能的设备及增加废弃物回收，此外，引进新的能源费率体系，让使用量较多者付较高的单价，以鼓励节约能源。

(2)绿色产业技术发展。一方面，为改善意大利国内电力设备，意大利政府透过智慧电表与电网基础建设，达成整体电网之供电、输电与用电端之双向传输能力，以监测电力质量、远程控制电网之使用效率、侦测及阻止非法盗取电力、提供用户各种电价费率计算与节能方案。另一方面，随着使用太阳能、风力及其他再生能源趋势增长，微型电网之分布式发电与交互式供电模式正在欧洲快速萌芽，先进电表基础建设可望进一步整合碳经济再生能源生产体系，扩增电力能源之资产管理，以达成整体之发电、输电、配电及用电之能源管理功能。

2.4.2.6　澳大利亚绿色产业发展重点与政策措施

澳大利亚发展绿色产业的重点锁定于再生能源(主要为水力、风力、太阳能与生物质燃料)。其中，生物质柴油已经成为澳大利亚政府与业界共同积极发展的重点项目。

(1)澳大利亚生物质柴油的发展政策措施。为了降低温室气体的排放量，澳大利亚政府在2001年通过Mandatory Renewable Energy Target(MRET)计划。该计划将加强在再生能源方面的研发投资，以及减少温室气体的排放；其具体目标是于2010年，在澳大利亚国内能源供给中，达到以再生能源供应相当于9500GW·h电力的标准。其中，MRET规划生物质柴油的生产目标，由2005年的1亿/L，至2010年的35.5亿L。为了达到这样的目标，MRET计划支出总数接近6.5亿澳币的经费，推动研究发展工作，提升包括生物质柴油在内的技术发展，创造新兴机会。另外，该计划也配合市场透明化、降低营运风险以及合理化补助与税收方案等(表2-3)措施，创造生物质柴油在内的再生能源发展机会。

表2-3　澳大利亚生物质柴油补助与税收计划(2006～2015)　　单位：澳币分

年份	2006	2007	2008	2009	2010
每升补助	14.808	11.106	7.404	3.702	0
每升税收	0	0	0	0	0
年份	2011	2012	2013	2014	2015
每升补助	0	0	0	0	0
每升税收	3.8	7.6	11.4	15.3	19

资料来源：澳大利亚能源、设施与可持续发展部(DEUS)网站。

(2)澳大利亚生物质柴油厂商现况。由于政府补助与推动方案的积极运作，澳大利亚目前生物质柴油产业的发展相当快速。其中主要的生产大厂包括Australian Biodiesel Group(ABG)、Australian Renewable Fuels(ARF)以及Eco Tech BioDiesel(ET-BD)等。随着2006年6月ABG位于Narangba(邻近布里斯班Brisbane)，年产量达1.6亿L厂房开始运作后，整体产量已经超过2.9亿L，接近MRET规划中的3.5亿L。自2008年后，澳大利亚境内已有总产量在4.5亿L的新建厂房开始运作，远超过MRET计划中的目标规划。其中，最大的厂房于2007年进入生产营运，由Axiom Energy公司建造位于维多利亚地区，产能达1.5亿L之厂房。

2.4.3 影响绿色产业发展相关的国际环保公约、规范与指令

2.4.3.1 蒙特利尔议定书

鉴于臭氧层遭到破坏关乎全球生态环境，在联合国环境规划署召集下，28个国家于1985年3月在奥地利维也纳签订《保护臭氧层维也纳公约》(Vienna Convention for the Protection of the Ozone Layer)，并决定研议具体管制措施的协议。1987年9月16日在加拿大蒙特利尔市召开会议，进一步签署《蒙特利尔破坏臭氧层物质管制议定》，首先将5种氟氯碳化物(CFCs)及3种海龙(Halons-1211、1301、2402)列为管制化学物质，共有24个国家及欧洲经济体签署。

《蒙特利尔议定书》要求缔约国在规范时程内削减破坏臭氧层物质之生产量与消费量(定义：消费量=生产量+输入量-输出量)。议定书第5条(Article 5)并给予发展中国家延后管制的弹性空间，因此一般将受管制国家分成两类：发达经济体(统称非第5条所列国家)与发展中国家(统称为第5条所列国家)。国家一旦提出批准文件至臭氧秘书处，即显示其愿意接受公约、议定书或相关修正案规范的责任与义务。缔约国遵守《蒙特利尔议定书》的主要义务有：削减破坏臭氧层物质(ozone depleting substances，ODSs)生产量与消费量：依物质类型于设定时程内进行削减，例如在1996年起必须削减CFCs之生产量与消费量至零。

1989年1月1日《蒙特利尔议定书》正式生效，之后每年召开一次缔约国会议(MOP)，检讨议定书执行现况，并讨论管制所衍生的议题，新增列管物质与减量时程则陆续纳入修正案与调整案中。截至2008年年底，公约与议定书已执行长达21年，期间通过4项修正案与5项调整案，管控破坏臭氧层物质之架构逐步建置完备。

2007年9月《蒙特利尔议定书》第19次缔约国会议中决议，修订议定书条文2.9以加速氟氧烃(简称HCFC)废除的时程：赋予发展中国家消费量冻结与废除时程，并增加阶段性削减目标；发达经济体(第2条所列国家)则维持至2020年后完全废除HCFC生产与消费量，但提高废除时程中的生产与消费量，2010年起原削减65%提高为75%，至2015年削减90%，在2020~2030年间保留0.5%基准消费量用来供应既有设备的维护需求。此决议已于2008年3月生效，属于发达经济体的《蒙特利尔议定书》缔约国须依据此修正要求变更其削减幅度。

至2009年11月25日止，批准公约、议定书以及相关修正案的国家数如表2-4所示。2013年10月，蒙特利尔议定书第25届缔约国大会(MOP25)并未就HFCs制冷剂达成结论性决定，各方提议组建新的工作小组来推进进一步的工作。

表2-4　蒙特利尔议定书各修正案的批准情况

	维也纳公约	蒙特利尔议定书	伦敦修正案	哥本哈根修正案	蒙特利尔修正案	北京修正案
通过年份	1985	1987	1990	1992	1997	1999
国家数目	196	196	194	191	179	161

资料来源：Depositary，the United Nations Office of Legal Affairs，New York。

(1)削减ODSs生产量与消费量。依物质类型于设定时程内进行削减，例如在1996年起必须削减CFCs之生产量与消费量至零。

(2)限制管制物质输出输入。依据相关修正案规范，禁止自非缔约国输入以及输出原生物质至非缔约国。一旦物质进入废除日期后，缔约国间的输出输入活动也仅限制于回收物质、销毁或被认可之必要用途。

(3)建立输出入许可制度。在2000年2月10日前，国家须建立与推动ODSs输出入许可制度，第5条所列国家可以延至2005年后才建立Annex C物质之输出入许可制度。

(4)提报物质统计数据。必须依规定日期，每年提报各类ODSs的统计数据(议定书第7条)，包含：生产量、输入量以及输出量，作为判定是否遵守议定书之基准。

(5)提交应对报告。每两年提交一份报告给秘书处，说明进行的相关研究发展、民众意识提升工作以及与其他缔约国信息交流之情形。

2.4.3.2　联合国气候变化框架公约

《联合国气候变化框架公约》(UNFCCC)第三次缔约国大会于1997年12月1～11日于日本京都举行，会中通过具有管制效力的《京都议定书》(1/CP.3)，全文共计28条及A、B两个附件，主要内容说明如下：

(1)减量时程与目标。公约附件Ⅰ国家及摩洛哥与列支敦士登，应于2008～2012年间达成减量目标，同时采差异性削减目标之方式：欧洲联盟及东欧各国8%；美国7%；日本、加拿大、匈牙利、波兰6%；冰岛、澳大利亚、挪威则分别增加10%、8%、1%。

(2)管制六种温室气体。其中CO_2、CH_4、N_2O管制基准年为1990年，而HFCs、PFCs与SF6为1995年。

(3)制定“共同执行”“清洁发展机制”及“排放交易”等三种弹性机制。

(4)森林吸收温室气体之功能纳入减量计算。即1990年以后所进行之造林、再造林及砍伐森林所造成之温室气体吸收或排放之净值，可计算于减量之中。

1998年3月16日起至1999年3月15日止，在纽约联合国总部开放公约成员签署，其后开放加入、批准、接受或认可。其生效条件：当认可议定书国家达55国，且认可国家中附件I国家之1990年CO_2排放量须至少占全体附件I国家当年排放总量之55%，则议定书于其后第90天开始生效。京都议定书已于2005年2月16日正式生效。京都议定书一项新的特点是允许进行国际合作计划，来达到减少温室气体排放减量的承诺，同时将达成减量目标的期间由固定的一个年度，扩大为一个五年的期间，让各国可以选择在最便利与最具经济效益的期间内执行。

联合国政府间气候变迁专家委员会在其分析报告指出，面对气候变迁之冲击，必须实行两项主要的策略。第一项策略是减缓(mitigation)，亦即积极减少人为温室气体的排放以稳定大气二氧化碳的浓度。京都议定书要求工业化国家，在2012年以前强制减量，其背后的精神意义即在于此；另一项策略是调适(adaptation)，亦即当今社会必须体认气候异常的现实，积极面对气候变化对于社会经济与生态环境系统所产生的影响。这不仅在降低大气变化对生命财产、农业的损失，关键在于推进经济与社会的结构性转型。

短期而言，温室气体的减量措施将对经济产生影响，但是长期来说，国家的经济体制将因此转型，反而有机会型塑国家长远的竞争力。国际劳工组织指出，适应及减缓气候变化的影响需要向一种新型的生产、消费和就业模式转变；新的绿能产业政策不仅可以减少对环境的破坏，同时也创造绿色就业机会。因此，政府相关决策应在现有的共识基础上，正视低碳社会的发展趋势，透过政府政策引导，加速朝向低碳化社会迈进。此外，政府积极推动各式温室气体减量策略，将有助于温室气体盘查及减量相关顾问业的蓬勃发展。

2.4.3.3 巴塞尔公约

《巴塞尔公约》(Basel Convention)系为了规范国际间有害废弃物跨国运送，而经由联合国所制订的管制公约。经合组织国家自1982年起，就已开始讨论有害废弃物跨国运送的问题，而最后则移至联合国来加以讨论。1989年3月联合国环境规划署(UNEP)在瑞士巴塞尔(Basel)通过了管理有害废弃物跨国运送的巴塞尔公约。公约中宣示之基本原则为“有害废弃物的处置应由产生国承担第一责任”，《巴塞尔公约》内容要旨如下：订定有害废弃物跨国输送之管理规则；废弃物减量措施是各国应积极推动的义务；明确规定有害废弃物的妥善处理是输出者与产生者的责任。

《巴塞尔公约》自1992年5月2日起生效，已有54个国家签署。《巴塞尔公约》早期定位为着重于废弃物越境转移相关议题(输入、输出、过境、转口)。自第六次缔约国大会(COP6，2002)起，重新将公约定位为“以产品生命周期出发的思考方式，涵括废弃物从摇篮到坟墓的整体管理，不再局限于废弃物的越境转移”。其后，欧盟针对电子废弃物订定三大环保指令，包括废电机电子指令(WEEE)、危害物质限用指令(RoHS)及能源使用产品生态化设计指令(EuP)，其中废弃物处理标准对产业冲击参照《巴塞尔公约》部分，在这些指令要求之下，不符合法规产品无法上市，且全球各种规模厂商均需要配合。由于《巴塞尔公约》管制措施的雷厉风行，加上欧盟配合订定的 WEEE、RoHS 及 EuP 等相关产品材料或设计之国际规范，使得各国各大电子厂无不采取相对应的绿色技术或生态化设计。当然，更间接促进相关检测业及环境顾问业的兴起。

2.5　世界低碳经济的能源政策

2.5.1　各国能源政策的构成

随着世界各国向低碳经济发展转型，各国的能源政策也向低碳产业倾斜与调整，在制定低碳能源政策考量的前提为现有能源的储量、使用效率；新型能源的可利用性、潜力。因此，一方面通过提高现有能源效率实现能源节约，另一方面大力开展新能源的研发和使用，利用可再生能源实现减排，成为各国制定低碳能源政策的起点。各国往往通过具体政策措施来实现不同的低碳能源目标(图 2-4)。总体来说其政策措

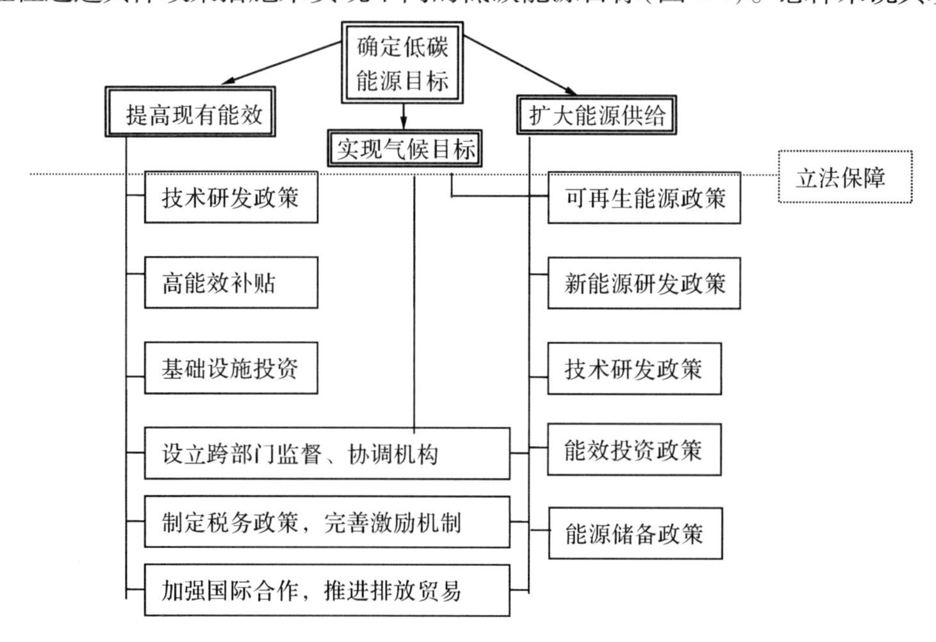

图 2-4　各国政府制定低碳能源政策的路径

施包括各种财税激励、研发政策、新能源政策等，另外，政府通过建立跨部门机构对政策执行进行监督和协调，并且通过国际合作和推进排放交易确保气候目标的实现等。细节上，某些国家还注重住户的能源供给情况，实现“能源扶贫”。

2.5.2 各国能源政策的特点

各国能源政策的设计包括以下几个方面的特点：

(1)能源政策制定符合该国的能源结构与战略发展理念。一国的能源结构指能源总生产量或总消费量中各类一次能源、二次能源的构成及其比例关系。它直接影响国民经济各部门的最终用能方式，并反映人民的生活水平。能源结构分为能源的生产结构和消费结构。随着经济发展与工业化的实现，发展中经济体的能源消费增量在世界能源消费增量中的比重逐渐增大。受到经济结构调整和技术进步的影响，世界能源消耗强度在持续下降，能源效率在不断提高，能源消费增速低于经济增速。

世界能源消费结构以化石能源为主，造成的污染十分严重。世界能源消费也极不均衡，各国的能源供给与消费结构也千差万别。以中国为例，中国是世界最大的煤炭生产国和消费国以及出口国，石油为中国第二大能源，并且其比重在不断增长，而已其他能源为补充，比如天然气、水力、风力、核电等只占很小的比重。世界能源消费主要依靠石油，但是由于世界石油资源分布的供给地区集中性，因此石油的供给与价格往往是导致世界经济起伏的重大因素之一。在许多国家，核电和水电也得到了大规模的应用，比如法国水电占到了70%，日本核电规模庞大。

随着低碳经济在世界范围的推广，清洁能源、可再生能源和替代能源和无污染能源进入了各国的事业。在各种新能源和可再生能源的开发利用中，以水电、核电、太阳能、风能、地热能、海洋能、生物质能等新能源和可再生能源的发展研究最为迅速。由于各国能源结构的差异，各国在发展新能源方面具有的优势存在差别，因此各国在制定能源政策时充分考虑到自身能源结构现状和特点，确立自身能源结构调整的中期、长期目标。

(2)能源政策紧紧围绕低碳产业，各国重点发展的部门有差异。各国能源政策所涉及的产业部门不仅仅是传统的化石能源、非化石能源生产部门，包括所有新能源和可再生能源产业部门，还囊括了所有涉及能源消费的建筑、住户部门。也就是说能源政策不仅仅从单一的渠道来提高能效减少排放，而是从人们生产生活的多个角度，紧紧围绕低碳产业和低碳生活来设计。

围绕低碳产业，各国的能源政策也面临了新的要求与挑战。2012年，法国环境部部长德尔菲娜·巴托宣布启动全国能源大讨论，就法国如何实现“能源过渡”、减少核能发电比例、支持可再生能源发展以及能源投资等问题展开讨论，确定未来几年能源发展目标，由此形成能源发展计划，递交政府审议，最后写入2013年财政预算法中。法国2014年核电发电比例居于世界第一位，电力供应的75%来自核电，日本是35%，德国是25%。能源的讨论与调整表明了法国将减少对核能和石油的依赖，发展可再生能源提供更多的电力。

(3)能源法律体系完备，管理机构统一且战略目标明确。能源战略的规划、实施是一项长期持续、系统全面的工程，为此欧美等发达经济体大多建立了完整的能源法律法规体系和统一的能源管理机构。

欧盟的例子十分典型。21世纪以来，随着欧洲一体化进程的深入发展，欧盟的能源战略体系开始成熟完善。2006年3月欧盟发布《安全、竞争和可持续的欧洲能源政策绿皮书》(简称绿皮书)，其中提出其能源战略的核心是促进可持续发展、提高竞争力和供应安全三个主要目标的协调。2007年发布《欧洲能源政策》又对绿皮书做了进一步的说明和补充，主要内容包括以下6个方面：建立安全、团结、开放、透明、清洁、高效的内部能源市场，特别是推动电力和天然气行业的开放和改革；加强欧盟成员国团结合作保障内部能源供应安全，反思并改进石油和天然气应急储备和预防供应中断体系；推动能源的高效、可持续和多元化发展，充分开发利用本土风能、水电、生物质等可再生资源，继续发挥核能的重要作用；综合实施多种手段应对气候变化，包括提高能源效率、增加使用可再生能源、发展碳捕获与封存技术(CCS)等；鼓励技术创新，特别是在节能、CCS、新能源和可再生能源领域；保持一致、连贯的对外能源政策，以确保欧盟在制定国际协议时占主导地位，深化与主要能源生产国和消费国的关系，利用国际组织和条约最大限度地影响国际能源秩序、维护自身能源利益。在能源管理机构方面，2006年欧盟委员会希望建立一个泛欧洲的能源管理机构，并赋予其跨国基建和运输权利，但是由于各国意见不一最终未能实现。2010年欧盟委员会成立能源总局，由原属交通和能源总局以及对外关系总局负责能源事务的部门合并而成。欧盟委员会成立专门的能源总局不仅摆出了一个以整体力量积极对外的姿态，也预示着其能源一体化工作将获重大突破。

(4)能源政策实际操作非常复杂，很容易被误导。能源政策尤其是新能源和可再生能源政策直接涉及政府补贴与财政的问题，因此在各国均有争议性的声音和阻力。能源政策的远期效应是对能源的价格产生影响，因此以环境保护为理由的能源政策调整会引起消费者的怀疑与恐慌，一方面消费者对能源政策的环境保护效果关注程度在下降，另一方面对能源预期价格增长变化的担忧在增加。在诞生了世界最大胆的环境法案——《2008年气候变化法案》的英国，环保型的能源政策遭到了多数人的反对。

天然气热潮的拥护者称，相对于燃气为主的混合能源政策，可再生能源为主的混合能源政策将为消费者带来更大的经济负担。但可再生能源价格剧烈波动的风险其实要小得多。因而，对政府可再生能源政策的批评中，有相当大一部分是不会实现的。但最严重的误导是，有人认为政府的可再生能源计划是可替代的。事实上，制定可再生能源政策是为减少污染，实现可再生能源目标，而这一目标是受欧盟约束的，是不可违背的。

第3章　世界低碳经济实践与行动

3.1　低碳经济与技术创新

3.1.1　低碳技术创新的含义与分类

低碳技术创新是实现低碳经济理念的一种重要手段，其通过科学技术的研发，实现产业创新来提高国际竞争力。发展低碳经济首先是对依赖化石燃料能源的整个经济社会和技术体系进行大变革，确立一个新型的碳中和的经济社会与技术体系。具体来说，低碳技术创新包括清洁能源技术、节能技术与碳减排技术的创新。其中，清洁能源技术是对传统化石能源的取代，包括了风力发电、水力发电、太阳能发电、地热供暖与发电、生物质燃料、核能等多种技术。节能技术有助于提高能源的使用效率，减少排放，主要包括超燃烧系统、超时空能源利用、高效发光、高效节能型建筑等技术，新一代半导体元器件技术，高效电网传输技术，高效火力、天然气发电技术，热电联供技术等。碳减排技术目的在于降低大气中现存碳含量，主要包括二氧化碳零排放化石燃烧发电技术、碳回收与储藏技术等。

低碳技术可分为两大类，一是在能源消费领域抑制地球变暖的技术，涉及生产制造和流通、交通、住宅与建筑、家庭四大部门；二是在能源供给领域抑制地球变暖的技术，包括化石燃料能源部门、新能源部门和可再生能源部门。其中，第二大类技术的量化与统计比较完善，跨国可比性较强。鉴于各国所处的经济发展阶段不同，对低碳经济的发展理念与实现途径的理解上的差异，实现技术创新的支持与投资方式的差别，各国的低碳技术创新能力的可比性大不相同。因此，在发达经济体与发展中国家之间比较低碳技术创新能力的意义并不大。本章从主要发达经济体的低碳技术路线与发展侧重点方面对各国的低碳技术创新进行梳理。

3.1.2　主要发达经济体低碳技术发展侧重点与启示

3.1.2.1　美国——全面发展之路

与欧盟相比，美国低碳经济发展起步较晚，从低碳技术创新政策来看，可分为共和党布什政府的能源与环境技术政策与民主党奥巴马政府的低碳技术创新政策两个时期。前一个时期主要以小布什政府的气候变化目标为基准，基于《全国气候变化科学方案》（CCSP，美国商务部主导）和《美国气候变化技术方案》（CCTP，美国能源部主导），意图利用美国创新和技术的优势解决气候变化的问题，进而通过联邦机构间气候变化技术研发方案和投资来增强美国科技公司的实力，加快技术开发与市场推广。CCSP 重点实现五个方面的目标：加强对气候历史和变化的了解；提高对影响气候的因素进行量化的能力；减少气候预测上的不确定性；加强对生态系统和人类系统的敏感性和适应性的了解；研究控制风险的方案。CCTP 的六大战略目标分别为：减少能源效率并提高基础设施的排放量；减少能源供应端的排放量；发展碳回收与储藏技术；减少非二氧化碳温室气体的排放量；提高监测温室气体排放的能力；促进基础科学对科技发展的贡献。为配合上述战略目标的实现，布什政府扶持了多个低碳技术研发项目：生产制造程序的节能技术自主计划；太阳美国自主计划；美国生物质燃料国家行动计划；二氧化碳回收储藏技术开发；替代燃料汽车技术投资。可以看到这一时期的低碳技术创新主要目的是服务于气候变化要求。

在奥巴马政府执政期间，认为美国政府尽管对能源研发示范项目的投资有所增长，但是仍不利于使美国保持在能源技术领域的领导地位。2009 年，美国发布《迎接美国的能源挑战和机遇：促进美国能源创新的初步政策建议》，提出对能源安全、经济、环境的三大挑战，为奥巴马政府的低碳技术创新奠定了新的政策基础，将低碳技术创新提高到有效解决就业问题、确立美国在全球清洁能源技术市场上的地位、解决气候变化问题的新高度。在此基础之上，美国低碳技术创新走出了全面发展的新道路，其低碳技术研发方向主要包括能源基础理论与应用，如太阳能、风能、生物质能、地热能、氢能、核能、智能电网技术，节能型交通工具及建筑技术、碳处理技术。除了研发之外，政府积极参与大规模示范和商业化项目，支持早期阶段高风险、高回报研发项目，减少对研发投资的税收以刺激私营部门投资研发等活动。

3.1.2.2　欧盟——“气候变化，能源供应安全与竞争力”为核心的低碳技术创新

欧盟最先明确了各成员的减排目标和扩大可再生能源的目标，在低碳理念和政策创新方面位于世界最前沿。但是在创新投入方面，欧盟由于各成员的技术创新能力差别巨大，因此资源分散，针对性稍差，协调性不高，导致了欧盟总体低碳技术创新甚

至落后于日本的局面。2007年，欧盟发表了《欧洲能源技术战略计划》，宗旨是为实现欧盟的能源与应对气候变化的政治目标而全力推进低碳技术的创新与开发。欧盟对低碳经济相关科学技术的研究主要涉及三个方面：一是有关气候变化及其影响的研究；二是有关如何减缓气候变化的研究；三是有关气候友好型技术，也即低碳技术的创新。在2000~2006年，欧盟在以上三个方面的研究投入了20亿欧元。在2007~2013年，也即欧洲第7次研究框架期间，投入90亿欧元。其中，环境研究预算为18.9亿欧元，能源研究(提高能源系统的效率、增加能源供给结构中可再生能源所占的比例、低碳发电以及温室气体的减排等)23.5亿欧元，运输研究(航空运输业的清洁化技术、陆地运输的清洁化技术等)41.6亿欧元，宇宙与地球环境安全检测的研究预算为14.3亿欧元。

欧盟低碳技术侧重于清洁能源技术的优先发展。欧盟积极增加对新能源技术研发创新的资金投入，主要从两方面着手推进新能源技术的研发创新。一是加强无污染、低成本、低碳能源技术的研发(研发创新)；二是支撑欧盟工业企业在快速扩张的世界低碳经济市场上的领先地位(成果转化及产业化)。欧盟目前在新能源研发创新的优先领域如下：

(1)提高能效。主要包括节能建筑、机器设备、工业流程、能源工业和交通行业以及新兴能效元器件等。

(2)生物质能。主要发展第二代生物质能源、具有竞争力的替代碳氢化合物的解决方案等。

(3)风力发电。大力发展海上规模化风力发电场、智慧电网、可再生能源接入、电能储存技术等。

(4)太阳光伏。具有价格竞争力的太阳光伏能、可再生能源取暖或制冷技术(空调)等。

(5)燃料电池。燃料电池技术及氢能的利用、电动汽车及充电设施、清洁智能交通技术等。

(6)清洁能源。清洁煤技术、清洁天然气、环境友好型技术、碳捕获及储存技术(CCS)等。

(7)核能技术。第四代核反应堆、核聚变、核安全技术、降低核废料、核辐射防护技术等等。

欧盟认为，低碳技术在实现自己的能源与气候变化目标上发挥着至关重要的作用，为此，专门制定了《欧洲战略能源技术计划》以加快开发和实施这些技术的步伐。《战略性能源技术计划》将满足3个方面的需要，一是应对气候变化；二是确保能源的稳定供给；三是提高欧盟整体在低碳技术保证领域的竞争力。“欧洲战略能源技术计划”从战略规划、组织体系、有效实施，以及资源整合等方面具体地展现了低碳技术创新的战略。

(1)战略性组织体系。为了保证欧盟全体成员行动的一致性，动员欧盟区域的研究人员和各个产业部门投入到低碳创新中来，在2008年年初，欧洲委员会成立了“战略能源技术指导委员会”，负责整合并且聚集欧盟成员国的科研机构和产业界的创新资源，并且具体指导《欧洲战略能源技术计划》的实施工作。指导小组由欧盟成员国的政府代表组成，并且由欧洲委员会担任主席。

在2009年上半年，欧洲委员会召集整个创新系统的所有相关利益者举行“欧洲能源技术峰会”，以检查技术创新的进展情况。为了在欧盟区域内实现创新信息共享，帮助各成员国确定能源技术目标并且对《欧洲战略能源技术计划》达成共识，欧洲委员会正在建立一个有关能源技术的公开信息与知识管理系统。

(2)具体的实施计划。为了具体推进低碳技术的创新与产业化，欧盟在2008年启动了6个行动计划，并且设立欧洲能源研究联盟、联合欧洲能源研究院共同具体推进计划的实施。

计划包括以下内容。《欧洲风力计划》，重点集中在大型涡轮机和大型系统的示范上(与近海和陆上应用项目有关)；《欧洲太阳能计划》，重点集中在光电和集中太阳能大规模示范项目上；《欧洲生物质能源计划》，重点集中在生物能使用战略框架下发展新型生物燃料；《欧洲二氧化碳回收与储藏计划》，重点集中在提高效率和安全性，并且从行业规模上证明零排放化石燃料发电厂的可行性；《欧洲电网计划》，重点集中在开发智能电力系统，包括建设欧洲智能电网中心以实施欧洲电网研究方案；《可持续核裂变计划》，重点集中在开发第四代核电技术上。

欧洲委员会还在2008年制定了《欧洲能源基础设施和系统转型计划》，该计划将有助于完善和协调欧盟及邻国低碳集中能源系统的发展，而且还有助于发展智能、双向电网、二氧化碳运输与存储和氢输送等领域的工具和模式，以利于欧洲的长期发展。

实现欧盟“20－20－20计划”，欧盟确定了以下7大技术课题作为今后10年中低碳技术创新的具体内容：开发第二代生物燃料，并使之成为可与化石燃料竞争的替代性燃料；通过具有产业规模的实证研究实现二氧化碳回收与储藏技术的商业化运作，力求提高整个系统的效益并且要使欧盟拥有该领域的优势地位；使最大规模的风力发电站的发电量提高2倍，首先以近海风力作为主要应用项目；建立大规模光电(PV)和集光太阳能商业发电的示范项目；建设单一高性能的欧盟智能电网，以便能够应对可再生能源和分散能源的大规模统合；再将建筑、运输和工业部门等大众市场导入燃料电池和热电联供等可进行高效能源转换的终端设备和系统；在裂变技术领域保持欧洲的竞争优势，并且确立废物管理的长期性解决方案。

为了实现到2050年使温室气体减排60%~80%这一更加宏伟的目标，作为长期的技术课题欧盟还计划在今后10年解决以下6大技术课题：在新型可再生能源的技术领域确立欧盟的市场竞争力；在能源存储技术的成本效益上取得实质性突破；开发氢燃料电池汽车的商品化技术，并且为欧洲企业采用该项技术创造重要条件，完成新型(第四代)核裂变反应堆的实证研究；支援欧洲企业参加国际核聚变实验堆计划(ITER)，并且取得主导性成果；开发低碳经济所必需的横跨整个欧洲的能源网络和系统；在诸如新材料、纳米科学、信息与通信技术、生物科学和计算机等领域展开提高能源效率的研究，并且力求取得实质性的突破。

欧盟为了更有实效地推进《欧洲能源技术战略计划(SET-Plan)》的实施，制定了欧洲低碳技术创新与普及的“技术路线图”。

为了克服欧洲在研究和创新放心资源的分散局面，更好地优化投资，协调欧盟各成员国的合作与竞争，在实施《欧洲能源技术战略计划》中欧盟需要协调两大研发资源。首先是要协调欧盟成员国的研究开发的基础设施这一资源，避免各自为战的局面，例如，在2008年12月，欧盟建立了一个称作“二氧化碳分离回收与储藏研究所”的有关能源技术创新的“泛欧洲研究设施”，该研究所的中心设在挪威，其他的研究据点分散在欧盟各成员国。该研究所在2011年建成投入使用，初期的准备费用为400万欧元，总建设费为8200万欧元，每年的运作费用为600万欧元。此外，欧盟还设立了“欧洲能源研究联盟”，该联盟实际上是一个横跨欧洲大陆的新的研究网络，它的核心是丹麦里索可持续能源国家实验室以及荷兰的能源研究中心。这个联盟的最大特点是跨越工科到社会科学的各种研究领域，网罗多学科的尖端人才在进行低碳技术创新的同时，促进这些技术成果的应用，能够把欧盟带入低碳经济社会的前沿。

欧盟还要通过教育和培训确保从事低碳创新所需的人力资源，特别是要保证研发人员的质与量。还要确保投资技术创新所需的资金，欧盟在2007~2013年期间的技术创新投资预算为每年8.6亿欧元。但是，这与日本相比远远不够。为此，欧盟在2008年12月制定了《低碳技术资金筹集方案》。

另外，欧盟还必须调动更多的金融资源扶持研究与相关的基础设施支持行业示范和市场化项目。2008年年末，欧洲委员会就扶持低碳技术展开信息交流与讨论，收集资源需求和信息，研究所有可以用来带动私人投资的收入——包括私募基金和风险资本，促进资助机构之间的协调和刺激更多投资。

3.1.2.3 日本——重点发展低碳优势领域

3.1.2.3.1 日本在低碳技术创新中的两大优势

在低碳技术创新中，日本有两项优势，一是现有节能技术的优势，二是在政府的强有力的推动下确立了明确的中长期技术创新的战略和具体的技术研发路线图。

3.1.2.3.2 日本低碳技术创新的“五大重点领域”

在2008年日本内阁府“综合科学技术会议”制定了“环境能源技术创新战略”，确定了发展低碳经济、应对气候变暖所需的技术创新的基本政策。

(1)超燃烧系统技术领域。在钢铁、有色金属、石油化工等化石能源的消费非常大的能源集约型的高碳产业，应用通过技术创新开发实现的“革新型生产制造系统”采取与现有的化石燃料的燃烧方式完全不同的“反应控制型燃烧”“热物质再生燃烧”以及“程序复合型”与“超燃烧系统技术”，使燃烧效率达到最大极限，生成的热能的有效利用达到最大极限，从而在上述产业领域实现能源利用的高效率化，减少二氧化碳的排放量。

(2)超时空能源利用技术领域。将能源按“热能源”“电气能源”“化学能源”三种形态，开发能源的回收、储藏与运输的新技术。最大限度地减少目前从事生产制造的产业部门与日常生活消费部门之间由于能源使用的时间带差异、场所差异、能源的质与量的差异所造成的能源浪费，根据能源需求与供给的计测、预测和控制技术，跨越时间与空间的限制，在全社会实现能源的有效利用。

(3)节能型信息生活空间创先技术领域。在民用和业务部门，通过在家电和办公信息机器设备中应用“领跑者基准”进一步实现能源的合理使用。有必要开发新的技术以减少或抑制高度信息化的生活方式和工作方式对能源消费的大量需求。

日本在这一领域开发的重点是：①空调与热水器用热泵技术的小型化与高性能化；②高效率发光的LED与有机EL等新光源技术；③新一代节能型网络机器设备显示屏；④电力消费极低的大容量高速通信设备；⑤节能型网络机器设备等。

(4)低碳型交通社会构建技术领域。家用汽车和货运汽车的能源消费量在日本整个运输部门的能源消费量中占到80%，要建设节能型交通社会，汽车电动化是一个重要途径。日本要在价格和技术两个方面推进电动汽车、燃料电池汽车、混合能源汽车等汽车电动化的技术开发，同时还要开发汽车内燃机(发动机)的节能技术。另一方面，要开发车辆间通信技术和交通控制系统等ITS高度化技术，以便实现推进汽车利用形态(行走的圆滑性)的高度化，削减能源的消费量。日本还要开发“双模式交通系统”技术。例如，即可以在并用轨道上行走又可以在一般道路上行走的超小型车辆以及利用系统，以便促进从家用汽车向公共交通的转换，货车向其他物流系统的转换。

(5)新一代节能半导体元器件技术领域。在信息家电以及生产制造和交通运输等领域应用广泛的半导体元器件所消费的电力(能源)相当大，它的节能潜力也相当大。日本在节能效果非常大的SiC器件技术、GaN器件技术、钻石器件技术等功率器件技术开发方面欲尽早取得重点突破，并尽早使之普及商用。日本还必须在半导体元器件的节能领域首先制定新一代节能半导体元器件的世界标准。

为了具体落实上述五大重点技术领域的创新，日本政府还制定了“技术战略图”。根据“技术战略图”动员由政府、产业界、学术界构成的国家创新系统，进而调动国家和民间的资源，全方位立体地展开低碳技术的创新攻关。日本的“技术战略图”由以下三个部分组成。

(1)导入前景。明确技术创新的最终目标(国家目标)，整理并且明确的制度改革，标准化等创新所必需的相关政策，在时间轴上有效地推进“产官学(产业界、政府、学术界)”研究开发机构的协同合作以实现国家的创先目标(例，节能型信息生活空间创先技术的导入前景)。

(2)技术图。俯瞰实现创新目标所需的技术体系，从整合性和一贯性的立场推进技术开发，提示在各个时期必须完成实现的重要技术研发目标(例，先进交通构建技术的技术图)。

(3)技术开发路线图。在时间轴上把研究开发中的要素技术、技术功能和技术开发的进展按里程碑方式加以记载，从而在轴上明确研究开发中必须实现的技术目标，便于评价研究开发的进展状况。另一方面，可以让“产官学”研究开发机构共同拥有研究开发的设定目标，以便加强协作。

3.2　低碳经济与国际贸易

低碳经济以低能耗、低污染、低排放为特征，是世界未来几十年甚至几百年经济发展的主流，在各国推进低碳化必然导致国际贸易规则的重大调整，并对国际贸易发展将带来深远影响。低碳经济给国际贸易带来了新的机遇，并且引起了国际贸易中潜在的更多的问题与摩擦。

3.2.1　低碳经济对国际贸易的影响

首先，国际贸易格局面临重大调整。低碳经济对国际贸易格局的影响首先表现为货物与技术转让格局的调整。随着化石能源为新能源和可再生能源所替代，传统高碳环境生产的产品将被新产品、新材料所取代，高碳产品在国际贸易中的比重将会逐步下降，而环保型、低碳商品的比重将会增加。低碳技术的转让、引进，将成为技术转让中发达和发展中经济体关注的重点领域。另外，碳交易市场创新了新的国际贸易商品。碳交易市场的蓬勃与振兴为国际贸易带来了新的内容，相关的碳排放配额等金融产品和碳期权机制正在发展完善之中。另外，对于发达经济体来说，由于掌握了大量的先进低碳技术，率先实现了高碳生产向低碳生产的转变。低碳商品大量进入国际市场，将对现有地区贸易格局产生一定的影响。

其二，低碳贸易的政策工具可能成为新贸易壁垒。随着低碳经济的发展，越来越多低碳贸易措施出现，包括各种技术规范、标准、标签要求和合格评定程序，这些贸易措施往往都是发达经济体率先制定，对发展中国家不利。另外，碳足迹、碳减排、碳关税等政策工具的使用将会更加频繁。特别是有些单边贸易措施，有可能成为新贸易壁垒。以碳关税为例。“碳关税”是具有战略意义的技术性问题。欧盟以技术和标准为依托，以行业试点的方式强势推进。美国以“碳关税”立法推行“绿色新政”，开展新能源产业国际合作。“碳关税”是欧美的谈判筹码、政策威慑和利益交换工具。而气候变化议题和新能源产业是“碳关税”涉及的实质性问题。

第三，发展低碳经济对发展中经济体的贸易发展提出更多要求。由于传统国际贸易模式中发达经济体与发展中经济体出口商品结构的差异，发达经济体经常以出口劳动密集型的商品为主，而发达经济体以出口技术、资本密集型商品为主。低碳化要求一方面会增加发达经济体出口商品的成本，另一方面也会加剧发达经济体出口产品价格提高，发展中国家出口产品价格降低的局面，进而使发展中经济体贸易条件更加恶化。其次，在发展低碳经济的过程中，不可避免要涉及碳减排问题。发展中经济体由于技术工艺等问题，单位产品的碳排放要远远高于发达经济体同类产品。所以，碳减排的出现将影响传统的国际贸易模式，即“低收入国家生产，在高收入国家消费”。对于发展中经济体的产业结构调整、生产技术的升级提出了更严格的要求。

第四，单边规则与多变规则的互动将更为复杂。碳关税、碳税是典型的单边措施与行动，尽管目前碳关税等其他边境措施在世界上仍然引起较大的争议，但某些国家已经悄然实施了此类措施。碳关税是否与WTO多边规则相悖？首先，“合理”的碳关税并不违反“国民待遇”原则。如果美欧等发达经济体先在国内对高碳产品实施强制减排，或由于美欧等国家自身发达的环保技术，已经实现部分产品的低碳标准，那么其完全可以对进口产品使用相同标准，如果进口产品达不到美欧等国家的自身标准，则可以对其征收碳关税，或实施边境税调整措施。这并不违反WTO国民待遇原则。而且，“合理”的碳关税也不违反“最惠国待遇”原则。美欧等发达经济体完全可以指定一套适用于所有国家的碳关税政策，一视同仁，达到标准就不会征收碳关税，达不到标准就征收碳关税，这并不违反 WTO 最惠国待遇原则。碳关税可在某种程度上适用 GATT 第20条“一般例外”条款。如果美欧等国对碳关税进行某种程度上的“包装”，那么也极有可能可以适用 GATT 的“一般例外”条款，从而并不违背 WTO 规则。作为国内政策的碳税，虽然是一国实施主权的体现，更是不可避免地损害了其他国家的利益，对国际贸易将产生负面的影响。

3.2.2　低碳经济背景下影响国际贸易的新措施

3.2.2.1　碳标签

碳标签(carbon labelling)是为了缓解气候变化，减少温室气体排放，推广低碳排放技术，把商品在生产过程中所排放的温室气体排放量在产品标签上用量化的指数标示出来，以标签的形式告知消费者产品的碳信息。碳标签只是鼓励消费者和生产者支持保护环境和气候的一种方法，更多地取决于消费者和生产者的社会道德和责任感。碳标签的实施需要核定生产过程中导致的温室气体排放量，会给厂商带来额外成本，消费者也要承担一部分的加价。

各国(或地区)的碳标签

很多发达经济体都展开了碳标签的尝试。在瑞典的超市里，越来越多的食品被贴上碳排放标签标明生产过程中的碳排历史，此外，瑞典最新的《食品指导方针》还建议，人们减少黄瓜和西红柿的食用量，因为这两种食物都要在温室大棚里培植，生长过程中排放的CO_2较多，该方针还建议人们用豆制品来代替生产过程中会排放较多CO_2的牛肉等肉类食品。瑞典有关专家称，如果《方针》中的条例得到严格遵守，瑞典在食品生产过程中可以减排CO_2 20%~50%。法国的超市巨头卡西诺(Casino)也采用了自身的气候变化标签体系，用食物里程(food miles)的概念来表述温室气体排放的衡量，在自有品牌的商品上同时标注环境友好和CO_2排放量两个商标。Casino的碳标签尝试行为受到了法国环境能源管理局的认可，法国政府呼吁其国内所有零售商采用相似的碳足迹和碳标签体系。美国的Timber-land长期制定了要在所有商品上向消费者提供环境方面的信息的目标，它采用了厂商自己设计的简化的LCA方法，用0~10数字范围的绿色指数来代表商品的环保指数。目前大概有20多家厂商生产的75种商品已经加注了碳标签。百事Pepsico的附属公司生产的Walkers奶酪洋葱薯片是最先加注碳标签的商品。GM、Dell、Home Depot等都表示要在公司生产的商品上注入环保理念，体现缓解气候变化的意识，引导消费者在做购买决策时像关注价格和品质一样关心商品的碳足迹指数，将碳标签的价值充分凸显出来。

发展中国家一方面由于国内技术水平较低，使用的生产商品的加工与生产方法很有可能会导致更高的温室气体排放，对缓解气候变化不利，往往具有较高的碳足迹，在出口目标市场上不具有竞争优势，很容易被赶出发达经济体的市场。而且环保型的生产方法和技术需要较高的投入，这对于发展中国家来说难以在短期内实现气候友好产品和技术的引进和采用。另外，发展中国家的商品要想获得碳足迹的认定和碳标签的加注，需负担一定的时间成本和不菲的申请价格，这是依靠低廉的劳动力获得的微薄利润的发展中国家厂商难以承担的。

事实上，在国际市场，绿色供应链已形成了新的门槛。目前，沃尔玛已要求10万家供应商必须完成碳足迹验证，贴上不同颜色的碳标签。大大小小的供应商开始争先恐后地降低碳排放。以每家沃尔玛直接供应商至少有50家上、下游厂商计算，影响所及超过500万家工厂，其中大部分在中国。这意味着，中国大量原材料企业、制造商、物流商、零售商必须进行碳足迹验证，承担减排责任，否则将拿不到跨国公司的订单。截至2011年，已经启动碳标签的主要经济体有英国、德国、日本、瑞士、美国、中国台湾、中国香港、韩国、泰国以及法国。

3.2.2.2 碳关税

联合国气候变化谈判中，碳关税被称为“边境碳调整”或“边境税调整”。碳关税指的是对未采取相应温室气体减排措施的国家进口的能源密集型和碳密集型产品征收的二氧化碳排放税。法国前总统希拉克最早提出了碳关税，希望欧盟各国对来自于不遵守《京都议定书》的国家的商品征收进口税，以避免欧盟本地商品遭受不公平的竞争。

碳关税目前世界上并没有征收范例，但是欧洲的瑞典、丹麦、意大利，以及加拿大的不列颠和魁北克在本国范围内征收碳税。2009年6月底，美国众议院通过的一项征收进口产品"边界调节税"法案，实质就是从2020年起开始实施"碳关税"——对进口的排放密集型产品，如铝、钢铁、水泥和一些化工产品，征收特别的二氧化碳排放关税。

"碳关税"将环境、气候变化议题与国际贸易问题纠结在一起，成为具有深远影响的战略问题。另外，在碳关税问题上，欧盟与美国发挥着主导作用。凭借雄厚的经济实力、深厚理论研究力量和强大的舆论引导能力，影响并决定着全球碳关税规则的制订和实施进程。

3.2.2.2.1　"碳关税"是具有战略意义的技术性问题

"碳关税"将环境、气候变化议题与国际贸易问题纠结在一起，成为具有深远影响的战略问题。不过，"碳关税"的征收涉及规则谈判、标准制度、碳强度量化、实施方案制定等诸多技术问题。而且，"碳关税"也是国际贸易、气候变化等诸多议题的谈判筹码，是促进新能源产业发展和国际合作的政策工具。可以说，"碳关税"是具有战略意义的技术性问题。

碳关税措施面临来自国内政治、国际规则以及管理成本的压力，还有可能造成贸易报复。很多政治家和利益团体希望采取碳关税或者与其效果相当的工业品进口措施，但实际上很难实施。产品的碳排放量信息搜集和计算是一个需要解决的技术问题。对贸易商品进行碳含量调查需要付出很大的行政成本，而且在缺乏独立的评估专家团队的情况下，碳含量评估有可能被政府机构和利益团体所利用。一个可行的办法是主要经济体达成一个评估碳含量的协议，将碳关税纳入到WTO进口限制规则中去，由WTO具体规范和执行碳含量评估。当前，发展中国家是"碳"净出口国，如果按照每吨"碳"征收50美元计算，将给发展中国家的碳密集出口行业带来很大的影响(相当于关税提高)。

3.2.2.2.2　欧美是"碳关税"规则的制定者

(1)欧盟以技术和标准为依托，以行业试点的方式强势推进。欧盟是"碳关税"概念的最早提出者，欧盟认为直接征收"碳关税"很难获得WTO和国际社会的认可，不利于欧盟的经贸发展和国际关系改善。所以，在实际推行中，欧盟将"碳关税"概念仅仅作为气候变化、国际贸易等议题的谈判筹码，利用"碳关税"发出威慑信号，迫使其他贸易伙伴在相关问题上采取合作态度。对于"碳关税"本身，欧盟不会在法律层面明确使用"碳关税"概念。欧盟采取的单边减排承诺，对欧盟本身的能源密集和出口导向产业部门可能产生不利影响。而使用边境调节税措施可以抵消这种负面影响(border tax adjustments，BTA)。

欧盟关注的是强制性温室气体排放交易系统的推行、环保和节能标准的设立。通过强制推行温室气体排放交易系统和成熟的环保技术标准等替代措施，在实质上起到“碳关税”的作用。如，欧盟机场于2012年开始对国内外飞机征收境内温室气体排放费即是一种税改费的做法。

(2)美国以“碳关税”立法推行“绿色新政”，开展新能源产业国际合作。2010年6月26日美国众议院通过《清洁能源安全法案》，该法案的核心是限制碳排放量，主要方式是采取碳排放总量管制与交易制度(cap - and - trade)，通过设定碳排放上限，对美国的发电厂、炼油厂、化学公司等能源消费密集型企业进行碳排放限量管理。

但是，该法案尚未得到参议院通过。国内区域和行业利益争论比较激烈。奥巴马为了推动法案在参议院通过，很可能会在法案中加上对贸易伙伴出口到美国的商品征收“碳关税”的条款。这样一来就可以抵消该法案所带来的美国制造业成本上升问题。可以使得一部分参议员转变立场。以对贸易伙伴征收“碳关税”换取参议院通过《清洁能源与安全法案》。

“碳关税”是美国的一个威慑策略，是推行新能源技术、发展新能源产业的谈判工具。2009年7月中美开展新能源对话，协商将美国的新能源技术应用到我国广阔市场的合作问题。2010年6月美国与印度首次战略对话，建立美印新能源对话机制，就新能源问题进行合作。同时，美国与巴西也建立了类似的新能源对话机制。目的就是推行美国的新能源技术，以便推动美国的绿色制造业尤其是新能源产业发展。

3.3 低碳经济与低碳城市

低碳城市，是低碳经济发展模式在特定区域范围内的集中体现，在城市范围内实行低碳生产和消费，建立资源节约、环境友好型社会，打造可持续性能源生态体系。中国社科院发布的《城市蓝皮书：中国城市发展报告》中明确提出，低碳城市建设是节能减排和发展低碳经济的重要载体，将引领未来城市建设的新趋势。

发展低碳经济不仅不会制约城市发展，而且可能促进新增长点的形成，增加城市发展的永久动力，并最终改善城市面貌与人民生活。目前，低碳城市发展已经成为世界各地的共同追求，积极建设和发展低碳经济、以最小代价实现人与自然的和谐相处，成为城市建设的新目标。

3.3.1 低碳城市的内涵

气候组织认为，低碳城市是在城市内推行低碳经济，实现城市低排放或是零排放。世界自然基金会认为，低碳城市是指城市在经济高速发展的前提下，保持能源消耗和二氧化碳排放处于较低的水平。低碳城市发展模式应当包含以下内涵：

（1）可持续发展理念。低碳城市的本质是可持续发展理念的具体实践。因此，应当立足中国仍处在城市化加速阶段和人民生活质量需要改善的国情，在努力降低城市社会经济活动“碳足迹”，实现可持续城市化的同时，满足发展和提高人民生活水平的需求。

（2）碳排放量增长与社会经济发展速度脱钩的目标。基于可持续发展理念，中国低碳城市不宜于西方城市一样采取碳排放总量为目标，而应该考虑中国的国情，以降低城市社会经济活动的碳排放强度为近期目标。首先要实现碳排放量与社会经济发展脱钩的目标，即碳排放量增速小于城市经济总量增速。其长期和最终目标则是实现城市社会经济活动的碳排放总量的降低。

（3）为全球碳减排做出贡献。从单个城市发展低碳经济的角度来看，城市内部社会经济系统的碳排放量降低并维持在较低水平，能被自然系统正常回收，可以在总量上减少全球碳排放。另外，城市大量发展低碳技术或与低碳产品相关的产业，通过技术外溢与传递，以及产品在其他国家或地区的广泛应用，均可以为全球减排做出贡献。

（4）低碳城市发展核心在于技术与制度的创新。城市发展低碳化，需要低碳技术的创新与应用，才能在低碳经济发展中处于有利地位。特别是提高能源使用效率的节能技术和新能源生产和应用技术，是城市实现节能减排目标的技术基础。其次，低碳城市发展需要公共治理模式创新和制度创新。英国、法国、日本和加拿大等国家均通过技术创新应对气候变化，加速温室气体减排。政府对低碳的认识程度决定了低碳城市的发展高度，而政府的机制设计和管理创新在低碳发展中发挥主要的推动和机理作用。

3.3.2 世界范围的低碳城市发展现状

3.3.2.1 世界大城市气候先导集团（简称 C40）的成立、行动及成效

3.3.2.1.1 C40 的成立及相关活动

2005 年 10 月，当时的伦敦市长利文斯顿（Liwinggston）提议，18 个一线城市的代表在伦敦商讨全球气候变化问题，并发表了通过彼此协作来应对气候变化的公报。此后，该组织成员不断扩充到 40 个世界级大城市，被称为“C40”。截至 2011 年，C40 包

括伦敦、纽约、东京、悉尼、香港及其他相关城市等58个成员，而且现有19个友好城市。这些成员的共同特点是经济发展水平较高、城市规模较大，都有明确的量化减排目标和行动计划。C40所有城市的排放量占温室气体排放总额的12%，总人口也占世界人口的20%。C40旨在推动世界各大城市群策群力，以实际行动共同减少碳排放；成员及伙伴城市能够通过这个国际组织交流应对气候变化的各项实际措施和经验，并且对其他国家和周边地区有较强的辐射带动能力。

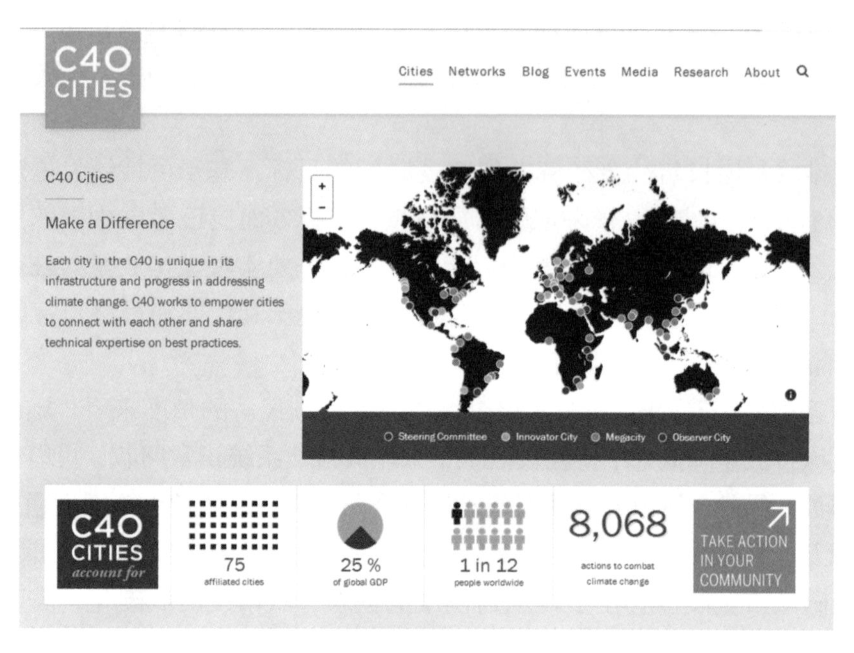

C40 网站

C40举办了多次会议，制订行动计划并探讨低碳城市发展路径。2006年8月，美国前总统克林顿和利文斯顿宣布，克林顿气候行动计划(clinton climate initiative, CCI)与C40建立合作关系。CCI为C40城市提供清洁交通、可再生能源、废弃物管理等领域的专业技术支撑，为减少全球碳排放、提高大城市能源效率提供帮助，并鼓励C40联盟成员参与CCI的碳减排项目。2007年5月，第二届C40会议在美国纽约举行，议题就是帮助各个城市设定应对气候变化的行动计划。2009年5月，韩国首尔承办了第三届C40会议，会议共有80个城市的代表参加，会议最后发表的《首尔宣言》称："我们的共同目标是，C40城市最大限度地减少温室气体排放，加强对气候变化的灵活应对，提高恢复能力，将各城市打造为低碳城市。"此外，宣言还要求C40城市履行《气候变化行动计划》(climate change action plan, CCAP)。2010年11月3~6日，香港举办2010气候变化国际会议，头两天为科学和政策日、政策和行动日，香港特区政府紧接在11月5~6日，主办香港C40论坛。四天的会议探讨发展低碳城市以达到优质生活的路径，集中讨论缔造现代化、适宜居住、低碳及优质城市都会的机遇。

低碳经济的区域示范并没有一定模式，但是这些先行者往往在经济水平、发展理念等方面相当，并且形成了一定的信息共享和国际合作机制，这将有益于为不同类型的低碳地区发展确立相应的指标体系。

3.3.2.1.2 C40行动的成效

根据C40在2011年3~4月对各成员进行的调查问卷，C40发布了最新报告，其中分析了C40城市的能力、现有行动以及在9个部门即将开展活动的未来计划：交通、建筑、废物管理、水、能源供应、户外照明、城市土地使用及规划、食品和农业等部门。总体来看，C40在交通、建筑和废物管理部门实施了大量的行动(表3-1)。另外C40还关注了其他三个重要方面：金融与经济，信息通信技术以及对气候变化的适应。C40城市行动成果如下：

(1)交通部门。C40城市的交通部门每年共排放3亿t二氧化碳。在该部门，C40城市具有较强的管理能力，特别表现在对关键交通资产的所有权或运营控制方面，在该部门制定或强制执行某些规制也比较容易。C40城市在该部门已经执行了共919项行动。

(2)建筑部门。平均来说，在建筑方面使用的能源总量占C40城市二氧化碳排放量的45%。27个城市政府拥有并运营市政办公室或其他建筑，22个城市政府拥有并运营市政住宅。17个城市就私有部门住户有权制定政策和法规，具有对商业建筑法规制定权的城市也有17个。C40城市就减少现有建筑碳排放量已实施了1343项行动。

(3)废物管理。从全球来看，废物占温室气体排放总量的3%。平均来说，C40对废物部门具有较强的管理能力，特别是在住户与市政建筑废物收集、街道清理等方面，有20个城市对其具有所有权，并开展着相关活动。总体来说，C40城市就降低废物碳排放共采取了783项行动。

(4)水部门。人均每天平均用水在不同城市差别很大，从美国、加拿大的450升到非洲城市的仅100升左右。平均来说，C40对于水部门具有较强的控制能力。重点表现在水资源供给方面，18个城市拥有或运行该种基础设施，17和16个城市也分别拥有或运行废水以及雨水基础设施。C40城市就水部门减少碳排放已实施了192项行动。

(5)能源供给部门。城市地区温室气体排放的主要来源即是化石能源的消费。总的来说，C40城市对能源供给部门并不具有较强的管理能力，这反映出大多数的能源供给基础设施由州、区域或中央政府所管控的现实。城市对于这些部门的影响主要体现在对愿景的设立方面，希望能借此非官方地影响更高一级主管该部门的政府机构。C40城市就能源供给部门减碳已经采取了268项行动。

(6)户外照明部门。尽管户外照明(包括街道与交通灯)在C40碳排放总量中仅占很低的比例(低于1%)，它却是一个在能源与碳节约方面具有相当大潜力的领域，与诸如LED和CFL等最新科技相比，现有大部分的照明设施仍是低效能的。C40城市对户外照明具有很强的管理能力，分别有23和22个城市拥有或运营着公共街道照明与交通灯。C40城市在户外照明方面共采取了121项行动。

(7)城市土地规划及使用部门。城市土地使用的当前决策在未来的几十年都会产生影响。城市土地的使用及规划权使得各国城市能够适应气候变化所带来的不可避免的和潜在的影响。总的来说，在该部门C40城市均具有较强的能力，在城市绿化和生物多样性方面以及城市规划运营方面均有良好体现。C40城市在该部门已经实施了388项行动。

(8)食品及城市农业部门。农业生产在全球温室气体排放中占14%，绝大部分是由于毁林、化石能源消费以及牲畜沼气造成。C40在该部门所具有的权限比较有限，14个城市拥有或运行私用/社区花园。在该部门C40城市已实施了近97项行动，但是在该部门的扩展行动或计划执行的数量相对较多，这反映出C40城市在这一部门的兴趣越来越浓厚。

(9)信息与通信技术部门。能源饥渴型城市向未来的低碳“聪敏”城市转变的过程中，信息与通信技术具有很大的潜力。仅仅有10个C40城市在通信基础设施方面具有直接的权限，这反映出一个现实：大部分的ICT基础设施由私人部门所有并运行，并且由国家和国际标准进行治理。C40城市截至报告期已经在该部门采取了105项行动。

气候变化的挑战给城市政府带来了巨大的财政压力，这些政府有的还在应对全球经济危机，有的在为居民提供基本的医疗与教育服务而苦苦挣扎。近1/4的城市在市政和财产税方面具有强大的权限，1/3的城市可以向中央或区域政府借款或从私有部门融资。C40城市已经采取了66项行动使用金融和经济杠杆来应对气候变化。在气候适应方面，城市面临的主要挑战在于：海平面上升造成的洪水风险，热带旋风、暴雨、干旱、洪水、泥石流、极热事件以及都市热岛等。19个C40城市为适应这些现象配置了相应资金，但是21个回应调查的城市中仅有12个制定了气候变化适应方案。城市关注焦点集中在洪水风险评估方面，这是由于90%的C40城市位于河流、湖边或海岸线。C40城市就城市适应气候变化方面共实施了452项行动。

表3-1　C40城市的行动实施与计划数量

部门	已实施行动数量	已计划扩展行动数量	新计划数量
交通部门	919	470	248
建筑部门	1343	688	372
废物处理部门	783	412	272
水部门	192	66	76
能源供给部门	268	147	178
户外照明部门	121	73	33
城市土地规划与使用	388	201	67
食品与城市农业部门	97	64	10
信息与通信技术	105	65	47
金融与经济	66	34	43
气候适应	452	275	119
总计	4734	2495	1465

资料来源：Climate Action in Megacities：C40 Cities Baseline and Opportunities，June 02，2011，ARUP，C40.

3.3.2.2　世界主要低碳城市的建设实践与总结

本部分选择了几个有代表性的主要低碳城市，从能源部门、交通运输部门、生产与投资及气候适应方面、建筑部门、生活消费等多个方面对其构建低碳城市的实践经验进行总结，见表3-2。

表3-2　世界主要低碳城市发展的实践经验

城市	能源部门	交通运输部门	生产、投资及气候适应	建筑部门	生活消费
伦敦《今天行动，守候未来》(2007)	(1)发展低碳及分散能源供应，例如分散供暖、热点联产、冷热点三联产 (2)建设大型可再生能源发电站	(1)进入市中心的车辆征收费用 (2)推广氢动力交通计划 (3)加大公共交通投资	(1)鼓励商业投资向减碳一体化过渡 (2)要求新发展计划优先采用可再生能源 (3)鼓励电动汽车投资	(1)设计减少水消耗的建筑 (2)改善市政建筑的能源效益 (3)实施“建筑能源有效利用工程”	(1)推行“绿色家庭计划”，提供家庭节能咨询，对节能改造用户进行补贴 (2)实施固体垃圾处理

（续）

城市	能源部门	交通运输部门	生产、投资及气候适应	建筑部门	生活消费
东京《东京 CO_2 减排计划》（2006）	结合针对大型商业机构的碳减排规划规定了具体的提高能源利用效率，减少能源使用量等减排措施	(1)推广低污染、低耗能汽车。倡导和鼓励低污染低耗能汽车的发展，并对购买者给予一定的财政补贴 (2)促进生物柴油应用计划，主要针对公共汽车 (3)提倡生态驾驶	年耗能达150万升原有的大型商业机构必须向政府提交碳减排规划与措施报告	(1)推出《东京绿色建筑计划》 (2)发布《东京节能章程》要求市政机构使用节能电气设备 (3)发布《东京环境总体规划》，提高新建筑节能标准	(1)引用能效标签制度 (2)白炽灯更换计划 (3)实施“能源诊断员”制度
纽约PlaNYC《纽约2030愿景计划》（2005）	(1)鼓励新设具有清净技术的发电厂，扩大使用可再生能源，计划在市内桥梁设立风车、于摩天大楼装置太阳能板，并利用潮汐、地热与核能发电 (2)成立能源效率管理部门，市政府每年的能源预算中必须有10%用于节能的投资	(1)要求改善公共运输（公交车、地铁、铁路）服务质量，扩展服务范围，推广骑乘单车，并计划开征塞车税 (2)出租车全面改用油电混合车 (3)为达成公共运输的联结提供融资贷款	市政投资加强绿化与植栽，预计到2017年种植100万棵树	(1)预计建造30万~50万户的住宅单元，减少交通流量造成的排放 (2)针对能源需求量高的办公大楼、商工混合大楼、集合式住宅，提供节能的奖励诱因与制度	确保每个纽约市民生活环境周遭10min的步行路程中，都有一座公园绿地可供利用
哥本哈根《灯塔计划》（2009）	颁布7条政策转变现有能源机构，达到向电能源体系转型的目标	(1)出台15项政策建设更加有利于市民健康的交通体系，重点是将风能作为电动汽车和氢动力汽车的充电来源，并为这类车提供免费停车 (2)自行车代步	制定综合气候应对战略，开发应对暴雨天气的多个排水方案，增加绿地面积	(1)发布10项政策通过通风、温控、照明、噪音控制对建筑物进行节能管理 (2)建筑规划减少对交通工具的依赖 (3)所有市政工程严格遵循可持续发展原则 (4)修建袖珍公园	(1)培养新一代“气候公民”，提高公众的低碳意识；将其视为整个气候政策中最具决定性的环节 (2)规定市民责任，建立详细废物回收分类体系

（续）

城市	能源部门	交通运输部门	生产、投资及气候适应	建筑部门	生活消费
首尔《低碳绿色增长综合计划》(2011)		(1)所有的公共交通工具都将升级为绿色公交，公交出行率将扩大到70%，并建造207km单车径横穿首尔市区。此外，到2030年，10%的首尔市民将使用单车作为代步工具 (2)采取限制中心城轨道交通周边停车场建设的措施 (3)提高以快速交通为主的积极的公共交通体系建设	向十大绿色技术领域的研发直接投资20亿美元，包括：氢能电池、太阳能电池、智能电网、绿色建筑、LED照明、绿色IT、绿色汽车、城市环境修复、废物资源化利用、气候变化适应技术	(1)超过$2000m^2$的建筑，都将被转改造绿色建筑。届时，新造建筑则必须接受绿色建筑强制认证 (2)鼓励应用信息科技加强对建筑物、资源运用和维修，以至都市固体废物的管理，以提升各项管理效能和指标	(1)培养新一代“环保公民”(Ecotizens) (2)尽量避免把低端人口输送到新城，而加大中等收入及以上人群的转移

可以看到上述城市大多数在环境保护领域具有悠久的历史，政府认为应当采取优先行动，继续保持城市在可持续发展领域里的全球模范地位。当温室效应逐渐成为全球各级政府最为关心的问题，这些城市政府因历史成就的积累能够快速采取行动，通过调动资源并扩大现有政策和项目的实施，以推进气候变化政策向前。它们往往从制定一个雄心勃勃的城市减排规划、计划开始，为城市低碳建设勾画愿景，制定相应的政策，从几个具体的可实施的角度出发，试图从几个重要的排放部门入手实现城市减排。

在能源政策制定方面，可以看到各个城市的能源战略和政策都是因地制宜的——根据其特定的能源情况而制定的，各城市将其作为制定气候变化政策行动所考虑的基本内容。例如在可再生能源利用选择的问题上，热电联产技术则可能更适合用于人口密度非常高的地方(如伦敦)，分布式能源适合用于相对高人口密度的地区(如芝加哥，墨尔本等)；而风力发电则可能更适合于安装在城市郊区。

各个城市都意识到交通运输在减排中的重要意义，因此城市的交通网络构建与政策配给均是各个城市探讨的重点，其政策不仅仅体现在政府扩大交通基础设施建设的投资，还表现为交通清洁能源推广、绿色驾驶、绿色出行倡导以及城市绿色出行建设规划等多个方面。

生产投资与气候适应方面，更多是政府政策引导与政府示范效应的结合。城市政府带头示范一方面减少了自身部门的碳排放，另外可以对某些运作模式进行尝试，既取得了公众和工商业信任，还能找到成功模式、刺激市场、推动企业和公众开展更广泛的行动。因此，地方政府有能力通过示范引领城市迈向低碳未来。政府鼓励商业企业绿色投资以及绿色研发基金的投入都会对城市经济产生长远的正面影响。

建筑是城市的细胞，在建筑部门推行节能管理的意义重大。各个城市采用多重手段实现建筑减排：推行建筑绿色标准与节能认证，或采取各种奖励与惩罚政策促进建筑节水、节电，亦或规划更多建筑单元间接减排，并增强市政建设与建筑小区之间的配给关系(如规划城市公园等)。

最重要的是，一个城市居民的节能意识最终决定了城市微观个体节能的总体结果。因此，配合政府补贴政策以及节能咨询等服务，使居民向"气候公民""环保公民"转变成为各个城市构建低碳城市的终极理想。

最后，在城市自身不断努力的背景下，各城市政府意识到在全球层面联合开展行动是非常重要的，一方面城市政府能够参与到全球的讨论中分享自己的经验，从而对其他城市产生影响，另一方面通过扩大交流可以获得技术和资金支持。表3-3列举了城市参加的全球网络和平台。城市通过参加这些合作伙伴项目，提升了城市的国际形象，并能从项目中获取工具、融资、其他资源和信息的支持，以克服其实现地方可持续发展和规划的障碍。

表3-3 各城市参加的主要全球网络与平台

首尔	伦敦
国际地方政府环境行动理事会 C40 CISCO 城市发展项目 大都市联合会	国际地方政府环境行动理事会 C40 欧盟市长盟约 Impacts 项目 Polis 项目(伦敦交通项目)
东京	**纽约**
国际地方政府环境行动理事会 C40 国际低碳行动合作伙伴关系	国际地方政府环境行动理事会 C40 美国市长气候变化保护协议

这些国际非营利机构及其平台和网络对城市政府制定气候政策起到了很大的促进作用。国际地方政府环境行动理事会(ICLEI)是其中最突出的。ICLEI的城市气候保护行动项目旨在支持城市政府将气候保护纳入城市的长期规划和日常的政策及决策制定之中。城市编制其应对气候变化行动方案的过程中，ICLEI向城市提供专业建议和技术支持。另外C40的影响力与作用也越来越大，这些都值得中国构建低碳城市借鉴和学习。

3.4　低碳经济与低碳农村

3.4.1　低碳农村的界定

中国学者根据中国农业发展的特征提出了中国发展低碳农业的三大重点：“三低”，即低碳农业是以低消耗、低污染、低排放为基础的现代农业(吴一平、刘向华，2010)，其实质是能源和资源利用高效率和清洁能源结构以及清洁生产问题，其核心是农村能源和资源利用技术创新、制度创新和人类发展观念的根本性转变。从大处着眼，在农业领域大力推广节能减排、固碳技术、开发生物质与可再生能源，有助于维护全球生态安全，改善全球气候条件。具备“农业生产、安全保障、气候调节、生态涵养、农村金融”多元功能的新型农业。除了基本“三低”界定外，低碳农业还应是“高产出”的效益型绿色农业发展模式(王成己，2010)。从政策角度讲，发展低碳农村包括政策导向、经营管理、技术创新等多个层面的内容，是新型的节约型农业和安全型农业，最终目标是构建新型现代农业体系。

3.4.2　发展低碳农业的必要性与意义

发展低碳经济，应对全球气候变化，早已成为学术界的共识，并且进一步转化为各行各业的实际行动准则。就农业自身而言，存在几个主要的用碳、产碳渠道：①农业投入品，既有农业自身活动产出的投入品，如种子、有机肥等，也有工业生产产出的投入品，如化肥、农药、农用薄膜等。②农业机械的制造与使用，都离不开电力、石油等能源的使用。③农产品的加工、流通，能源的使用是必不可少的。产品销售，不论是否包装，都要使用一定的耗用物，如农贸市场、超市的包装袋。④农业的废弃物的处理和利用，同时获得整个社会最大收益的经济。⑤农业生态系统自身的产碳、分解碳的生态过程。

气候变化效应对农业的发展构成了诸多负面影响。总体来说，气候变化使得农业生产的不稳定性增加，产量波动幅度增大。全球的气候变化导致很多极端气候灾害的出现，也使农业结构、农业病虫害发生规律和农业气象灾害发生规律产生了变化，加剧了气候灾害对农业生产的影响。气候变化导致全球降水趋向极端化，高纬度地区气候变得干热，沙漠化程度扩大，冰川雪线进一步缩小，暴雨洪水发生频繁，气候异常变化加剧全球水资源的不均匀性。由于气候变暖，降水减少，会使农业需水量加大，而供水的地方差异也会加大，水资源短缺将成为农业生产的重要影响因素。降水减少1%，农田灌溉面积必将减少1%。为适应生产条件的变化，农业成本和投资需求将大幅度增加。

在农业领域，农业如何转型升级，担当降耗减排的重任并更好地应对气候变化做出调整，如何在发展低碳经济中扮演吸碳转化与提高效率的角色是非常必要的问题。对此，必须结合实际，深入探讨，创新技术，完善机制，推进低碳农业的持续发展。

学界对此进行了讨论。陶正芳、邵永恩(2010)指出，农业是一个重要的温室气体来源：一是土壤本身就是一个巨大的碳库；二是农业生产是温室气体的一个排放源；三是间接的农业排放源增多。由于农业生产产前、产中、产后的全过程都与耗用能源、排放温室气体有关，因此发展低碳农业十分必要。王耀兴、安炜姣(2010)提出，发展低碳农业。一是应对全球气候变化、减少温室气体排放的紧迫要求；二是调整农业生产结构、建设现代农业的紧迫任务；三是改善农村环境、提高农民生活质量的紧迫需要。高文玲(2011)指出，低碳农业除了具备低碳经济的共性价值以外，它还具备其他一些特殊的价值：一是维持人类的生存；二是有利于促进农产品品质的提升；三是有利于降低面源污染；四是可以抵消或盈余温室气体排放。

3.4.3 发达经济体低碳农业发展政策回顾

世界主要发达经济体在发展低碳农业方面采取了多种政策，政策主要在规制的方面进行设计，包括补贴、立法等，其中，补贴政策与资源保护、环境保护的政策目标密切配合，其目的是减少农业本身的高碳消耗，增强土地可持续性发展的能力。

从主要经济体与区域的绿色农业、低碳农业政策来看，美国主要采用了供给面的政策，将补贴和规制政策充分运用，并积极倡导农业资源的保护，通过环境资源立法为限制现有资源破坏及资源保护保驾护航，同时利用了碳交易市场等新型的金融渠道，一方面实现土地保护的目标，另一方面扩大农户的收入渠道，多方面支持农业的绿色发展(表3-4)。

表3-4　美国绿色农业、低碳农业政策名称与内容列表

政策名称	主要内容
绿色农业补贴	(1)改革商品粮生产计划和其他政策条款 (2)提高农业法案中现有的环保条例的效率和执法力度 (3)将农业的支持与环境保护进行捆绑，逐步将农业补贴转化为农业污染补贴
杀虫剂规制	在1947年《联邦杀虫剂 、杀真菌剂、灭鼠剂法案》(FIFRA)的杀虫剂登记制度基础上，提出综合性害虫控制体制
农业资源保护	(1)土地休耕计划，防止过度耕种 (2)在耕土地保护计划。指政府对农业土地上采用并保持利于环保的土地管理和结构保护方法给予成本分担，或者奖励、补贴 (3)环境激励政策。指政府针对农牧民在土壤、水分、空气和相关自然资源方面所面临的生态问题，提供资金补贴和技术援助 (4)农业保护性耕种促进措施。政府对美国农民的一系列环境友好行为都采取分摊成本的资助或现金奖励等
环境资源立法	(1)土地资源保护立法。《国家工业复兴法》(1933)，明确提出控制土壤侵蚀计划。《土壤保护和国内配额》(1936)。《土地法》(1956) (2)水资源保护立法。《水质法》(1965)《全国环境保护法》(1970)《有毒物质控制法》(1976)《农村清洁水计划的修正法案》(1977) (3)农药生产使用立法。1947年，通过《联邦杀虫剂、杀菌剂、杀虫剂法》，首次提出杀虫剂要进行登记，规定了杀虫剂登记和标签的内容；1954、1958年，相继通过3个补充规定，对杀虫剂在农业初级产品中的允许残留量作了明确限制；《联邦环境杀虫剂控制法》(1972)，第一次规定将杀虫剂分为两类，即通用类和限制类，并实施杀虫剂使用许可证制度 (4)《农场法案》(2002)包括一项“保护安全计划”(CSP)，并于2008年将该项计划改名为“保护管理计划” (5)《2005年能源政策法案》《2007年能源独立与安全法案》《2008年紧急经济稳定法案》及《2009年经济复兴与再投资法案》
农业碳交易	自2003年年末起，美国农民通过种植业聚碳效应贮存的碳可作为一种指标在芝加哥气候交易所(CCX)拍卖出售。农户可通过保护性耕作、草地保护项目、农业沼气三种方式中的任意一种来获得碳财务证券契据(CFI)，到CCX交易

欧盟对农业、农产业有总体构想、策略、机制、方案及计划，这是历经长期社会、经济、文化、政治甚至种族等错综复杂的历史因缘发展、演化而来。农业给付有两大支柱：第一个是直接给付，以提升农民收入占70%为大宗，另，如生物多样性、

草原经营维护及轮作维养能力等公益性贡献给付占30%；其次是农村发展给付，给付要件与实质依成员国情不一而有别。欧盟现采用共同农业政策(common agricultural policy，CAP)，并在CAP原则下考虑个别国情因地制宜。CAP的发展过程由补贴转为综合考虑(cross compliance)，近年则朝直接给付(directly payment)加强公共利益的方向迈进，权重加成项目有水、土壤、生物多样性、农药、轮作等。其间，经济、政治、社会与友善环境议题的角力仍无可避免。

3.5 低碳经济与低碳校园

"低碳校园"是低碳精神在校园中的延伸，即是在能保障正常的教育教学、科研、管理要求的前提下，按照发展低碳经济的要求，以可持续发展思想为指导，在学校全面的日常管理工作中纳入有益于环境的管理措施，大力提倡和推广低能耗、低污染、低排放和高效能、高效率、高效益的理念，研发和运用先进的技术，并持续不断地改进，充分利用学校内外的一切资源和机会全面提高师生环境素养，努力打造一个环境友好型、资源节约型的可持续发展的集现代化、信息化、低碳化于一身的新型校园。高等学校作为致力于培养高级人才的摇篮，在低碳与绿色方面先行并做出表率是非常必要的。各国在构建绿色大学方面均有行动，在国际上也有相关的组织持续性地采取行动推进绿色大学的构建。

3.5.1 构建绿色大学著名案例

3.5.1.1 哈佛大学

哈佛大学是美国开展绿色校园项目最广泛的大学。哈佛的绿色行动可以追溯到1991年。当年哈佛环境委员会成立，鼓励和协调全校范围内与环境相关的活动和学术研究。1999年，哈佛大学就成立了哈佛绿色校园机构来主管绿色校园建设，它完全采用企业运营模式，为哈佛那些希望节能、环保的院系提供有偿服务。2008年又在该机构基础上成立了哈佛可持续发展办

哈佛大学的校旗在绿色倡导活动中由传统的深红色转变为绿色

公室，并承诺到2016年，哈佛能源消耗量将比2006年降低30%。

哈佛进行了多种多样的绿色行动。1998年，哈佛校长办公室和董事会办公室决定，只使用可回收的复印纸和文具；2002年11月，哈佛设置月度回收记录；2004年3月，哈佛成为美国常春藤大学联盟中第一个使用混合油料的大学。这种油料由20%的豆油和80%柴油混合，哈佛设置了生物－柴油加油站为自己的交通工具加油；同年，哈佛采用了涵盖整个校园的可持续性原理，并将这些原理概括为一套内容丰富全面的可持续性指导方针，指导哈佛大学奥尔斯顿(Allston)新校区的发展建设。2005年2月哈佛宣布，节能项目每年节省开支70万美元；3月，哈佛废物管理主管宣布，哈佛的回收率由2004年的38%上升到42.37%；4月，哈佛开始使用雨水来冲洗全校250辆交通工具，每年节水25000加仑；9月，哈佛自然史博物馆开放新的气候变化展览；2007年，美国森林和纸张学会将2007年回收奖颁发给哈佛大学，因为该校全校范围纸张回收，在2005年7月到2006年6月间，共回收纸张2616t；截至2007年6月，哈佛已经拥有20座在“能量与环境设计领导者”(LEED，Leadership in Energy and Environmental Design)注册的建筑项目，包括新建的和改造的，这在美国大学中是最多的；许多绿色建筑项目的能量节省已经超过一般标准的30%~50%，废物回收率超过90%。

哈佛大学的行动得到了美国各界的赞扬，为哈佛大学赢得了更高的声誉。1998年，哈佛大学获得麻省回收联盟颁发的“最佳大学回收”奖；2000年，哈佛大学被新英格兰环境事务理事会认定为环境项目、遵守环境法规优秀单位；2005年获得美国环保署的绿色能源领导奖。

3.5.1.2 耶鲁大学

耶鲁大学承诺将于2020年减少10%温室气体排放量(相较于1990年)，亦即43%减量相较于2005年的排放量；校方致力制定能源再生、碳补偿(carbon offset)机制，并开展绿建筑等行动，并于2007年时明确指出采取四项经营策略，分别是保育与社区参与、可持续设计与建造、校园能源生产与分配、再生能源与替代燃料。

2005年，耶鲁大学成立了可持续办公室，致力于推广耶鲁大学可持续发展的信条，通过创新培育加强可持续能力，帮助各机构进行精简，培养未来的具备可持续发展能力的领导人。在该办公室成立之前，耶鲁大学已经开展了一系列的关于校园可持续发展的活动。耶鲁大学早在1900年就开始了绿色与可持续的活动，学校成立了美国的第一个林学院，并在学院范围内进行了一系列相关的活动——建筑施工、废物管理、能源生产、研究、课堂教学，并且开展了本地、国家和国际合作等。

3.5.1.3 剑桥大学

英国剑桥大学的校园减量策略依照短、中长期政策能源使用分为：热水系统、冷水系统、其他(IT产品)、照明系统、风扇等，并于2006年至今，运用水力发电减少60%的碳排放量；此外，学校将可持续发展的观念融入学校工程学部的活动，着重新技术的发展与学院课程教学方向的改变。

剑桥大学学生也需学习解决全球性的气候变迁与环境问题，学校在2007年时就针对校园生活中的基本衣食住行编制了一份校园宴会可持续指南，内容包括食物的来源与供应厂商的建议、学校基本政策、废弃物处理原则，甚至包括转账银行与衣着等的绿色标准都有明确的说明。

3.5.1.4 墨尔本大学

澳大利亚皇家墨尔本理工大学(RMIT)于2005年推出的BELP永续课程计划引领了校内两大学院：管理学院(School of Management)与营造工程管理学院(School of Property, Construction and Project Management)共近16门专业课程的转型与永续理念再造，成为国际各大学校院在推动校园可持续发展领域里的知名案例。澳大利亚皇家墨尔本理工大学早在1996年与1998年曾进行过类似的课程改革或再造计划，不仅针对课程本身融入可持续概念努力，也曾对于教学过程中造成的不必要的浪费问题进行倡导与改革，然而达成的效果难以持续。2005年的BELP计划由政府赞助，计划目的之一在于促成大学院校可持续教育之发展，对此，澳大利亚皇家墨尔本理工大学采取“支持学术研究与课程改革”的策略方向。

3.5.2 绿色大学相关的国际宣言与国际组织

在国际社会中，绿色大学的观念可由许多重要的国际宣言追溯起(表3-5)。许多国际宣言皆提及高等教育可持续发展的议题，其中最早的可溯至1972年的《斯德哥尔摩宣言》，其中就包括了高等教育可持续发展观点。此外，如1990年的《塔乐礼宣言》、1991年的《哈利法克斯宣言》、1992年的《二十一世纪议程》、1993年的《京都宣言》、1993年的《斯温席宣言》、1993年的《哥白尼宪章》等，各宣言中均指出以可持续发展为愿景的高等教育机构，需结合政府与民间的力量，由大学领导人发起，动员学校全体人员，自愿性地实行环境行动计划，肩负起对目前及未来世代重要的责任与义务。

宣言的发展更带动了组织的成立(表3-6)。由塔乐礼宣言持续的发展，设立了国际组织“大学领袖推动可持续未来协会”，至今持续推动大学等高等院校的可持续发展与绿色化。至2008年10月为止，全世界共有378个大学签署宣言，范围扩及全世界各洲各国。

哥白尼宪章则在1993年于巴塞罗那，由“欧洲学校领导人研讨会”中提出，其目标为大学经由经营策略降低对环境的破坏，将环境观点融入大学教育中，提升环境意识，并成立了国际大学联网组织，至目前为止共有326个大学签署哥白尼宪章。

除了大学领袖推动永续未来协会与国际大学联网组织二个组织外，也有许多其他国际组织致力于推动绿色大学理念，而对绿色大学的发展有诸多贡献。重要的工作策略之一，即为借由不断的合作与交流，加速绿色大学的知识与经验推广。这些机构与组织的工作重点是强调合作的重要性，无论是组织间或学校间发展计划的合作、信息的相互交流、学校与小区的伙伴关系，或是联网组织的发展，都强调了相互合作所创造的力量。

表3-5　绿色大学宣言及相关内容

年份	宣言	绿色大学的相关内容
1972	斯德哥尔摩宣言	强调由小学到成人阶段皆须接受环境教育
1977	第比利斯宣言	环境教育应提供于所有年龄层与所有层级的学院，以正式或非正式的方式传递环境教育，并且应加入环境与可持续等有关议题于一般大学的架构中
1990	塔乐礼宣言	第一个宣言明确表示大学的管理阶层必须承担高等教育朝向可持续发展的义务，强调大学的领导者应提供领导和支持，动员内外部资源以面对紧急的挑战
1991	哈利法克斯宣言	强调大学对于可持续发展的行动的重要性，认定大学在改善环境损坏上扮演着领导角色，并且大学小区也必须重新思考与建构环境方针以促进可持续发展于当地、国家更甚至是国际层级
1992	21世纪议程	首先再度确认过去大学可持续的方向，并再度肯定第比利斯宣言所提出的三个主要目标，即朝向可持续发展的再教育、增加公众环境议题的认识与促进教育者的环境训练，最后强调世界对于环境的认识缺乏，需透过正式或非正式的教育解决环境不永续的状态
1992	里约宣言	需要在每个教育程度阶段的课程结合可持续发展，在全国性的标准上，每个个体都应适当地接触环境议题
1993	京都宣言	要求大学提出更清楚的视野使大学的内部达到永续性，并要求国际性大学小区必须创造特定的行动计划以达成可持续发展的目标
1993	斯温席宣言	主张大学主要的责任，是帮助社会发展成环境安全与文明的世界，并再次重申许多大学的永续性宣言，包括大学需重新审视内部运作与全体人员的伦理责任，最后也请求富裕国家的大学，可以援助世界各地不富裕的国家发展大学环境可持续计划
1993	哥白尼宪章	大学应创造可持续社会的领导，设立新的环境价值于高等教育小区，并强调关键在于扩大公众服务、环境知识和鼓励合作关系

（续）

年份	宣言	绿色大学的相关内容
1997	塞萨洛尼基宣言	重申教育的再定位应使整体朝向可持续包括了所有正式与非正式教育的所有层级，不只是教育小区，也是政府、财物机构和其他所有的参与者的责任
2000	地球宪章	将可持续生活方式所需的知识、价值观和技能纳入正规教育和终身教育，促进艺术、人文以及科学对可持续发展教育方面的贡献
2001	吕内堡宣言	教育利用所有的形式呈现对可持续发展不可缺少的角色，而高等教育则具有催化剂的角色，具有特别的责任带领学术和科学研究产生新的知识，培养明日的领导者和教师，以艺术知识的状态为基础呈现可持续发展教育的质量，并不断检视与更新课程和教学的教材。期望高等教育发展有创造力和包罗万象的可持续性计划
2002	乌班图宣言	响应吕内堡宣言在高等教育可持续发展的内容，并强调高等教育在发展和支持所有教育发表可持续发展的关键性挑战宣告具有不可缺少的地位，并要求教育率先加强可持续发展相关的科学和技术教育，设法为可持续发展制造完整的解决方案，并动员小学、中学、大学、技术学校和机构促进可持续发展

表3-6 与绿色大学相关的国际组织与联盟团体的工作目标与内涵

组织与团体	工作目标与内涵
全球高等教育迈向可持续性伙伴团体	结合四个国际间重要的机构的力量，致力于大学与高等教育制度朝向可持续发展，以响应《21世纪议程》的第三十六章，“以教育改善人们处理环境与发展议题的能力”
大学领袖推动可持续未来协会	主要的焦点放在大学的教学、研究、经营和扩大服务范围至世界各大学，透过提倡、教育、研究、评估、会员的支持和国际间伙伴团体等各种方式促进可持续教育，该组织也协助与促进《塔乐礼宣言》的签署
国际大学联网组织	利用网络工具提供管道促进可持续发展的讨论和签约学校可以更进一步地履行可持续发展，使可持续发展的原则可以被大学持续推动，凝聚欧洲大学间的力量和动员邻近小区，建造可持续标记
澳大利亚迈向可持续性校园协会	协助澳大利亚大学间分享环境管理的知识与技术以缩小大学的生态足迹，推动跨州或跨校间的计划发展，促进大学间的经验交流与学术整合
促进高等教育可持续发展协会	促进美国和加拿大高等教育朝着可持续发展方向前进，主要针对人类、生态健康、社会正义、安全的生活和提供更好的世界给下一世代等可持续议题，透过课程的管理经营与利用教育、信息交流、研究、专业发展等扩大服务范围，联合小区推动高等教育的可持续发展相关计划

（续）

组织与团体	工作目标与内涵
第二自然机构	提供大学、学院或协会机构咨询服务，促进与实现真实的可持续高等教育制度，强调可持续教育和实践的制度化，全体人员与课程的发展，可持续性的计划、经营和设计，更合适的采购，与当地和地区性小区的共同合作
高等教育可持续性伙伴团体	由 18 个英国高等教育机构所组成的，透过经验交流和发展议程，帮助实现各自的实践战略目标
环境卓越校园联盟	以美国为基础的机构强调建立与改善高等教育的环境管理，透过环境专业网络、信息交流、专业资源和工具的发展、促进创新管理模式等方式，实践校园管理承诺、环境管理和主动行动

第2篇

世界主要地区与国家低碳经济政策与行动

第4章 美洲低碳经济政策与行动

美洲位于西半球，自然地理分为北美洲、中美洲和南美洲，面积达4206.8万km^2，占地球地表面积的8.3%、陆地面积的28.4%。美洲的经济发展很不平衡，除美国和加拿大是经济发达的国家以外，其他都是发展中国家。北美洲的美国和加拿大是经济发达的国家，工业基础雄厚，生产能力巨大，科学技术先进，在低碳经济发展尤其是低碳技术发展中也处在世界前列。南美洲经济在第二次世界大战后发展很快，经济结构发生显著变化，但各国经济水平和经济实力相距甚远。巴西在低碳经济政策与行动走在南美洲国家前列，也是发展中国家发展低碳经济的代表之一。因此，本章将首先介绍美国低碳经济政策与行动，然后介绍巴西的低碳经济政策与行动，最后介绍美洲其他国家的相关情况。

4.1 美国低碳经济政策与实践

4.1.1 美国低碳经济政策概述

美国是全球第二大温室气体排放国。在小布什总统任上，美国退出京都议定书，逃避减排责任。然而，美国同时也是低碳经济的积极倡导者。在过去30年中，美国历届政府在气候变化问题的态度摇摆不定，其相关政策也随之变化。美国的减排政策实际上是经历了一个由“消极”到“积极”又转而“消极”的过程，也可以说是一个“转型”时期。这种“转型”是被动的，而且一直处于变化之中。

4.1.1.1 奥巴马政府前的低碳经济政策

卡特政府时期，美国国家科学院就对气候变化的人为原因及其必然后果做出科学评估并建议采取行动。但是，20世纪80年代初，在经济滞胀与保守主义回流的背景下，里根政府将环境管制看做是经济的负担，采取了一系列“反环境”措施，掀起了一股“环保逆流”。老布什执掌白宫后，在对待环境问题上延续前任政府的指导思想，在缓解全球变暖趋势上行动迟缓。1997年克林顿政府签署了《京都议定书》，承诺美国

1998~2010年期间温室气体排放量在1990年基础上削减7%。而2001年，小布什刚接任总统不久就宣布退出《京都议定书》，其理由是美国实现《京都议定书》的成本太高。根据《气候框架公约》秘书处提供的数据和荷兰学者研究的估计，至2010年，美国要承担4.24亿t碳的减排义务，而美国麻省理工学院学者估计美国大约为此要花费380亿美元，也有人认为美国人为此要花上千亿美元，减少几百万个就业岗位等。同时，这段时期美国总统曾在多个不同的场合表示，气候科学比较复杂，存在诸多不确定性，以及认为发展中国家所承担的减排责任太少且目标不明确等。

然而美国政府应对气候变化的政策也并非无所作为。美国早在1990年就开始实施清洁空气法，在农业和林业领域采取多种措施减少温室气体的排放。作为《京都议定书》的替代方案，美国政府在2002年宣布了《全球气候变化计划》(GCCI)，其核心是在10年内将美国温室气体排放强度降低18%，从2002年每百万美元GDP排放183t下降到2012年的151t，按照美国的估算，共可减排5亿t。为此，小布什总统签署了两个重要的能源法案：一个是《2005年能源政策法》(EPACT：Energy Poliey Act of 2005)；另一个是《2007年能源独立安全保障法》(EISA：Energy Independenee and Seeurity Act of 2007)。而此后的"低碳经济法案"等一系列法律法规的颁布为美国低碳经济发展提供了法律支持，同时制定了严格的产品能耗效率标准与耗油标准，以促使企业降碳。在后一部法律中，小布什政府明确地提出了所谓的"十年减二十(Twenty in Ten)计划"。该计划的目标是随着燃料效率的提高和可替代燃料的生产的增加，在今后10年要将美国的汽油消费量削减20%，进而由此削减温室气体的排放(表4-1为小布什政府的气候相关政策)。2006年9月，美国公布了新的气候变化技术计划战略规划，新规划将通过捕集、减少以及储存的方式来控制温室气体的排放量。2007年美国对低碳经济的认识开始发生积极的变化，7月11日美国参议院提出《低碳经济法案》，表明低碳经济有望成为美国未来的重要战略选择。奥巴马政府上台不久即推出新能源战略，希望其成为美国走出经济低谷、维护其世界经济"领头羊"地位的重要战略选择。全球金融危机以来，美国选择以开发新能源、发展低碳经济作为应对危机、重新振兴美国经济的战略取向，短期目标是促进就业、推动经济复苏；长期目标是摆脱对外国石油的依赖，促进美国经济的战略转型。美国政府发展低碳经济的政策措施可以分为节能增效、开发新能源、应对气候变化等多个方面，其核心是新能源。2008年，布什总统又设定了2025年之后美国温室气体排放总量零增加的目标。

表 4-1 布什政府气候政策大事记

年份	政策内容
2001	布什政府明确表示反对《京都议定书》，理由是它“违背了美国的经济利益，对发达国家有失公允”
2002	布什政府提出了美国温室气体“自愿减排”计划，宣布对那些自愿减排的商业企业予以税收激励
2004	布什在谋求连任的竞选活动中，重申他对于《京都议定书》的看法，认为美国加入的话，代价就是会使美国人丢掉许多工作岗位
2005	布什赴欧洲参加八国集团峰会时首次对外承认，“人类活动导致的温室气体排放增加引起全球变暖”。同年批准《2005 年能源政策法》
2007	布什首次在国情咨文中提及全球变暖问题，认为这个问题依赖于技术进步及使用乙醇等可再生能源。同年批准《2007 年能源独立安全保障法》

资料来源：博景源．中美低碳经济与减排战略比较分析。

4.1.1.2 奥巴马政府任期中的低碳经济政策

奥巴马政府对发展低碳经济的态度也有一个从积极到消极转变的过程。在奥巴马政府上任之前，曾经雄心勃勃发展低碳经济，其智囊班子就为其制定了振兴美国经济的基本思路——发展清洁能源和低碳经济。全球金融危机爆发之后，奥巴马寄希望新能源政策成为新一轮经济增长点，以作为应对危机、复兴美国经济的关键推动力，目标是降低对石油的依赖、开发新能源、以新技术带动能源革命，使能源产业成为拉动美国经济增长的新引擎。为此奥巴马提出对新能源，如生物能源、太阳能以及风能等加倍投资，建议在未来 10 年建立 1500 亿美元的“清洁能源研发基金”，为从事这些研究的公司提供税收优惠，希望既解决能源问题，又能增加 500 万个就业机会。更重要的是美国希望把新能源技术塑造成一个类似 IT 技术的革命性技术，使美国能够如互联网时代一样继续引领全球技术进步，占据下一个技术时代的制高点。除了重塑美国经济外，奥巴马的新能源政策还将试图转变美国经济增长模式，进而增强美国的能源安全。从政治层面看，如果美国在技术层面上的构想能够得以实现，那当然有助于强化美国在国际政治中的影响力，因而，奥巴马政府一改布什执政时期对于《京都议定书》的不合作态度，以保证美国在国际政治中的地位和能源安全出发，力求在技术领域引导全球的节能减排行动，并主张以市场化而不是行政化的手段解决气候问题。为此，奥巴马政府相继发表了一系列有关应对气候变化的政策，奥巴马总统上任后推出的低碳政策主要有：第一，推动《复苏和再投资法案》(American Recovery and Reinvestment Act，ARRA)获得通过，实施以能源战略转变为核心的经济刺激计划；第二，积极推动《清洁能源和安全法案》。《复苏和再投资法案》总额达到 7871 亿美元，其中约

580亿投入环境与能源领域。通过投资环境和低碳产业来刺激经济复苏，拉动就业，这就是奥巴马“绿色新政”的思路(表4-2)。

表4-2　奥巴马政府经济刺激计划：绿色新政

	投资项目	投资金额(亿美元)
财政支出	智能电网，电网的现代化	110
	对州政府能源效率化，节能项目的补助	63
	对可再生能源(风力、太阳能)发电和送电项目提供融资担保	60
	对面向中低收入阶层的住宅的断热化改造提供补助	50
	联邦政府设施的节能改造	45
	研究开发化石燃料的低碳化技术(CCS)	34
	对在美国国内生产制造氢气燃料电池的补助	20
	补助大学、科研机构、企业的可再生能源研究开发	25
	对用于电动汽车的高性能电池研发的补助	20
	可再生能源以及节能领域专业人才的教育培训	5
	对购买节能家电商品的补助	3
减税	对可再生能源的投资实行3年免税措施	131
	扩大对家庭节能投资的减税额度	20
	对插电式混合动力车的购入者提供减税优惠	20

资料来源：蔡林海．低碳经济 绿色革命与全球创新竞争大格局．北京：经济科学出版社，2009，8：6.

奥巴马政府对发展低碳经济中最值得关注的是2009年6月22日美国众议院通过《温室气体总量控制与交易法案》，仅仅四天后又通过了美国历史上首个限制温室气体排放的法案——《清洁能源安全法案》(简称ACES)，要求美国大力发展清洁能源，并引入温室气体排放权交易机制，建立新型碳金融市场。该法案以减少石油依赖并为主导“低碳游戏规则”进行了一系列的战略部署，这是美国首个以限制污染与应对全球气候变暖为目标的法案。该法案由绿色能源、能源效率、温室气体排放、向低碳经济转型等4个部分，明确规定，美国的电力公司、石油企业和大型制造业企业都必须设定减排目标。法案明确规定。美国应以2005年为基准年度，到2012年温室气体减排3%，到2020年减排17%，到2030年减排42%，到2050年减排83%。为了实现这一目标，该法案对可再生能源的利用、二氧化碳回收和储藏技术、低碳交通和智能电网技术提出了发展要求，并落实了扶持资金，明确了发展目标；同时该法案还制定了建筑物、电器、交通运输、公共事业和各行业的能源效率标准；为了顺应国际趋势，该法案也要求在美国建立起相应的碳金融服务机制，包括碳市场、碳抵消以及相关保障、监管机制等。

奥巴马政府承诺为了应对气候变化而大幅度削减温室气体的排放量，为了实现这一目标，美国政府也建立了一系列市场化机制，因为美国政府一向主张以市场化而非行政化的手段减排。为此，美国政府主张建立一个类似欧盟碳交易的市场化的“排放上限与交易（Cap and Trade）”制度，向大型温室气体排放单位发放排放许可证和交易配额，配额可以在市场上交易。为了确保对大众完全公开，防止不公正的公司福利政策，所有津贴将以拍卖的方式进行，公司还可以自由买卖津贴，这样既可以降低成本减少污染，又可以允许传统生产商有能力进行调整。

然而此后美国态度有所改变。2009 年 11 月，美国决定 2020 年的减排目标是在 2005 年的基础上减排 17%，仅相当于在 1990 年的基础上减排 4%。在此后的哥本哈根世界气候大会上，美国的态度也让各国大失所望。奥巴马政府态度转变的原因有很多，最直接的是因为奥巴马在 2009 年的政治任务要通过医疗改革法案，而清洁能源法案不可能与医改法案同时在参议院通过。推行清洁能源和低碳经济在美国内外都有阻力，主要是美国石油垄断资本和石油出口国的利益。与信息技术经济和房地产金融不同，石油垄断集团是新能源经济的天敌，一旦出现利益冲突，他们会采取各种手段封杀新能源经济，甚至控制其技术。实际上，新能源领域很多技术由垄断集团控制。包括生物质能源、美国的玉米炼乙醇技术等，很多是石油垄断集团在研发，新技术并不在新企业手里。此外，美国至今还缺乏使新兴战略性产业成长的机制，包括风险投资、技术转让、成本补贴等一系列经济杠杆手段，而且投资于技术创新风险大，使得垄断资本更愿意投资于稀缺资源开发，以及可以不负担投资失败责任（如金融创新）的领域。在奥巴马的任期内，美国以清洁能源和低碳经济为主的战略性产业将会有一定程度的发展，但不可能很快取代原有的制造业，更不可能很快改变原有的制造业国际分工格局。

4.1.2 美国能源政策

奥巴马政府上台后，开始着手进行其在能源、环境领域的改革，把发展新能源与走出金融危机和刺激经济复苏挂钩。2009 年 1 月，奥巴马宣布了《美国复兴和再投资计划》，以发展新能源作为投资重点，计划投入 1500 亿美元，用 3 年时间使美国新能源产量增加 1 倍。同年 3 月 31 日，美国众议院能源委员会向国会提出了《2009 年美国绿色能源与安全保障法案》。法案中关于“向低碳经济转型”的主要内容包括确保美国产业的国际竞争力、绿色就业机会和劳动者转型、出口低碳技术和应对气候变化等方面。该法案构成了美国向低碳经济转型的法律框架。

4.1.2.1 大力发展清洁能源

2008 年席卷全球的金融危机给美国经济造成了致命打击，奥巴马政府对此推出“能源新政”，初期框架包括能源战略转型，新能源技术的开发，大力鼓励建筑、汽车领域节能和降低对化石能源的依赖等。在奥巴马总统竞选期间，他就曾经提出过大力发展清洁能源的主张。未来10 年将投入1500 亿美元用于清洁能源开发，提高下一代生物燃料基础设施，扩大可再生能源的商业规模，投资低排放煤场，从而在诸如研究、制造和建筑等领域创造500 万个新工作岗位。为了支持低碳能源的发展，奥巴马上任之初即为能源部申请2010 年的263 亿美元资金的预算，重点开发新一代低排放的可再生和替代能源。在《美国复兴和再投资计划》的支持下，美国将重点发展新能源、提高能源效率和减少碳排放。2010 年初，美国能源部和环保署联合其他机构分别组成美国生物燃料工作组以及碳储存和碳捕获（CCS）工作组，分别负责美国生物燃料以及CCS 产业化项目的资金支持和监管。

为此，奥巴马政府提出了可再生能源在未来能源中的比重，计划到2025 年将这一比例提高到25%。为了实现这一目标，美国政府加大了在资金方面的投入，以鼓励相关技术的进步，同时出台了配套政策以鼓励新能源的使用，包括对清洁煤、生物质能的科研支持、清洁能源使用减税等。作为世界上汽车保有量最大的国家，有关汽车能源技术的投资在该方面显得尤为重要。为了鼓励汽车生产商生产和消费者购买新能源汽车，美国政府向新能源汽车购买者提供7000 美元的直接补贴。

在奥巴马政府确定了初步的能源战略后，能源新政的核心框架转向智能电网。智能电网的核心价值在于坚强可靠、高效经济与环境友好。坚强可靠是指电网在经受各种干扰后仍能够可靠运行；高效经济是指通过能源价格杠杆调节和技术控制，提高化石能源使用效率，减少对化石能源的依赖；环境友好指在能量转化和传输过程中减少碳排放数量，尽量降低对环境的不良影响。智能电网的核心价值符合美国能源战略的需求，必然要求能源法律制度的设计按照智能电网的系统性特点展开，法律与政策成为制度设计的重要载体。

作为低碳经济的重要组成部分，低碳电力是在保持经济可持续发展的情况下，最大限度地减少对电力的需求以及在电力生产中的温室气体排放。低碳电力是采用综合资源战略规划的方法，在电力供应方面，鼓励发展清洁能源发电，采取各种新技术、新工艺减少污染物排放；在电力需求方面，通过市场机制、政策引导、行政手段及法规等，推广节能灯（节能灯能效电厂）、高效电动机（电动机能效电厂）、节能变压器（变压器能效电厂）、变频调速（变频调速能效电厂）、高效家电（家电能效电厂）、冰蓄冷空调(冰蓄冷能效电厂)和可中断负荷(可中断能效电厂)等方式，达到节能减排的效果。一旦规划出各类常规发电厂与各类能效电厂的规模，需要通过智能电网在确保电网安全稳定运行的前提下，最大限度地将清洁能源的发电量吸纳、送出、用下。同时，密切保持与电力用户的联系，最大限度地通过需求侧管理引导用户科学、合理、节约用电，真正发挥能效电厂的作用，最终实现综合资源战略规划的方案达到低碳电力的实施效果(胡兆光，2009)。

智能电网将清洁能源开发、资源综合利用与节能减排、能源(电力)需求侧管理、能效经济、绿色配额交易融为一体，实现多维度整合优化。丰富了低碳经济的发展路径，突破了以往低碳理念的单一化认识局限，注重从全局出发，按照电力行业的产业发展规律，整合有关的低碳法律制度。

智能电网的立法和政策的制定与实施关系密切，美国近年来在智能电网立法方面主要是确立政策制定和实施的协调框架机制。在立法宗旨、立法原则、制度构建方面，实现智能电网的立法供给。立法宗旨体现美国能源安全独立的国家利益，反映奥巴马政府能源新政的战略，确立发展智能电网是实现美国经济复苏、重塑美国经济的核心。立法原则上，确立成本收益评估原则、政府规制改革原则、低碳社会效益原则、投资激励原则、技术研发示范一体化原则和国际合作原则。

《美国能源独立与安全法案2007》设专章构建了智能电网的主要制度，内容如下：

(1)从法律上确立了国家电网现代化输配政策，提出了发展智能电网的具体措施。比如，运用数字化信息控制技术来提升电网的稳定性、安全性和效率；分布式能源发电的部署；需求侧响应、需求侧能源和提高能效资源的发展与融合；智能电器与用户设施的融合；高级电力存储和削减峰荷技术的部署和融合，包括插座式电动汽车和空调；给用户提供实时电价信息，便于消费者自由控制；智能电网技术、操作和服务中障碍的识别与克服。

(2)授权相关主体发布智能电网制度报告。在分析影响智能电网发展的政策法规壁垒，要求能源部长在该法案颁布一年后向国会进行汇报智能电网部署情况，并以后每两年汇报一次，以减小相关影响。

(3)成立智能电网咨询委员会和工作机构，明确其职能和权限范围。

(4)要求美国能源部在全国范围内加快智能电网技术、服务与实践的开发、示范与部署。

(5)构建智能电网互操作框架标准。美国国家标准与技术研究院负责建立一个草案和标准，明确框架标准设计的范围和框架标准的发展程序，保证智能电网政策、技术和商业运作各个组成部分的互操作性，并指出美国监管机构有权在州际电力传输时使用这些标准。

(6)联邦政府为智能电网投资标准化项目提供资金支持。联邦政府将为执行智能电网投资建设的公用事业机构提供最多 50% 的资金支持，还提出设立智能电网匹配拨款计划，规定对于合格的智能电网投资项目补贴 20%。

(7)细化各州发展智能电网的关键事项。根据《公用事业监管法案 1978》，每个州在投资智能电网时需要考虑总成本、成本有效性、社会效益、安全性、系统性能和可靠性因素。各州公用事业监管委员会需要根据资本投入、运行支出及其他有关智能电网部署所花费的成本确定合理的服务费率，克服智能电网投资中出现的经济风险，使利益主体能够获得利益回报。保护电力消费者的知情权，使消费者能够在合适的期间内知道价格、使用方式和电力供应的来源。

(8)美国能源部负责研究智能电网制度系统中的安全属性。美国能源部部长要在法案颁布后的 18 个月内向国会提交美国智能电网部署在基础设施和操作安全性方面的评估报告，并且以后需要和其他相关机构进行有效沟通协调，不断改进调整此项分析报告。

4.1.2.2　减少能源消耗，保障能源安全

美国是世界上最大的能源消耗国，同时也是世界上最大的能源进口国。能源安全问题是历任美国政府首要考虑的问题。然而虽然历届美国总统都承诺采取措施保证能源独立，但是事实情况是美国比过去任何一个时候都更加依赖外部的石油供应，再加上近年来油价大幅度波动、世界许多地区日益动荡和全球变暖的事实，奥巴马政府也决定采取措施，切实保证美国的能源独立。为此，美国政府一方面批准了一些在美国本土，包括阿拉斯加、德克萨斯等州的石油勘探和开采项目，也明确了包括建筑物、交通业和公共事业部门的能效标准，目标是到 2025 年建筑物零排放，到 2020 年公共事业部门累计节电 15% 和累计节省天然气 10%，当然还包括发展新能源技术。美国的目标是在未来 10 年内无需从中东和委内瑞拉进口石油。

美国将通过发展新能源与可再生能源创建新的能源经济，增加就业，增强美国产业竞争，为美国经济发展提供长期动力。目前其能源、环境政策已初步形成框架，该政策的内容和措施主要有以下几点：首先，重点投资清洁能源产业，奥巴马政府希望通过加快发展和开发清洁煤技术，增加用于清洁能源项目的资金，投资岗位培训以帮助工人和企业适应清洁能源技术的生产等措施，计划在未来三年里将太阳能、风能和地能等可再生能源产量增加一倍，使其占美国电力比例由目前的 8% 提高到 2012 年的 10%，到 2025 年进一步提高到 25%。其次，鼓励技术创新，尤其是支持发展下一代生物燃料，同时积极支持发展节能环保的混合动力或动力电车；再次，奥巴马表示将

推进气候变化应对机制，严格控制碳排放，计划至2020年把美国的碳排放量减至1990年的水平，到2050年降至1990年的水平的20%。

目前美国60%的油耗和25%的碳排放来自汽车，美国针对汽车燃料的使用和排放相继出台了多项规定。最先出台的法规界定了先进生物燃料标准，规定生物燃料必须符合相应的标准方可生产销售，同时将玉米淀粉生物燃料的数量和温室气体排放量做出了限制。美国相继公布关于汽车节能减排的新计划，从2012年开始，美国汽车制造商必须逐年改善汽车的燃油效率；到2016年，美国轿车百公里耗油量将不超过6.6升，比当前汽车耗油量减少40%。美国计划在20年内将汽车能耗和污染减少一半，碳排放降低30%，能源利用效率提高42%；到2016年，汽车行业节油将超过18亿桶，相当于2008年美国全年进口石油量。此外，美国还规定了汽油中生物乙醇的掺混比例，到2016年美国汽车行业温室气体的排放量将减少9亿t。

4.1.3 美国低碳科技研发政策

美国联邦政府层面对低碳科技的研发投入主要有两个机构参与：白宫科技政策办公室(OSTP)，为总统提供建议，参与联邦科研预算在各部委和各项科技领域的分配；国家能源部(DOE)，获得大部分低碳科研预算，与各类研发机构、企业研发部门合作，促进低碳科技创新，保障能源安全。从白宫科技政策办公室(OSTP)发布的联邦科研预算来看，国防部、卫生部、国家航空航天局和能源部，是获得科研预算最多的四大部门，而小布什和奥巴马提出来的联邦科技预算相比，能源部获得的资金未见明显变化(表4-3)。另外，比较两政府在低碳领域的具体项目计划方面的预算，小布什于2006年提出《美国竞争力计划》(ACI)《先进能源计划》(AEI)《气候变化技术项目战略计划》(CCST)，构成2007~2009年的联邦科研预算在低碳方面的核心。奥巴马任总统后，联邦政府在低碳方面的科研预算略有变动，呼应奥巴马的绿色新政，发展优先技术，例如智能电网。发展智能电网，助推低碳经济，成为能源法律制度创新的题中之义。美国虽然不是智能电网技术最先进的国家，但却是运用法律政策工具最系统、有效、充分的国家。

表4-3 2013财年美国联邦各部门R&D预算申请额 单位：百万美元

联邦部门	2011财年	2012财年	2013财年
	实际值	估算值	预算申请
国防部	79112	74464	72572
基础、应用、技术开发及医学研究	12751	43530	12534

（续）

联邦部门	2011 财年	2012 财年	2013 财年
	实际值	估算值	预算申请
国防部其他研究开发	66361	60935	60038
卫生与人类服务部	31183	31143	31250
国立卫生研究院	29831	30046	30051
其他机构	1352	1097	1199
能源部	10673	11019	11903
原子能国防研究开发	4081	4281	4691
科学办公室(DOESC)	4461	4463	4568
能源研究开发	2131	2275	2644
国家航空航天局	9099	9399	9602
国家科学基金会(NSF)	5494	5614	5872
农业部	2135	2331	2297
商务部	1217	1263	2673
国家海洋大气管理局	629	581	651
国家标准技术研究院(NIST)	532	555	1885
运输部	954	945	1106
国土安全部	760	617	813
退伍军人事务部	1160	1164	1166
内政部	757	796	863
国家地质调查局	640	675	727
环保署	582	568	576
教育部	362	392	398
其他	880	849	1134
R&D 总计	144368	140565	142223
国防 R&D	83193	78745	77263
非国防 R&D	61176	61820	64960

资料来源：蔡嘉宁 . 2013 财年美国联邦政府研究开发预算要点[J]. 全球经济科技瞭望，2012(7)：5 ~ 12.

4.1.4 美国的区域性碳贸易政策

与欧盟的 EU-ETS 碳贸易体系所不同，美国在联邦层面并没有建立限额 - 贸易体系，对各州的温室气体排放也没有强制性的要求。尽管如此，美国局部地区早已经由私人企业和组织发起了自愿参与性质的限额 - 贸易体系，其诞生甚至还早于 EU-ETS，这就是芝加哥气候交易所(CCX)建立的碳排放权交易体系(表4-4)。

美国的芝加哥气候交易所(CCX)在2003年开始运行，是世界上第一个以温室气体减排为目标和贸易内容的市场平台，也是独立于政府机构以外的民间平台。它建立的碳排放权交易体系是自愿参与但具有法律约束力的体系。根据芝加哥气候交易所推出的一期计划，所有的会员企业必须在2006年12月前把减排量在1998~2001年的基础上下降4%，二期计划持续到2010年，企业的目标是在1998~2001年的基础上减排6%，如果在限期内达不到目标就必须付费购买排放权。

表4-4 美国碳排放权交易所概况

交易所	业 务
芝加哥气候交易所(CCX)，2003年启动交易，是全球首个自愿的温室气体减排交易系统，也是北美唯一的一个，涉及的抵消排放项目遍布全球各地	提供温室气体排放权现货交易(CFI合同)，2007年交易量超过2290万t CO_2，以当年价格，每吨CO_2 1.9~2.1美元计算，交易额在4350万到4810万美元之间
芝加哥气候期货交易所(CCFE)，2005年由CCX创建，属于CCX所有	提供温室气体排放权期货、期权合约，共有8种期货合同、2种期权合同交易
纽约商品期货交易所(NYMEX)	2007年推出温室气体排放权期货产品

资料来源：上海图书馆·上海科学技术情报研究所信息咨询与研究中心搜集整理。

芝加哥气候交易所的会员企业在2006年初有127家，到了2006年末增加到了237家，名单上的公司有福特、劳斯莱斯、陶氏、杜邦、摩托罗拉、索尼、美洲银行、IBM等知名公司，此外还包括美国的芝加哥、波特兰、奥克兰等城市政府以及密歇根州立大学等高校。

芝加哥气候交易所进行的是碳排放权的现货交易。2005年，芝加哥气候交易所成立了芝加哥气候期货交易所(CCFE)，从事碳排放权的衍生品交易。

值得一提的是，芝加哥气候交易所和欧洲气候交易所同属一家名为Climate Exchange Plc的私人公司所有。Climate Exchange Plc公司2003年在伦敦证券交易所创业板上市，当前市值4.33亿英镑(8.42亿美元)。芝加哥气候交易所的创立者兼CEO-Richard L. Sandor是1970年代推动美国国债期货在芝加哥商品交易所交易的主要设计师，温室气体排放权交易机制的发明者。此外，纽约商品期货交易所在2007年推出温室气体排放权期货产品。

4.1.5 美国的低碳建筑政策

2011年，美国加利福尼亚州建筑标准委员会通过一项决议，要求建筑商在建筑过程中，需安装室内节水管材，将一半建筑废物由填埋转为回收利用，同时使用低污染的油漆、地毯和地板材料。在非居民住宅建筑中，还将按水的用途不同分别安装水表。新标准还要求加州当地官员检查能源系统，确保非居民建筑物供暖设备、空调和其他机械设备高效运作。

这条新决议的执行，意味着加利福尼亚州成为全美环保建筑标准最严格的州。同时，也预示着该州新建的医院、学校、商场及居民住宅将成为世界上最“绿”建筑。据了解，由意大利建筑师皮亚诺设计的美国加州科学馆，已经作为示范建筑，被美国绿色建筑委员会授予“白金”级别的绿色建筑称号，并作为“加州绿”在加利福尼亚州示范推广。这种“加州绿”的美国新绿色建筑标准已于2011年1月正式生效，并在其他各州得到广泛响应。

4.2 巴西低碳经济政策与实践

4.2.1 巴西低碳经济政策概述

2007年，巴西发布了《巴西力阻气候变化》的白皮书，重点关注能源和避免乱伐森林。具体措施包括2002年发起的《替代能源的激励计划》，总体目标是到2022年10%年度能源消耗源来自可再生能源；以及“国际乙醇计划”，使乙醇在巴西汽车使用能源中占到40%。

2010年10月26日，巴西总统卢拉在巴西气候变化论坛年度大会上提出3项新政策：

第一项计划是，公布了巴西关于联合国气候变化公约框架的第二个国家公报，公报介绍了联合国气候变化公约在巴西的执行情况，该公报由来自能源、工业、林业、农业与废弃物处置等部门的1200多名专家参与准备，其第一次公报在2004年提交。

第二项计划是，巴西总统批准了5个具体部门的温室气体减排方针和具体的战略行动计划，这5个计划都将为巴西亚马孙与塞拉多地区的减排做出努力，并能在能源、农业与钢铁制造方面做出一些改革。这5项计划都包括减排承诺的简短说明、应对气候变化的具体方法、方针及战略行动。这些计划将在11月份举行的巴西气候变化论坛上提交并进一步深入讨论。

第三项计划是，巴西总统签署了关于气候变化国家基金的建立准则，该准则是世界上第一份利用石油供应链的理论来资助气候变化适应与减缓的基金准则。该准则规定建立基金管理委员会来进行基金管理、监控并对基金的使用进行评价，并进行气候变化减缓与适应的研究与开发工作。委员会由政府代表、科学界代表、个人及非政府组织等组成。2011年度，基金管理委员会的资金预算为2.26亿美元，其中2亿美元应为偿还贷款，另外的2600万美元由巴西环境部管理，主要投资于一些项目并对气候变化的影响进行评估。

4.2.2 巴西的新能源政策

4.2.2.1 巴西发展可再生能源的历程

随着《京都议定书》的生效，各种对环境污染少的新能源成为宠儿，美国、德国等国重视并大力开发和推广可再生能源，巴西则率先提出实施能源农业战略。拥有生物能源技术和充足土地资源的巴西，提供了一个具有巨大商机的出口市场，"能源农业将是巴西的出路"。能源农业是指为生物能源提供原料的农业生产活动。生物能源大致有两种：一种是用油菜、向日葵、油棕榈、大豆、蓖麻等油料作物加工成动力柴油（也称生物柴油），一种是从甘蔗、玉米、薯类作物或农作物秸秆中提炼、加工燃料酒精（也称乙醇燃料）。生物柴油和燃料酒精可替代石油和煤炭等矿物能源，在使用过程中对环境所造成的污染比较小，故又称之为清洁的可再生能源。

巴西的生物燃料技术目前居于世界领先地位，巴西政府十分重视对绿色能源的研究。早在20世纪70年代，巴西就启动了《国家乙醇燃料计划》，开始了用植物油制备燃料的研究，是最早掌握生物柴油技术的国家。第一个关于生物柴油的专利就是在80年代授予Ceard大学的Parente教授。这一计划有特殊的历史和国际背景，当时恰逢石油危机时期，对能源的获取归根到底成为对自然资源的争夺，自然资源的紧缺以及对能源的争夺成为世界规模冲突的重要诱因。巴西政府为了减少对进口石油的依赖以及同时应对国内糖价的大幅下跌，决定充分利用本国比较丰富的资源甘蔗来生产燃料乙醇。

生物乙醇在巴西的发展可以划分为4个阶段：①1975～1979年，政府决定利用甘蔗发酵生产燃料乙醇，并且将其与汽油混合使用。②1979～1989年，"国家乙醇燃料计划"在这个时期达到巅峰，政府出台了一系列措施鼓励乙醇产量的提高。然而1979年也是第二次石油危机爆发的时候，燃料乙醇的供应短缺导致了乙醇燃料专用型汽车的销售受挫，乙醇产量下滑。③1989～2000年，巴西政府将对乙醇燃料市场的引导控制权逐步下放，缩减国家体系的干预。④从2000年发展至今，灵活燃料汽车的普及以及对国际市场的运用把握，为乙醇市场复苏和壮大带来了机遇。

巴西联邦政府为了确保该计划的贯彻实施，采取了一系列举措，使法律、政策和社会环境适合生物柴油的成长和发展。巴西政府专门成立了一个跨部级的委员会，由总统府牵头、14 个政府部门参加，负责研究和制定有关生物柴油生产与推广的政策与措施。2004 年 12 月，巴西政府颁布了有关使用生物柴油的法令：在 2007 年前，允许柴油批发商在柴油中添加一定比例的生物柴油；从 2008 年起，全国市场上销售的柴油必须添加 2% 的生物柴油；从 2013 年起，添加生物柴油的比例应提高到 5%。假设在占国内燃料油消费总量 57.7% 的柴油中添加 2% 的生物柴油，则意味着每年生物柴油的市场需求量约有 8 亿升，可节省进口柴油费用 1.6 亿美元。

为了抓住全球对生物能源需求增长的历史性机遇，巴西借鉴推广燃料酒精生产和使用的经验，加紧制定有关政策，准备通过实施能源农业战略，争取在 20 年后成为世界生物能源的出口大国。

4.2.2.2 巴西发展可再生能源的相关政策

4.2.2.2.1 法律及政策

(1)法律规定。2005 年 1 月 13 日巴西公布了第 11097 号法令，对在巴西能源框架中引入生物柴油作出强制性规定，规定巴西燃料油须添加一定比例的生物柴油。规定从 2008 年 1 月开始，要求柴油中生物柴油的组成比例为 2%(即 B2 柴油)，到 2013 年 1 月，这一比例将强制提高到 5%(即 B5 柴油)。巴西在整个计划推行中运用的最强有力的执行力就是政策的法律化，这实质上是借助法律的形式来规范并保障生物柴油链中各个群体的相关利益。

(2)认证机制。巴西政府通过一种称为“社会燃料许可”的认证体系来实现相关税收补贴和创建融资模式，因为计划规定想取得减税优惠的生物柴油特许制造和销售商，必须向农业发展部(MDA)申请“社会燃料许可”的认证。除了享有减税优惠之外，这种认证还包含了这样一层信息，即该生产商在制造过程中要遵守社会准则并承担社会责任。此外，该认证还要求生产商满足以下要求：生物柴油的发展商从家庭农场购买的原料比率需要达到指定的最低限(东北部和半干旱地区 50%，南部和东南部 30%，北部和中西部 10%)，同时还要与家庭农场针对原料价格和交付条件等达成协议。并为其提供技术支持。

4.2.2.2.2 支持性政策

出于环保考虑，巴西的市内交通和城际交通与运输政策进行了调整。这两个政策调整的目标是从公路运输(汽车在城市中，城市之间的卡车)向对能源密集度较低的交通方式(公交车，地铁，铁路和航运)转移。这些政策的好处主要包括降低能源成本，减少事故的发生，减少局部拥堵和污染。为了国内政策的顺利实施，巴西政府正在多方寻求国际合作及从他国获得经验借鉴，从而有利于直接减排和低碳发展模式的转变。

巴西政府还通过补贴、设置配额、统购燃料乙醇以及运用价格和行政干预等手段鼓励民众使用燃料乙醇。随着各国对乙醇燃料兴趣的日益高涨，巴西政府已经制定了乙醇燃料生产计划。根据这项计划，到2013年，巴西燃料乙醇的年产量扩大到350亿升，其中大约100亿升将用于出口，成为世界最大的乙醇出口国。巴西的政策性银行——国家经济社会开发银行设立专项信贷，为生物柴油企业提供90%的融资信贷。联邦政府也设立了1亿雷亚尔(约合3400万美元)的信贷资金，鼓励一家一户的小农庄种植甘蔗、大豆、向日葵、油棕榈等，以便满足生物柴油的原料需求。一些研究机构和企业寻求联合，共同致力于生物柴油技术的推广使用。在全国27个州中，已有23个州建立了开发生物柴油的技术网络。

同时，加强国际合作，为生物能源寻找市场。为生物能源寻找稳定的出口市场和开展国际合作，是确保能源农业战略成功的重要条件。巴西已将日本、中国、俄罗斯、印度、南非和美国等列为未来的“燃料酒精和生物柴油出口市场”，愿意同这些国家在能源农业和生物能源上进行合作。巴西企业已开始同一些日本企业就建立燃料酒精合资企业进行商讨，并对向日本出口燃料酒精的运输条件作出评估。从2005年起，巴西开始向委内瑞拉和尼日利亚出口燃料酒精。巴西正在致力于打造一个燃料酒精的国际市场，并负责酒精燃料的出口和运输。据巴西农业部估计，通过上述措施，巴西燃料酒精出口将从每年20多亿L提高到2015年的85亿L。

4.3 美洲其他国家低碳经济政策与行动

4.3.1 墨西哥低碳经济政策与行动

墨西哥在发展低碳经济方面的代表性政策包括扩大天然气的消费比例，提高供应端和消费端的能源效率，以及控制森林砍伐等。2011年4月，还有大量法规在准备之中，如墨西哥的《适应与减缓基本法》及《气候变化基本法》正在墨西哥议会讨论。可再生能源利用与能源转换资金法案，主要是通过提高再生资源与清洁电力技术的使用，减小墨西哥对碳氢化合物的依赖；同时建立能源转换国家战略和可再生能源利用和能源转型基金。

在利用海洋潮汐能方面，墨西哥政府计划在未来几年中采取大动作，其中包括投资数十亿比索(1美元约合11比索)在该国西部潮差较大的加利福尼亚湾沿海建造上百座潮汐电站。除发电外，潮汐能还能用于环保领域。

2004年，国际市场原油价格飞速上涨再度绷紧了全球能源神经，而以石油为单一发展动力的世界经济其脆弱性正在逐步显现。在此背景下寻求多元化的廉价能源正在成为许多拉美国家未来能源战略的重要组成部分。开发可再生能源则是此项战略的第一步。

2005年年初，墨西哥国立自治大学科研人员成功开发出一种利用潮汐能净化湿地的水泵装置，利用真空压缩装置提升海水高度。然后利用潮汐涌动不断将海水鼓入湿地，达到净化湿地的目的。目前这种装置已在南部湿地污染严重的瓦哈卡州投入使用，取得了良好的效果。

墨西哥是世界上5个接受太阳辐射最多的国家之一，如果发展太阳能，完全可以替代对柴油发电的依赖。2012~2026年，墨西哥能源发展计划的目标之一就是发展包括太阳能在内的多种能源。其计划，到2026年，将清洁能源的发电能力提高35%，继续推动可再生能源发展。随着墨西哥发展新式光伏系统及建立大型电网，该国的太阳能领域将有长足发展。

西班牙开发商Dhamma Energy 2014年获得许可，在墨西哥建设一个太阳能发电项目，并在7月一个37.4MW太阳能发电项目的许可证获得批准。该许可证是Dhamma Energy在墨西哥获得的首个许可证。该电站应该获益于正在为墨西哥能源系统进行的电流变化，以便更多太阳能的开发。

4.3.2　阿根廷发展风能的相关政策与行动

阿根廷拥有大量的风力资源，按照区域风能中心(CREE)对全国和地区进行的深入探测，估计阿根廷风力资源的技术潜力约为50万兆瓦。一些地区，主要在位于阿根廷南部的巴塔哥尼亚，是世界上最适合发展风能的地区之一。从瓦达维亚海军准将城（丘布特省）现有的风力发电厂资料看，平均风速达到11m/s以上，载荷系数达到40%的数量级。阿根廷在2006年的总装机容量为25678兆瓦，水电占39%，热能(化石能源为基础燃料)为57%，核能约4%，风能仅为0.1%(27MW)。因而，风能电力大有可为。但是，阿根廷的电力成本很难估计。政府干预力度很大：给生产者规定了燃气价格，进口燃气和液态燃料，对不同电价有不同的规定。主要有两种价格水平：一种是价格由使用天然气的厂商中成本最高的调度机组所决定。水电、核能、风能和热能都属于这个价格系统。另一种价格水平由使用液态燃料的机组确定。在政府的干预下，电价很低，因此少有私人投资发电厂。一方面，天然气的产量也日趋减少，另一方面，燃气消费日趋增加，自2003年以来以每年5%的速率增加。而且，随着与邻国时而发生的政治摩擦，燃气供应不稳定，使情况更加复杂。

1998年，阿根廷政府颁布了《国家法25019》，国家政策目的是促进风力发电厂的发展，上马更多风力发电项目，扩展风电厂的能力。宣布风能和太阳能发电是符合国家利益的。规定的税收优惠有：对投资风能发电实行增值税，最长期限为15年，许诺财政优惠15年不变。相关补贴是在15年内按0.01美元/kW·h给予补贴，补贴资金来源于对电力的特别税。

2006年，颁布了《国家法26190》，重申了《国家法25019》的政策目的，宣布来自可再生能源的电力和那些从事可再生能源设备的制造和研究都是符合国家利益的。这条法律建立了一个到2016年要达到的可以量化的政策目标：国家电力消费的8%应该来自可再生能源。立法中规定的可再生能源资源包括：风能、太阳能、地热能、水电（小于30 MW）、潮汐能、生物质能、填埋气和沼气。对这些可再生能源给予10年期税收优惠：增值税和收入税。关于补贴：给予所有可再生资源（除了太阳能）15年的价值0.005美元/kW·h的补贴，太阳能的补贴是0.3美元/kW·h。这一补贴程序是对《国家法25019》的延续。

第5章　欧洲低碳经济政策与行动

5.1　欧盟低碳经济政策与行动

欧盟自1993年成立起就对全球气候变化问题给予了特别关注，各成员国纷纷提出了本国的应对政策，欧盟层面也开始协调成员国政策并统一行动。欧盟国家在可再生能源利用的技术和市场方面都走在世界的前列，源于可再生能源的法律法规走在世界的前列。欧盟采取了一系列措施鼓励可再生能源的开发，早在1995年，欧盟发表了《能源政策绿皮书》，规定了可再生能源发展中的问题。以此为基础，1997年通过欧洲议会白皮书《未来能源：可再生能源》，确定了欧盟在能源结构中增加可再生能源比例的行动纲领，提出可再生能源在一次能源消费中的比例将从1996年的6%提高到2010年的12%，可再生能源电力装机容量在电力总装机容量中的比例也将从1997年的14%提高到2010年的22%，其中主要是生物质能发电和风力发电。从20世纪末开始，欧盟气候变化政策围绕《京都议定书》的不同发展阶段不断向前推进。2000年欧盟《欧洲能源政策》正式提出了发展低碳经济的目标，将低碳技术创新作为经济增长和促进就业的新的驱动力，开发出廉价、清洁、高效和低排放的世界级能源技术，实现欧洲可持续发展。欧盟为了实现低碳目标需要攻克的关键技术包括：开发相对于化石燃料更具竞争力的第二代生物燃料；使CO_2捕捉、运输和储存技术得到商业化应用；完成大规模光伏和集中式太阳能发电技术的商业化应用；保持欧盟在核裂变技术、长期核废料管理技术领域的竞争力等。“低碳经济”最早见诸于政府文件是在2003年的英国能源白皮书《我们能源的未来：创建低碳经济》。白皮书强调要通过科学创新优先发展可再生能源，包括风能、水能（含海浪、潮汐能）、生物质能、能源作物、太阳能、太阳光电、燃料电池等，并确立最有可能产生实质性突破的几个技术领域：二氧化碳吸收、能源效率、氢的生产和存储、核能（特别是废物处理）、潮汐能。英国还出台了《英国气候变化战略框架》，提出了全球低碳经济的远景设想，指出低碳革命的影响之大可以与第一次工业革命相媲美（张坤民，2008）。欧盟指导和促进可再生能源发展的政策文件主要有4种类型:《能源政策白皮书》《可再生能源白皮书》及其《行动计划》、《能源供应绿皮书》、欧盟指令。欧盟指令是指导各成员国立法的具有法律约束力的文件，其对促进可再生能源发展的规定比较具体。涉及可再生能源发展的欧盟指令有：关于可再生能源的2001/77/EC指令，关于生物柴油的2003/30/EC指令，关于能源税收的2003/96/EC指令，关于电力市场自由化的2003/54/EC指令等。欧盟可再生能源的发展，是政府政策和法规与市场机制相互配合的结果。

欧盟推动低碳经济的进程大致可分为三个阶段。第一阶段，从20世纪90年代末到2004年，欧盟积极推动《京都议定书》生效。《京都议定书》是《联合国气候变化框架公约》的“实施细则”，其目的是控制二氧化碳等温室气体排放量，抑制全球气候变暖。欧盟对该《议定书》一贯持积极立场，并极力主张全部发达国家都加入这一全球性的制度承诺，希望以此约束各国基于高碳化石燃料的生产方式和生产力，从而扭转全球气候变暖趋势。为此，欧盟在区域内通过统一认识，加紧协调各成员国限制和减少温室气体排放的立场和步调，以保证欧盟在国际气候变化议程中的“一个声音”。欧盟于1998年年底举行了环境部长理事会会议，出台了《欧盟关于气候变化的战略》文件，以此表明欧洲对《京都议定书》的基本立场、态度和意见。为兑现京都会议的承诺，欧盟还在区域内为《京都议定书》生效做了政策准备。2000年，欧盟启动欧洲第一个气候变化方案(ECCP I)。在该框架下，欧盟及其成员国以及各利益相关集团都采取了一系列具有成本效益的减排措施，如鼓励使用可再生能源发电、在交通部门推广使用生物燃料、改善建筑物能效等。迄今为止，欧盟各方已实施了35个减排措施，其中包括建立欧盟排放交易体系和进行相关立法。在2001年，欧盟制订了针对室外铺路用途的天然石材的CE标准(EN1341、EN1342、EN1343)，旨在从安全、环保、节能方面对进入欧盟市场的该类产品进行管制和监控。2004年，欧盟又出台了室内台阶和地板用途、规格板和贴面板的天然石材的CE标准(EN12057、EN12058)，随后完善了针对瓦板的CE标准EN12326。CE认证制度中对建筑产品的认证必须符合其《建筑产品指令》(CPD)的规定。2002年，欧盟通过了第六届环境行动方案(6th Environmental Action Programme)，该方案将应对气候变化问题视为欧盟可持续发展战略的重要内容，并将它列为4个优先环保行动领域的首位。从此，减排要求开始纳入欧盟农业、能源、区域和科研等政策领域。与此同时，欧盟在气候变化国际谈判中积极协调各方利益，推动达成全球气候变化协议。由于温室气体第一排放大国美国的布什政府以“减少温室气体排放将会影响美国经济发展”和“发展中国家也应该承担减排义务”为借口于2001年3月退出《京都议定书》，随后澳大利亚霍华德政府也宣布退出《京都议定书》，气候变化国际谈判陷入困境。为化解危机，欧盟运用了其所有的外交力量动员其他国家支持和参与《京都协议书》。一方面，欧盟在与以广大发展中国家为主体的G77国+中国的谈判中表现出较为灵活的态度，促成了《波恩政治协议》(2001年7月)和《马拉喀什协定》(2001年11月)的达成；另一方面，欧盟以支持俄加入世贸组织为条件，拉俄参与《京都议定书》。2004年10月，欧盟委员会宣布，已批准8个欧盟成员国的废气排放计划，限制性分配了这些成员国的二氧化碳排放量。2006年《欧洲委员会行动计划——实现能效潜力》推出，该计划推出70多种行动，在欧盟内推行6年，使能效显著提高，委员会估计其作用到2020年实现降低能耗20%。在欧盟的积极推动下，《京都议定书》最终于2005年2月16日正式生效。

第二阶段，从2005年到2007年年底，欧盟积极推动《京都议定书》各项条款措施的落实。2005年1月1日正式启动的欧盟温室气体排放交易体系(EUETS)是欧盟实现《京都议定书》目标的主要基础和途径，它覆盖了欧盟当时25个成员国，包含近1.2万个排放实体，占欧盟地区温室气体排放量的一半以上。现在该体系正处于第二阶段(EUETS-II，2008~2012年)，包含了10个部门的二氧化碳排放(电站及其他燃烧设施、炼油、炼焦、钢铁、水泥、玻璃、石灰、制砖、陶瓷、纸浆和造纸)。EUETS-III(2013~2020年)行业覆盖范围扩展到石油化工、制铝业和制氨业。欧盟的政策重点是在《京都议定书》的第一个承诺期内找到减少温室气体排放的最有效成本-效益解决方法。为此，2005年10月，欧盟启动了第2个欧洲气候变化方案(ECCP II)，其主要提议包括：从2011年起将航空业纳入欧盟排放交易体系，制订降低新车二氧化碳排放量的相关法律，审核现行欧盟排放交易体系并在2013年修订，制定安全运用碳埋存技术的立法框架等。2006年通过的《欧盟未来三年能源政策行动计划》(2007~2009年)提出要采取综合措施，提高能源效率，以达到欧盟至2020年减少能源消耗20%的目标，要求各成员国要明确节约能源的责任目标，依照各国的经济与能源政策特点，确定主要的节能领域以便迅速采取落实措施，以确保欧盟中长期能源供应。如对民众家庭、公共场所、政府机构、旅游饭店及商业建筑、城市灯光景观和道路照明等电力消耗领域，鼓励尽快更换节能灯与节能器材。照此速度发展，仅2007~2009年三年欧盟就可节省10%~20%的电力消耗。在平衡与协调各成员国的基础上，2007年3月，欧盟委员会提出了欧盟战略能源技术计划，其目的在于促进新的低碳技术的研究与开发，以达成欧盟确定的气候变化目标，从而带动欧盟经济向高能效、低排放的方向转型，并以此引领全球进入“后工业革命”时代。2008年12月，欧盟最终就能源气候一揽子计划达成一致，形成了欧盟的低碳经济政策框架。批准的一揽子计划包括欧盟排放权交易机制修正案、欧盟成员国配套措施任务分配的决定、碳捕获和储存的法律框架、可再生能源指令、汽车二氧化碳排放法规和燃料质量指令等6项内容。欧盟能源气候一揽子计划是气候危机与当前经济和金融危机解决方案的一个重要组成部分，该计划将引导欧盟向低碳经济发展，可以鼓励开拓创新，提供新的商机，创造更多的就业机会，从而提高欧盟产业的竞争力。在全球层面，欧盟倡导以多边方式推动各国积极参与应对气候变化的行动。比如，欧盟强调通过规则和标准，以双赢和伙伴关系形式解决各方分歧和矛盾；强调与各战略伙伴在可持续发展、环境、能源和其他资源领域加强接触；主张对新兴大国和发展中国家采取更开放的态度，根据不同约束力的规范标准整合共同利益，确定各方都可行的解决方法等。

第三阶段，2008 年以后，欧盟为后京都谈判积极准备。《京都议定书》的第一承诺期截至 2012 年，如何构建之后的国际气候制度成为当前国际社会面临的重要课题。根据 2007 年《巴厘行动计划》及相关安排，国际社会应该在 2009 年 12 月丹麦《联合国气候变化框架公约》第 15 次缔约方会议上达成新的国际协定。2008 年 1 月 23 日，欧盟委员会提出了气候行动和可再生能源一揽子计划的新立法建议，也被称为欧盟气候变化扩展政策。2008 年 12 月 12 日，欧盟首脑会议通过了一揽子计划。之后，欧盟议会正式批准这项计划。欧盟气候行动的一揽子计划既是 2007 年决议的具体落实，也被认为是全球通过气候和能源一体化政策实现减缓气候变化目标的重要基础。与之前的政策相比，欧盟能源气候一揽子计划更为积极：其一，扩展了欧盟排放交易体系，加大温室气体控制范围。通过对成员国设定约束性目标（提高可再生能源在总能源消费中的比例至 20%），欧盟委员会将可再生能源置于欧洲发展低碳经济的中心地位。欧盟认为，发展可再生能源不仅有助于改善气候变化问题，而且还具有丰厚的经济收益和重要的社会意义以及可靠安全的能源供给。欧盟跳出了美国与中国、印度等国在减排责任方面的冲突困境，大胆提出“捆绑目标”方案：欧盟承诺，若其他发达国家以及排放相对较少、经济较发达的发展中国家“根据自己的责任和各自的能力对全球的努力做出足够的贡献”，欧盟则将自己的减排目标提高到 30%。欧盟这一立场一方面给发展中国家提供了一定的调整行动空间，另一方面对美国等国施加了政治压力。2010 年 3 月 3 日欧盟委员会发布了《欧盟 2020 战略》，该战略是继里斯本战略到期后，欧盟即将执行的第二个十年经济发展规划。伴随着哥本哈根会议的召开和全球气候问题的日益严峻，为了促进欧盟经济的可持续发展，欧盟 2020 战略对低碳经济发展的重视程度进一步提高，同时将发展低碳经济看做是引导欧盟走出经济危机、促进经济复苏的重大举措。

各个成员国重视可再生能源的发展。各个成员国也出台了各自的可再生能源发展目标。德国和英国承诺，到 2010 年和 2020 年可再生能源发电量的比例将分别达到 10% 和 20%。按照德国新的《可再生能源法》规定，到 2020 年，把风能、生物质能、水能和太阳能的发电量提高 10%，使其占德国总发电量的 20%。2006 年 2 月初，英国一家专业公司向英国政府提供了一份有关能源安全的“2020 远景计划”，提出英国应该在北海的油气枯竭之前，充分重视可再生能源的替代作用。21 世纪以来，英国以低碳经济为目标，拟定了新能源战略。2003 年其以《英国政府未来的能源》《创建低碳经济体》发布的白皮书，宣布了英国未来半个世纪的能源战略：到 2050 年使英国转变为低碳经济型国家。为实现这一长远目标，英国将致力于研发、应用并输出先进技术，创造更多商业机会和就业机会，并在欧洲乃至全球能源科技和能源市场的稳定、可持续、有益环保中，发挥主导作用。西班牙表示，2010 年其可再生能源发电的比例将超过 29%。北欧部分国家提出了以风力发电和生物质发电逐步替代核电的目标。各国为了可再生能源发展目标进行了政策和法律方面的努力。欧盟各国在推动可再生能源产业化的进程中，都强调了政府在可再生能源发展中的责任。通常是政府科技投入先行，随后进行市场开拓，以此来推动产业化进程。许多国家相继制定了阶段性的可再生能源的具体发展目标。金融危机爆发之后，欧盟各国为了强化其在新能源领域已经获得的相对优势，进一步加大了政策支持力度。

欧盟为了帮助成员国履行《京都议定书》的相关承诺，于 2005 年初正式启动了欧盟排放交易体系。根据世界银行统计，欧盟一直是世界上最大的碳交易市场，2008 年，欧盟排放交易体系交易额为 919.1 亿美元，交易量为 30.9 亿 t 二氧化碳当量，分别比 2007 年增长 87.3%，50.1%，占全球的比重分别为 72.7%，64.2%。该体系涉及 27 个成员国，近 1.2 万个工业温室气体排放实体，下面包括欧洲能源交易所、欧洲气候交易所、巴黎 Bluenext 碳交易市场、意大利电力交易所、荷兰 Climex 交易所、伦敦能源经济协会、北欧电力交易所和奥地利能源交易所等 8 个交易中心。该体系包含三大阶段，第一阶段(2005～2007)、第二阶段(2008～2012)和第三阶段(2013～2020)年，在第二、三阶段中，欧盟继续逐步加大减排力度，拓宽行业，引入拍卖机制以提高效率。欧盟排放交易体系主要是限制温室气体排放并允许碳排放权交易。在此机制下，每个国家的碳排放权成为了一种稀缺的资源，一种商品，可以在欧盟乃至世界范围内流通。欧盟委员会根据《京都议定书》为各成员国规定了减排目标和减排量分担协议，再由各成员国根据国家分批计划分配给国内的企业，通过提高技术，减少二氧化碳的排放量，可以将多余的排放权卖给其他的企业、国家。

为了规范该机制，欧盟颁布了 87 号法令，来约束一些内容：

(1)规定分两个阶段走，第一阶段，只用于二氧化碳的排放，仅涉及了排放量大的部门，包括：能源部门，有色金属加工和生产部门，建材以及纸浆造纸等部门。第二阶段，在欧盟委员会批准下，成员国可单方面的将排放交易机制扩大到其他部门，并拓宽温室气体种类。

(2)成员国必须确保排放实体拥有温室气体排放许可配额，新加入者在将国家分配计划提交给欧盟委员会之前没有有效的排放许可配额。

(3)各国成员必须确保每个排放实体每年最迟在4月30日之前上交上一年度经证实的排放额度，在同一阶段，配额是可以进行存储和借用的，例如2005年没用完的配额可以在2006~2007年使用。这一阶段的配额是否可以在第二阶段(2008~2012年)使用由各成员国自己决定。同样，2005年也可以借用2006年的配额。也可以通过欧盟排放交易市场来买卖配额。例如，某个排放实体超过了自己的限额，在2005~2007年将受到每吨40欧元的罚金，到了2008~2012年这一阶段将受到每吨100欧元的罚金，同时该受罚实体还必须在随后的一年当中用一定的数量来补偿，因此可以通过购买其他实体配额来完成。

(4)同时，欧盟委员会规定，对各国应采取标准的和可接受的方法计算和测量。欧盟气体排放贸易机制的汇报要与现有的使商业负担最小化汇报一致。同时，规定各成员国要建立注册系统，即根据《联合国气候变化框架公约》和欧盟委员会的要求，所有配额交易必须要汇报，并且在官方备案。允许成员国与一个或多个成员国在一个统一的系统内注册，以实现规模经济。

(5)允许暂时退出，允许一些排放实体在2005~2007年间不加入排放贸易机制，但这种退出需要欧盟委员会严格批准，所退出的企业的排放量也必须严格控制。最先是由英国提出，英国在2002年率先启动世界上第一个实施温室气体排放贸易机制，其目的主要是在欧盟及全世界温室气体排放贸易启动之前获得经验，从来保证其在国际上的竞争优势。这种允许暂时退出的做法其实是为了使整个机制能够长远。但不允许整个工业部门退出，因为这价格有可能限制市场的流动性。

根据欧盟《2050能源路线图》，到2050年其可再生能源占全部能源需求的比例将从目前的10%上升到55%以上，这不仅显示了欧盟开发新能源的决心与信心，也预示着一个新的巨大市场的开启。

5.2 欧盟主要成员国低碳经济政策与行动

5.2.1 英国低碳经济政策与行动

5.2.1.1 英国低碳经济发展与政策概况

遏制全球气候暖化，削减CO_2排放量，已经成为21世纪世界各国的共识，从

1997年的《京都议定书》到2007年的《巴厘路线图》，各国都在积极为碳减排的责任和目标寻求途径和方法。英国在低碳之路上走在了世界的前列。撒切尔政府在1994年就设立了减排目标：从估算的2000年政策排放基准中减排1000万t CO_2。作为第一次工业革命的先驱和资源并不丰富的岛国，英国充分意识到了能源安全和气候变化的威胁，它正从自给自足的能源供应走向主要依靠进口的时代，按目前的消费模式，预计2020年英国80%的能源都必须进口。

2003年英国政府发表《能源白皮书》(UK Government 2003)，题为《我们未来的能源：创建低碳经济(Our Energy Future, Creating a Low Carbon Economy)》，首次提出"低碳经济"(low carbon economy)概念，引起国际社会的广泛关注。要点是提高能效、采用可再生能源以及采用CCS(碳捕获与封存技术)。高碳是工业文明的特征，低碳是生态文明的特征。低碳经济要求我们的经济系统要从高碳走向低碳，从低效走向高效。低碳经济对地球气候系统意味着少排放以 CO_2 为主的温室气体，通过减轻温室效应来减缓气候变化及其带来的各种气候灾难；低碳经济对世界能源系统意味着少消耗化石能源，多利用可再生能源，提高能源利用效率，保证能源安全；低碳经济对人类环境生态系统意味着科学发展，建立资源节约型环境友好型的生态文明，建立循环的低碳的绿色生产方式和生活方式；低碳经济对国际社会意味着构建同舟共济的、互利共赢的、求同存异的、文明融合创新的、以全球化的低碳生产、低碳流通和低碳消费为基础的和谐世界。不仅英国前首相布莱尔为发展低碳经济摇旗呐喊，而且英国政府还为低碳经济发展设立了一个清晰的目标：2010年 CO_2 排放量在1990年的水平上减少20%，到2050年减少60%，到2050年建立低碳经济社会。

欧盟承诺的《京都议定书》目标是：2012年温室气体在1990年的基础上减排8%。而英国愿意承担更多的责任，在欧盟内部的"减排量分担协议"中承诺减排12.5%。不仅如此，英国政府进一步表示．力求在2010年减排二氧化碳(CO_2)20%，2050年减排60%。英国做出这些承诺，并非是要牺牲经济发展来实现低碳排放。为促进低碳经济的发展英国制定了相应的激励措施，以期实现环境保护和经济发展的双赢。

英国先后颁布了40多部关于规划的法律法规，从矿产资源开采、分配和使用的源头防治污染；制定了《碱业法》《制碱法》《工业发展环境法》《空气洁净法》《烟气排放法》和《环境保护条例》等多个关于大气污染控制的立法，并制定了7 8个行业标准；先后通过了《水资源法》和《水工业法》，通过法律手段对污染水源者进行约束。专项法案的实施为英国的减排工作提供了良好的制度保障。

英国布朗首相于2007年阐述英国的主张是，努力维持全球温度升高不超过2℃。这就要求全球温室气体排放在未来10~15年内达到峰值，到2050年则削减一半。为此，需要建立低碳排放的全球经济模式，确保未来20年全球22万亿美元的新能源投资，通过能源效率的提高和碳排放量的降低，应对全球变暖。“英国承诺到2020年和2050年，温室气体在1990年的基础上，分别减排26%~32%和60%”，到2050年建成“低碳经济社会”。2008年在节约能源（包括企业节能，家居节能，节能交通，公共行业节能等）、清洁能源供应（包括供暖与能源分布，大规模更洁净发电，可再生电力，化石燃料发电和碳捕获与存储，核电，低碳交通，可再生能源，新低碳技术的研究、开发和示范等）和“碳排放信托基金”等方面努力。英国成立了一个碳基金公司，这个公司是一个由政府投资、按企业模式运作的独立公司，目标是帮助商业和公共部门减少二氧化碳排放，并寻求低碳技术的商业机会。碳基金主要来源于英国的气候变化税，它是向工业、商业及公共部门（住宅及交通部门、居民除外）征收的一种能源使用税。

在《2008年气候变化法案》中，英国首次将减排目标纳入国家法律体系，成立碳预算体系、排放贸易体系和建立气候变化委员会，这就保证了政府执行碳减排工作的有效性、透明性，也明确了监督和问责机制。

2009年7月，英国发布了《英国低碳转换计划》《英国可再生能源战略》，标志英国成为世界上第一个在政府预算框架内特别设立碳排放管理规划的国家。按照英国政府的计划，到2020年可再生能源在能源供应中要占15%的份额，其中40%的电力来自绿色能源领域，这既包括对依赖煤炭的火电站进行“绿色改造”，更重要的是发展风电等绿色能源。在住房方面，英国政府拨款32亿英镑用于住房的节能改造，对那些主动在房屋中安装清洁能源设备的家庭进行补偿。在交通方面，新生产汽车的二氧化碳排放标准要在2007年基础上平均降低40%。同时，英国政府还积极支持绿色制造业，研发新的绿色技术，从政策和资金方面向低碳产业倾斜，确保英国在碳捕获、清洁煤等新技术领域处于领先地位。

2014年英国政府公布了八大可再生能源发电项目，这将极大促进绿色经济和绿色就业岗位的增长。而其在2013年通过的《能源法案》为这些合约提供了法律支持。这些将有助于供应安全、廉价的电力，并提供技术类岗位，促进经济增长、供应链及商业的发展。

因此，总体而言，英国的低碳经济政策主要体现在绿色能源、绿色采购和绿色生活方式及其相关政策等方面。

5.2.1.2 英国的绿色能源政策

为减少二氧化碳排放量，英国政府优先考虑的是提高能源使用效率和发展可再生能源。早在1988年，英国政府为了支持、鼓励可再生能源的开发利用，并在开放的市场环境下参与竞争，构建了以非化石燃料义务和化石能源税为核心的法律框架。其主要内容为：可再生能源项目在市场公开招标，中标公司因而取得为期15年的发电合同，并开始办理用地、电业许可、商业贷等一系列手续，项目建成投产后，其电价高出入网价格的部分由政府用征收的化石能源税（约为化石燃料发电成本的0.3%）补偿。

英国的可再生能源立法可追溯到《1989年电力法》，该法律确定了非化石燃料的电力义务，随后法律体系中逐步增加《可再生能源的电力义务法》和《可再生能源的交通燃料义务法》。

2001年年底，英国政府宣布追加1亿英镑以支持可再生能源技术的研究开发和示范项目，促进可再生能源的发展，重点为近海风能、能源作物、光伏以及下一代新能源技术的基础研究。政府计划在2002~2004年的3年时间里，累计投入2.5亿英镑就太阳能、风能、生物燃料、水能、海势能、燃料电池和其他能源形式的利用进行研究开发和示范。

为了实现"减排量分担协议"中的承诺，英国政府在其"气候变化计划"中提出了一项实质性的政策手段，即气候变化税。其实质是一种"能源使用税"，计税依据是使用的煤炭、天然气和电能的数量，而使用热电联产、可再生能源等则可减免税收。气候变化税主要是针对商业能源的使用者，商业能源的使用者可以通过购买绿色电力来减免这部分税收。该税的征收目的主要是为了提高能源效率和促进节能投资。通过税收，一年大约筹措11亿~12亿英镑，其中，8.76亿英镑以减免社会保险税的方式返还给企业；1亿英镑作为节能投资的补贴；0.66亿英镑拨给碳基金。至2010年，英国每年可减少250多万t的碳排放(相当于360万t煤炭燃烧的排放量)。而对于能耗高的产业，企业可与政府协商达成碳减排协议，明确到2010年的减量目标，企业可减免80%的气候变化税。

颁布了《可再生能源义务》。用具体的措施刺激可再生能源的增长，使其达到一定的经济规模，成为成熟的技术，显著降低运行成本。英国政府在2000年1月提出：到2010年可再生能源的供电能力占英国电力的10%，价格能够为用户所承受。2000年4月颁布了《可再生能源义务》，并从"气候变化税"中免除可再生能源税率。到2010年，这些措施每年为可再生能源产业提供大约10亿英镑的支持，能够在更大范围使用可再生能源。在2010年之后的10年里，把可再生能源发电量占英国发电总量的份额翻一番。搁置核电，继续发展清洁煤技术。核电目前是无碳排放发电的一个重要来源。然而现行的成本使它在各种新型的、无碳发电技术面前变得没有吸引力。还有一个重要的问题是处置核废料，包括历史遗留的和其他地方继续产生的核废料。英国政府不准备提议建设新的核电站。但也不排除这种可能性，如果在未来的某个时候英国不能实现减排目标，还有可能需要建设新的核电站。在决定新建核电站之前，需要广泛听取公众的意见，并发表白皮书，阐明政府的提议。英国政府将继续资助发展清洁煤技术、收集并存储碳分子技术等研究项目。找到大幅度减少碳排放的有效方法，煤炭发电在拓宽能源多样化方面也能起到重要作用。随着现有煤矿接近地质极限 和经济寿命将要枯竭，国内煤产量会继续下降，英国政府将推出一项新的投资援助计划，帮助现有煤矿发掘新的有经济开采性的矿藏。

在转化《欧盟可再生能源电力指令》(2001/77/EC)的外部推动下，为了进一步完善电力可再生能源义务制度，2002 年 3 月英国颁布了《可再生能源义务法令》。该法令成为英国促进可再生能源电力发展的主要法律文件，并随着英国国内可再生能源发展和欧盟可再生能源政策法律的演进而不断得到修订和更新。2010 年 3 月，英国对《可再生能源义务法令》(2009)进行了修订，修订的内容主要有：进一步完善了特定时期内 ROC 的估算方法；将可再生能源义务的结束年份从 2027 财政年度延长至 2037 财政年度；取消可再生能源电力最高比例为 20% 的限制；从 2011 财政年度开始，ROC 的供需比例差额从 8% 提高到 10% 以确保 ROC 的价格；从 2010 年 4 月起，对 5MW 以下的可再生能源机组适用"固定电价"制度，等等。

2007 年 10 月英国颁布了《可再生交通燃料义务法令(2007)》，2009 年 4 月，英国对《可再生交通燃料义务法令》(2007)进行了修订，进一步明确了可再生柴油、轻油等术语的含义，并修改了供应可再生交通燃料的比例。

为解决燃料价格波动、过度的外部依赖、高污染排放等一系列问题，英国政府于 2011 年 7 月发布了《规划我们的电力未来：关于发展安全、价格适宜和低碳电力的白皮书》(以下简称"白皮书")，揭开了新一轮英国低碳电力市场改革的序幕。英国政府希望通过改革电力市场，保证英国未来电力的供应安全，并且能够形成一个清洁的、多元的、可持续的发电容量构成。

可以看出，英国已经意识到电力低碳化发展的重要性，并在新一轮电力市场改革将低碳发展作为一个重要目标，相应的改革措施也具有很强的针对性。上述的改革举措会使得英国现有电力市场发生重大转变，从而引导目前电力系统逐步向低碳电力系统过渡。在这一过程中，相应的改革措施一方面能够通过市场手段大幅度增加低碳电源在发电结构中的比重；另一方面，能够有效促进低碳技术的研究与应用，从而使得安全的、可持续的、低碳的电力供应目标早日实现(资料来源：http：//www. cpnn. com. cn/zdyw/201407/t20140711_ 698801. html)。

5.2.1.3 英国的绿色采购政策

英国的绿色采购政策最早出现是在1991年，政府颁布了《环境指导法案》。该法案制定了建筑设施的环境管理框架，并且要求每个政府部门在1992年底都要制定相应的采购战略，包括可持续来源的木材的采购。在1997年，环境部门、交通部和各郡都制定了“自愿指导方针”，建议政府部门应该寻求购买可持续性、合法的木材和木制品。自从1999年以来，关于绿色政府采购的可持续发展政策已经影响到北爱尔兰、苏格兰和威尔士的政府部门，并且初步确定了关于木材绿色采购的政策，规定在2000年英国的政府各部门必须都要执行。在苏格兰和威尔士执行了不同的政策。北爱尔兰没有制定相应的政策，并且目前还没有计划何时制定木材采购政策。

2000年7月28日，英国环境委员会发表了关于政府采购的声明，声明中要求把所有中央政府部门和机构都包括在推行绿色采购的范围之内，要求各政府部门积极地采购可持续的、合法的购买木材和木制品。声明中还提到把经过FSC体系认证资源作为合法、可持续来源的一个范例。此外，为了保证采购目标、数量和种类而采取的各种行动，以及为了保证木材来源的合法性、可持续性获得证据，要把每个中央政府部门的采购都计算在内，从而可以报告每年的总木材采购情况。

2000年8月，在“木材：采购者回答的问题”的指导建议下出台了相关的政策。指导意见指出，政府部门应该详细审查供应商所提供的合同，确保所提供的文件证明来源于正规的管理渠道，从而保证政府部门采购可持续生产的木材。所提供的文件要证明木材已经得到了认证，是可信的、独立的、合法的，能够把执行环境管理体系与森林管理标准结合起来的，并且与国际认可的准则相一致。同时要求采购者能确保木材的采购符合《濒危野生动植物种国际贸易公约》(CITES)。

虽然英国在林产品绿色政府采购政策制定方面已经初见成效，但是，相关部门政策执行的进展较为缓慢。2002年7月，环境审查委员会给出了一份报告批评采购政策的实施。在结论中，委员会提到：①自2000年6月，政府采购没有发生系统的或者事实性的改变，政策中的各种规定并没有得到实施。②在合法、可持续性的木材采购或者规定性的框架方面，政府没有为各部门提供恰当的指导。③认证方面的方针政策发挥的作用不大，这主要是由于缺乏政府部门的支持和监督。④在2000年6月执行木材采购政策以后，政府没有提前准备或立刻从事相关的调研和准备工作。政府大大低估了政策所面临的实施范围和实施复杂性方面的挑战。

2002年11月，政府委员会制定了针对各部门的信息指导意见，建议采购部门遵守政府政策以及在合同中载明建议的规范化条款，就明确要求建立和经营公共事业的私营企业家，在制定公司规章时应该考虑政府政策，即便是把资金投资于私营金融项目也应当如此。

2003年的年度报告中，政府可持续发展工作组(SDIG)认为有些部门在贯彻政府政策上已经取得显著的进步。报告中指出所购买木材中的66%已经得到了证实，其中99%的木材具有可持续性来源的证明。SDIG也指出，在林产品没有得到认证的前提下，目前还不具备统一的方法来评估有关木材是否是可持续性的。

英国的林产品贸易协会(UK Timber Trade Federation，TTF)在2006年2月发布的一份报告中指出，除了政府政策的要求之外，目前英国企业的主要动力来自于公司的社会责任政策。许多公司承诺尽可能采购100%经过认证的林产品。英国的一个有代表性的大型的林产品分销供应商提到目前他们供应的林产品有大约50%是经过认证的绿色产品，并承诺只要供给和市场环境允许，他们就会尽量提高这一比例。

目前，英国纸张政府采购政策强调循环而不强调材料的来源。政府主要消耗两种类型的纸张：一是打印机和复印机专用办公用纸，二是出版刊物的专用纸。SDIG在2001~2002年度报告指出，政府的七个部门采购了超过70%的办公用纸，这些纸的成分中都至少有80%的回收物资。在2002~2003年，11个部门采购的超过75%的办公用纸符合了这个标准。从11月1日开始，中央政府签订的纸张购买合同必须符合下列标准：

(1)复印纸：100%可循环成分，最少是75%回收物资。

(2)出版刊物的专用纸：最少是60%可循环成分，75%的回收物资。

(3)厨房和卫生用纸：100%可循环成分。

5.2.1.4 英国的低碳生活政策

从国家战略出发，英国政府制定了《家庭能源节约法》和《可再生能源强制条例》。随着法律的实施，英国还通过一系列政策措施引导全国开展低碳行动，在全国广泛宣传低碳生活，倡导低碳出行、低碳消费，全民共建低碳社会。

英国提倡新的生活方式，设计一个高生活品质、低能耗、零碳排放、再生能源、零废弃物、生物多样性的未来，在贝丁顿创立了零碳社区，即贝丁顿零能耗发展项目(简称BedZED)。

BedZED是世界上第一个零二氧化碳排放的社区，是英国最大的环保生态小区。贝丁顿社区拥有包括公寓、复式住宅和独立洋房在内的82套住房，另有大约2500平方米的工作空间。自居民2002年入住以来，该公寓是国际公认最重要的可持续能源建筑与居住的范例。为减少建筑能耗，设计者探索了一种零采暖模式：生态村的所有住宅都朝南，每家每户都有一个玻璃阳光房。屋面、外墙和楼板选用了300毫米厚的绝热材料，窗户选用内充氩气的三层玻璃，窗框选用木材以减少传热。自然通风系统得到了精心的设计，BedZED 屋顶上矗立着一排排色彩鲜艳、外观奇特的热压“风帽”，源源不断地将新鲜空气送入房间。这种被动式通风装置完全由风力驱动，可随风向的改变而转动，利用风压给建筑内部提供新鲜空气，排出室内的污浊空气。此外，其内部设有热交换器，可回收排出废气中的50%~70%的热量，从而来预热室外寒冷的新鲜空气。

2013 年，英国对家用低碳供暖系统采购实行补贴政策。英国政府出台1000 万英镑的计划以推动家庭对低碳供暖设备的采购，包括生物质锅炉、太阳能热水平板和热泵等产品。由于第一阶段计划的实施获得成功，英国环境和气候变化部(DECC)出台了范围更广、更好的第二阶段计划。资金由300 万英镑提高到1000 万英镑，申请时将也较之前更长。DECC 在2013 年支持了60 多个项目的实施。

英国的低碳供暖计划已经帮助了近1000 个家庭实现了更舒适、更清洁和更绿色的供暖系统。以后政府将提供更多资金，促使更多的家庭摒弃陈旧的、昂贵的老式供暖系统，采用更低碳的、更环保的产品。

5.2.2 德国低碳经济政策与行动

5.2.2.1 德国低碳经济发展及相关政策

德国政府将发展低碳经济、应对气候变化列入其可持续发展战略。计划在未来十年内额外投入十亿欧元用于研发低碳技术和应对气候变化，确定了未来研究的四个重点领域，包括气候预测、气候变化后果、适应气候变化的方法及相应的政策机制研究，并将太阳能开发应用技术、能源存储技术、新型电动汽车和二氧化碳分离与储存技术作为研究重点方向。

在构建促进低碳经济发展的法律方面，德国是欧洲国家中法律框架最完善的国家之一。从20 世纪70 年代开始，德国政府启动了一系列环境政策与法律法规，把低碳经济提高到战略高度并建立了配套的法律体系。

早在1972 年制定了《废弃物处理法》，1986 年修改为《废弃物限制及废弃物处理法》，1996 年提出了新的《循环经济与废弃物管理法》，经过不断完善，于2002 年出台了《节省能源法案》，不但把减少化石能源和废弃物处理提高到发展新型经济的战略高度，还建立起了系统配套、相互衔接的法律体系。

2009 年6 月，德国公布了一份旨在推动德国经济现代化的战略文件，在这份文件上，德国政府强调生态工业政策应成为德国经济的指导方针。德国的生态工业政策主要包括六个方面的内容：严格执行环保政策；制定各行业能源有效利用战略；扩大可再生能源使用范围；可持续利用生物智能；推出刺激汽车业改革创新措施及实行环保教育、资格认证等方面的措施。为了实现从传统经济向绿色经济转轨，德国除了注重加强与欧盟工业政策的协调和国际合作之外，还计划增加政府对环保技术创新的投资，并通过各种政策措施，鼓励私人投资。德国政府希望通过筹集公共和私人资金，建立环保和创新基金，以此推动低碳经济的发展。德国政府还强调，低碳经济是金融危机后德国经济的稳定器，并将成为振兴未来德国经济的关键。未来实现传统经济向低碳经济转轨，德国到2020年用于基础建设的投资至少要增加4000亿欧元。

德国为推动低碳经济发展、提高能源效率，开征了生态税。这是德国改善生态环境并实施低碳经济的重要政策。该税收促进了能源节约、优化能源的结构。德国对汽油征收70%的税，对使用天然气的汽车实行免税政策。

德国政府促进低碳技术的研发和应用。德国的低碳技术应用目前也是走在世界前列，在德国，高速公路上，汽车驶过闻不到烟味；街道上，轨道电车无油烟、无噪音地安静行驶；城市高楼尽量采用自动光源和"水空调"等温控设备；宾馆里不提供一次性塑料用品；居民购物自觉使用环保布袋，德国街头常见一排几个垃圾桶并排的场景，这些垃圾桶上分别标注着：玻璃、废纸、其他废物。或者分得更细：白色玻璃、黑色玻璃、其他色玻璃。在超市购物时，居民们已经习惯使用纸袋或环保布袋，如需塑料袋，会被收取塑料袋处理费。高层建筑充分利用自然光、"水空调"，德意志邮政大楼是波恩的一座现代化标志性建筑，这栋40层162.5米高的全玻璃、钢结构的建筑矗立于莱茵河畔。采用双层玻璃幕墙进行"空气对流"，冬暖夏凉；同时抽取莱茵河的地下水，通过管道系统处理后，对大楼进行供暖和制冷，用过的水简单处理即可排入莱茵河，几乎没有污染。

德国对居民住宅楼在节能方面也有一些规定和鼓励措施，如鼓励居民屋顶绿化，以延长建筑物寿命，制造氧气，净化大气，减轻热岛效应，减少雨水的流失量，缓解水处理系统的工作压力，实现节能减排。德国采用产业转移与新能源开发措施，使鲁尔区等钢铁中心逐步变成传统产业与信息技术、生物技术等新经济产业相结合、多种行业协调发展的新经济区。在鲁尔工业区的关税同盟区，已发展成工业遗产创意产业园。

在新能源方面，德国正研究光伏电池、太阳能热发电厂、生物能源以及能源的有效利用等，创造可持续发展的能源。在柏林举行的第二次气候保护研究峰会(2007年10月16日)上，德国科技界和经济界将几个重点研究方向建立了创新联盟。在这次气候保护研究峰会上，德国还成立了气候变化"金融论坛"，将气候变化的研究和对话平台拓展到金融界，促使银行、保险公司和各种投资基金也参与这项高技术战略。

德国共有670万平方米的屋顶铺设了太阳能集热器，每年可生产4700兆瓦的热量，预计到2050年国内太阳能将满足国内25%的电力需求。德国家庭将清洁环保、用之不竭的太阳能用于家庭用水加热、室内采暖以及太阳能制冷，估计每年可节约2.7亿升取暖用油。汽车的节能减排也成了德国汽车产业发展的重中之重，修改后的机动车税规定排量低的汽车可以享受较低税额。德国政府于2009年8月颁布了“国家电动汽车发展计划”，目标是至2020年使德国拥有100万辆电动汽车。2010年5月3日在柏林的“电动汽车国家发展计划”大会上，德国把研究所、汽车制造商以及相关行业的147名专家组成7个工作组，分别负责研究电动车的驱动技术、电池技术、基础设施建设、标准化与认证、材料与回收、人员与培训、政策法规等7个方面的问题。

5.2.2.2　德国绿色采购政策与实践

作为欧盟成员国之一，德国是世界上最早开展环境标志认证的国家，也是较早将政府绿色采购作为实现环境保护目标之公共政策工具的发达国家。自1979年起德国就开始推行环保标志制度，规定政府机构应当优先采购环保标志产品并遵循如下原则：禁止浪费，产品必须具有耐久性、可回收、可维修、容易弃置处理等条件。这些原则在德国1994年通过的《循环经济法》中，得到充分体现。

该法的第37章中明确规定，联邦政府有关机关应拟定工作计划、进行采购、使用有关物品、拟定建设计划，采购和使用满足一定的耐用性、维修保证、可再利用性、废旧利用性规定等的环境友好型产品和服务。在德国绿色采购发展过程中，政府起到了不可替代的作用，其颁布的一系列法案、采取的鼓励政策对德国国内绿色采购的推广起到了至关重要的作用，主要有以下几个方面：

第一，通过对绿色生态产品规范化，确立绿色生态产品地位。早在1978年，德国环境保护局创立了“蓝天使”标志，随着对大量消费品打上生态标签，如包裹、纸张、涂料及表面漆等，全社会对产品在环境方面影响的注重程度大幅度提升。到2000年，德国具有环境标志认证产品的类别已经达到100多个，涵盖了建筑材料、机动车辆、园艺、室内装修、IT技术业、办公用品等多个领域。德国绿色采购的原则为：杜绝浪费；鼓励购买环境友好型和有益于人类身体健康的产品；购买的产品还应具有耐久性、可回收、可维修、易回收处置。

第二，通过互联网、电视、报纸、出版物等传播媒介大力宣传倡导绿色采购，普及人们环保知识，提高大众环保意识。UBA通过网络提供了关于标签产品及其标准的信息，提供公共部门绿色采购成功案例。

德国政府的这一行为成为了全国绿色采购浪潮的先驱，带动了许多企业、组织、消费者的绿色采购行为，其中大众汽车公司的绿色采购是比较具有代表性的。德国大众汽车公司在材料恢复方面处于领先地位，该公司在采购时就考虑原材料的再循环和再利用，从而实现了公司的“回收计划”，即所有该公司生产的汽车，在到达生命周期后全部回收。该公司在世界许多地区，尤其是德国市场成功地实施了其材料恢复利用计划，不仅节约了原材料采购的成本，取得良好的经济效益，而且提高了企业的环境声誉，使产品更受消费者和环保部门欢迎。

5.2.3 法国低碳经济政策与行动

5.2.3.1 法国低碳经济发展及相关政策

法国的绿色经济政策重点是发展核能和可再生能源。2008年12月，法国环境部公布了一揽子旨在发展可再生能源的计划。这一计划有50项措施，涵盖了生物能源、风能、地热能、太阳能以及水力发电等多个领域。除了大力发展可再生能源之外，2009年，法国政府还投资4亿欧元，用于研发清洁能源汽车和“低碳汽车”。此外，核能一直是法国能源政策的支柱，也是法国绿色经济的一个重点。

法国政府宣布了一系列结合税务和投资的环保措施，从农业、交通、住房建设、能源运用等方面入手，要让法国成为对抗全球变暖的先锋。农业方面，法国想要实现在不减少产量的前提下实现对环境更加友好型的生产方式，计划在2020年把有机农业所占土地面积比例从现在的1%提高到20%。在交通方面，政府将对旧车增收保险附加费，对购买节能型新车给予优惠；从2010年起，根据里程向重型卡车征收环保税；大力发展铁路运输，计划到2020年新建2000公里的高速铁路(除安全等方面的特殊情况需要外)。政府冻结一切高速公路及公路建设；在2020年以前，计划将空运的能源消耗及二氧化碳排放量减少50%。另外，法国政府考虑增设二氧化碳排放税。与此同时，降低企业劳动力税收，以保证企业的市场竞争力。法国境内80%的电力来自核能源，萨科齐政府承诺维持核能源发电容量. 并增加风能以及太阳能可再生能源的使用比例。在住房建设方面，法国政府要求从2010年起，降低所有新建住房的能源消耗，并决心对旧房进行改造，最大幅度地降低旧房子的耗电量。

法国应对能源不足的主要手段之一就是大力发展核能，早在1958年，法国就从美国西屋公司购买了压水堆核电站的技术专利，经过创新改进和国产化研发出的第三代压水反应堆被认为是当前最先进的核电技术，并计划投入7亿美元研发更先进更安全的第四代反应堆技术。法国现已成为全球核能利用第一大国，核能不但满足法国国内80%的电力供应，还出口到西班牙、比利时、瑞士等邻近国家。

法国在2009年11月24日的欧盟成员国环境部长非正式会议上，单方面提出将从2010年开始对从那些在环保立法方面不如欧盟严格的国家进口的产品征收“碳关税”，向外国进口商品征收的“碳关税”税率将为每排放1t二氧化碳征收17欧元，此后还将逐步递增。

法国政府未来将更多关注技术研发领域，承诺大幅增加在实验和研发等方面的预算，2011年在这方面的总投资达10亿欧元。法国政府正在努力实现2020年可再生能源在能源总消耗量中的比重提高到23%以上。以发展地热能源为例，法国政府积极借助“可再生热能基金”，实现对公共建筑、工业和第三产业供热资源的多样化；与此同时，改进地热场评估和开发方法，推动“断裂热岩石”型深层地热开发的研发进度，为法国分散开展地热发电提供科学依据。除了节约能源，可再生能源的开发还将为法国企业创造巨大商机，为劳动力市场提供大量就业岗位。

此外，法国政府还将节能环保理念注入汽车制造业发展之中。法国是欧洲第二大汽车制造国，汽车工业在其国民经济中占据重要比重，汽车工业从业人员占法国总就业人口的十分之一，工业产值达920亿欧元，占国内生产总值的15%，同时拥有每年350万辆汽车的生产能力，约占欧洲汽车总产量的17.1%。但是受到国际金融危机的冲击，法国汽车产业开始走下坡路。为重振汽车工业，法国政府将发展目标定在“低排量和新能源”上，希望以此作为撬动汽车产业重新步入增长轨道的新杠杆。法国汽车生产商和消费者都对更为环保的小排量经济型汽车青睐有加，排量在1.4升以下的汽车在新车销售市场上更是占有63%的份额。这得益于法国政府推行的“新车置换奖金”计划。根据该计划，车主在进行新车置换时，购买小排量、更环保的新车可享受100欧元至5000欧元不等的奖金，而购买大排量、污染严重的新车必须缴纳最高达2600欧元的惩罚性购置税。为进一步鼓励环保汽车发展，法国政府今后将继续推行此项计划。在发展小排量汽车的同时，法国政府也为发展新能源汽车制订了一系列政策规划，其中最为引人注目的是电动汽车行业。为鼓励汽车行业由传统能源驱动逐步向清洁环保能源驱动过渡，法国政府将投资4亿欧元，用于研发清洁能源汽车及其配套设施建设，计划在公共场所、工作场所、超市和住宅区等地点大规模增加充电站的数量，确保电动车等环保汽车能得到更广泛的认可和应用。

2010年7月12日，法国政府出台了《新环保法案》要求，在法国市场上销售的产品将被强制性要求披露产品的环境信息，这其中包括要标示其整个生命周期(即从原料、制造、储运、废弃到回收的全过程)及其包装的碳含量，即把商品在生产过程中所排放的二氧化碳量在产品标签上标示出来，告知消费者产品的碳信息。法国人采用了“更负责任的”消费方式。许多法国人购物时首选标有“AB”字样的产品。“AB”是法语“生态农业”的首字母缩写。“AB”标志由法国农业部门进行认证和管理，用于标明在生产过程中完全使用生物方法、不会对环境造成不良影响的农产品。

5.2.3.2 法国绿色采购政策与实践

由于全球过度使用自然资源，导致能源消耗、温室气体效应以及其他负面环境影响，各国政府为保护环境纷纷推动绿色采购，以期通过政府示范，激励企业实施绿色采购并参与绿色供应链。近年来，国际间积极将环境管理系统引入政府管理，政府绿色采购也和环境管理的理念结合起来，成为推动绿色采购的重要环节。绿色采购在当前全球气候和环境问题日益突出以及政府采购规模不断扩大的形势下，已开始成为世界性趋势。欧盟采购规则和WTO政府采购规则规定欧盟各成员国的采购政策和法律必须与欧盟采购法令和WTO的《政府采购协议》相一致。按照此要求，法国把环境标准引入采购程序在竞争性的政府采购流程当中，分为以下不同的阶段。

5.2.3.2.1 界定合同的主体和技术规格

委员会的解释性声明提供了以下的指导意见：

设施合同：采购单位考虑环境因素最恰当的时机就是在设计和概念阶段。采购单位可以给建筑师和工程师明确的指导意见，以便于设计建造一个低能源消耗的建筑。不仅要考虑使用绝缘材料和其他建筑材料，而且要安装太阳能电池来供暖。同时，他们可以规定设计建造的大楼只有在规定的范围内才可以使用电梯，以及保证图表的设计阶段尽量减少人工灯的使用。

服务合同：合同当中也可以规定具体实施的方式。例如，采购政府可以制定一种特定的建筑清理方法，只使用对环境污染较少的产品。此外，政府部门也可以规定，公共交通部门要使用电车。他们也可以制定家庭生活垃圾的回收方法。

供应合同：一般说来，供应合同涉及最终产品的购买。因此，要与基本的、最初的合同内容区别开来，除此之外，在环境保护这方面，供应合同不如设施合同和服务合同考虑的深远。

这个声明总结指出：采购政府可以通过使用变量来自由的界定合同的主体和选择性条款。通过这种方法他们可以考虑环境因素，只要这种方法不会限制合同也不会对其他成员国的投标者产生危害。

法令要求采购单位以某种方式具体阐述合同的特点，从而可以满足采购单位的使用。委员会的声明指出技术规格包括采购单位提出的特点，目的是为了确保产品和服务可以满足买方的使用。

声明接着指出：法令禁止提到某种产品的具体制造及来源，因为一般来说这些都对指出或者降低某种保证。合同的内容不是充分的精确、对相关的组织不利，只有在这种情况下，才能使用商标、专利、型号或者具体的来源、生产过程来进行说明。这种说明必须与“其他类似”的词语一起使用，其中法令也提到了特殊情况。采购单位可以不遵守这些规定，也可以不参考这些标准和类似的指导说明。很明显，这种情况只有在合同是非常新颖独特的、这些指导说明不适用的前提下才可以。具体的产品生产流程

根据声明：采购单位可以要求使用特定的生产流程，前提是这种生产流程可以帮助展示产品或服务的特性(可见的和不可见的)。生产过程覆盖了与产品制造相关的所有的要求，这导致了产品的特性不会在最终产品中观察到。这意味着产品在制造和外表上不同与同类其他产品，不管这种区别是可见的还是不可见的，因为使用了环保类产品的生产过程，例如有机产品或绿色用电。与生产本身无关的要求，比如公司是如何运转的，都不是技术规格，因此也不是强制因素。

生态标签：采购单位可以规定与环境因素和生态标准有关的技术规格，可以推断具有生态标准的产品一定与合同资料显示的技术规定相一致。采购单位必须谨慎，不能仅局限于拥有生态标签的验证方法。他们应该也要接受其他的验证方法，比如测试报告。这是一种国家和私人生态标准相结合的保证措施，从而确保从规格和方法两方面来评估一致性，这对国有企业/当地企业会产生积极作用。绿色采购时首先要对合同的内容进行标准化定义，制定最低要求。除了标准定义以外，采购政府可以规定一个或多个变量，制定相关内容的选择性的定义，比如较高标准的环境保护或者使用特定的生产流程，而这些在标准定义中没有反映的。

5.2.3.2.2　选择满足合同要求的供应商

法定制定了规则来控制对供应商的选择。这些规则主要有：

判断候选人没有参加政府合同的理由。

候选供应商的经济状况。

候选者的技术实力：前两个规则没有涉及具体的与环境有关的方面。从某种程度上说，第三个规则把环境因素考虑在内。比如，规定了最低的机器设备的水平，或者保证合同的正确实施。这意味着没有把木材和木制品的来源同供应商的选择联系起来。

考虑投标者的环境管理体系：可以使用投标者的环境管理体系作为技术实力的一个证明，但是只有该体系要对供应的质量或者公司的实力(设备和技术人员)产生影响，来保证合同的执行符合环境的要求(比如设施合同中，承建商必须处理建筑场所的垃圾)。

5.2.3.2.3　评估投标和合同的签订

公共采购法令包括两种签订合同的选择，一种是最低的价格，另一种是最经济有利的投标。根据声明，第二种选择是为了帮助采购政府最大化资金的价值。为了界定

哪种投标才是最经济有利的，采购政府必须首先明确采用哪种标准以及哪种标准具有决定性意义的。标准必须在合同注意事项或者合同资料中反映出来，当需要的时候，可以按照重要性进行降序排列。

法令当中给出了有关标准的例子，可以利用给出的标准来界定最经济有利的投标。声明指出也可以考虑其他的标准，包括表达产品或服务的环境声明。标准应该是：具体的、与产品相关的和能从经济上衡量的，还应该与质量、产品的外表、服务的执行相联系的。

5.2.3.3 法国政府木材和林产品的政府绿色采购

2004年4月7日，法国出台《法国热带森林保护政府行动计划》(Governmental Action Plan in favour of tropical forests)，提出以下意见。

(1)对法国热带森林进行更好的保护，实施可持续林业管理。

(2)加强与其他国家，特别是非洲国家的林业合作与援助。

(3)促进《森林执法、施政和贸易(FLEGT)》进程。

(4)成立国家热带雨林工作组(the National Working Group for Tropical Rain Forests，由政府部门、林产和贸易专业人士、非政府组织、独立专家组成)，起草《法国热带森林政策白皮书》。

(5)鉴于公共采购占到法国消费热带木材的1/4，设立《公共采购总理建议书》项目(Project of a PM's advice note)，根据该项目计划目标：来自于合法和可持续管理的木材及木制产品，在公共采购中的比例2007年要达到50%，2010年要达到100%。

2004年5月，法国财务部、农业部(林业政策主管部门)、生态和可持续发展部三个部门完成建议书。2004年10月和12月，法国国家热带雨林工作小组开始相关的协调工作。2005年1月24~28日，联合国教科文组织的生物多样性、科学和管制国际会议召开，法国总统希拉克宣布：从这一年开始，法国各省在大型建筑物上只使用经生态认证的木材(ecocertified timber)；到2010年，所有的木材公共采购都将遵守这一规定。2005年4月5日，法国总理批准了《公共采购建议书》，并于2005年4月8日在官方刊物出版。

《公共采购建议书》主要包括两部分内容：一是总理对林业政策的阐述，二是木材公共采购实施细则。《公共采购建议书》规定了法国木材公共采购政策范围、实施步骤和方法。

(1)政策范围。《公共采购建议书》政策范围主要有：①对于法国各省政府机构的公共采购实施强制规定，要求他们无论是否有足够的潜在木材供给，无论是何种购买目标，都必须考虑到林业可持续经营。②对于地方当局，建议采纳该政策。③对热带和非热带林产品均采取无歧视政策。

(2)实施步骤/方法。鉴于法国此前对木材公共采购尚无规定，《公共采购建议书》建议稳步(Step by step approach)实施木材公共采购政策，敦促公共采购者充分参考现有政策工具——“可持续林业管理方案”和“木材产品可持续林业管理生态标签(eco-labels)”[实际上，这样的生态标志在法国共有6个：1个家具标志，1个木材区段(wood section)标志，4个纸产品标志]。

(3)产品类别。《建议书》对公共采购具体产品类别也作了阐述，主要有两类：①木材，锯材和薄木片，胶合板；②经过二次加工的所有产品，如橱窗、家具、纸产品等。

(4)采购类型。在《建议书》中，规定了两种公共采购类型：①政府组织的公共建筑工程(Public works)：在确定公共采购项目时，要求公共采购者与木材专家签约；木质产品建筑(works needing wood products)，必须遵照产品采购的具体规程。②产品采购规程：具体要求如表5-1。

表5-1　不同类别的产品采购规程表

	确定需求	选择竞标者	签约/付款
一般产品	侧重技术效果，而不是木材种类	专业认证、质量认证、样板、图表……	·遵照CITES公约 ·在合同的执行和担保阶段，或在被公共采购当局正式要求的时候，竞标者是根据合同来选择的以证明他们的产品符合可持续林业管理的具体规定
Ⅰ类产品	必须遵守可持续林业管理方案的具体规定		·建议公共采购者采用的5种认证 ·竞标者必须提供以下信息：来源(采伐国)、树种、木材供应商名称、地址及交易名称
Ⅱ类产品	必须遵守可持续林业管理方案或生态标志的具体规定		·由团体提供的证明：证明符合生态标志，证明符合可持续林业管理 ·由独立第三方提供的证明(个人申报)

对于Ⅰ类产品，《建议书》要求竞标者至少提供以下5份证书中的一种(或同等证书)：

(1)由独立机构或采伐所在国出具的木材源于合法砍伐证明，且这些证明都必须按照相关的国际公约予以核实。

(2)由独立的第三方出具可持续林业管理的证明(当独立第三方提供相关认证时，可参考现存的可持续林业管理认证计划)。

(3)由当地政府来评估森林管理计划的文件，并且文件的实施要经过具有相关森林管理经验的独立第三方的核实。

(4)能够证明林业经理或者拥有人遵守良好的行为规范，其中包括合法和可持续林业管理的法律和收购承诺，并且定期由独立第三方审核。

(5)能够证明供应方应遵守良好行为规范，包括只购买来源合法和可持续管理的木材，并且将接受独立第三方的定期检查。

2006年年初，法国开始评估木材公共采购政策实施效果。为了方便政策执行，法国在网上在线公布以下补充信息：森林认证体系、绿色标志、《濒危野生动植物种国际贸易公约》(CITES)等。

5.3 欧洲其他国家低碳经济政策与实践

5.3.1 丹麦低碳经济政策与实践

丹麦政府的经济激励政策在推动低碳经济发展中扮演重要角色。其政策主要有：实行激励性的财政金融政策，如开征碳税、财政补贴、税收优惠和价格杠杆等；加大政府对能源技术创新的自主力度；打破输配电的垄断，为风电并网提供便利；探索新的投资模式，实行私人投资于家庭合作投资的模式。丹麦拥有三面临海的地理优势，丹麦政府在可再生能源方面重点开发风力发电，经过20多年的发展，丹麦现已成为世界上利用风力发电最成功的国家，风电业已发展为一个营业额达30亿欧元的产业。丹麦的陆上和海上共安装了5000多台风机，仅海上风力年发电量超过3100兆瓦，供应着国内20%的电力。由于丹麦本国并没有建设大量的水电和火电项目，所以，向外输出风电，并从北欧其他国家进口水电和火电来进行电力调节。丹麦保持着全球最高的汽车税，促进自行车和公共交通发展。

丹麦在大力发展和推广可再生能源的同时也致力于积极测试和开发智能电网，旨在利用新的信息技术整合可再生能源网络，全力打造一个可实现可再生能源生产、储存和共享的智能网络，为第三次工业革命开辟更广阔的发展空间。丹麦自2011年开始在其位于波罗的海的博恩霍尔姆岛上展开第一个完整的智能电网测试，目前该岛已有2000个家庭加入这项测试。人们住在装有智能电表和智能电器的智能房屋里，智能电网与天气预报系统相连，可自动调节室内温度，营造最舒适的居住环境。智能电网还可根据整个电网的负荷和能源价格自动调节冰箱、洗衣机、烘干机等所有家用电器的用电量。如果整个电路达到负荷最大值，智能电网就会进行智能调整，关闭部分次要电器以避免出现电网超负荷的情况。比如，智能电网可选择在电路负荷最低的时段，自动开启洗衣机进行洗衣工作，最合理地利用电能。

5.3.2 俄罗斯低碳经济政策与实践

俄罗斯政府虽然早在1999年公布的《俄罗斯联邦国家安全构想》中就将环境作为国家利益的一部分提了出来，但是俄罗斯所理解的“环境安全”范围非常宽泛，它主要涉及的是国内环境保护，而非战略上的考虑。2002年1月10日，俄罗斯公布实施《俄罗斯联邦环境保护法》；2003年俄罗斯又改进了环境保护，实施环境资源的使用法规，形成了俄罗斯的环境保护执行与监察制度，但是这种预防性措施并不意味着俄罗斯政府已经从主观上认识到环境已经成为国家安全的威胁。在签订《京都议定书》的2005年，俄罗斯官方内部展开了激烈的争论，但总体上说，主要还是出于政治因素和外交因素的考虑签订了这份协议。2006~2009年间，俄罗斯颁布了《关于建立一个俄罗斯的评估人类温室气体排放的标准》《关于俄罗斯评估人类温室气体排放的标准的确认》等文件。俄罗斯政府颁布的《2020年前俄罗斯能源发展战略》明确要求降低单位生产能耗，采用激励措施尽量减少能源开发对环境的影响，并将与此相关的技术列入能源战略的优先发展方向。在能源工业科技和创新政策方面，要充分利用世界基础科学和应用科学在能源领域的研究成果，完善国家在能源领域科技和创新活动的调控机制，制定科技和创新活动规划，实施国家科技政策在能源领域的优先发展项目。为了加速能源工业的发展并保障国民经济对能源的需求，俄罗斯政府于2009年8月27日通过《2030年前俄罗斯能源战略》，取代了《2020年前俄罗斯能源发展战略》。该文件旨在最大限度地提高自然资源利用率，以确保经济稳定发展、提高居民生活质量和巩固俄罗斯的国际地位。

5.3.3 瑞典低碳经济政策与实践

瑞典在环保和低碳经济方面取得的成绩世界瞩目，20世纪50年代，瑞典的环境问题十分严重，日益恶化的环境和气候变暖，瑞典的绿色采购被提上了议事日程，20世纪60年代，政府将环保作为重要事务，采取了一系列手段治理环境。经过近几十年的治理，目前瑞典空气清新，环境优美。绿色采购作为其中重要环节，也被放到了重要地位。瑞典提出了全程产品策略，该策略突破了传统末端治理的思路，从产品的设计、研发、生产、销售直至消费的全部阶段都考虑环保问题。政府通过绿色采购、授予采用该策略的企业环保标志等措施鼓励企业采用该策略。瑞典在驾驶执照考试中引入环保概念，成为世界上率先实行“考驾照——先学环保驾车”的国家。《环保驾车法》要求司机在驾驶过程中将对环境的破坏降到最低。这种“环保驾车法”的概念是1997年由芬兰最先提出的，在瑞典一经推行，就受到了大多数人的欢迎。环保型汽车在瑞典十分畅销，2007年上半年瑞典环保型汽车的销售速度居欧洲各国之首。2007年1月至6月，瑞典共销售了23058辆以节能和低废气排放为标志的环保型汽车，同比增长25%。环保型汽车数量占瑞典所有新购汽车数量的15%。瑞典政府为鼓励国民使用环保型汽车出台了一系列政策措施，2006年拨款3850万美元发起为期3年的“绿色汽车”计划，推动本国汽车制造商研制环保型汽车。为鼓励国民购买清洁燃料车、减少二氧化碳排放，瑞典政府还推出奖励措施：从2007年4月1日到2009年12月31日，凡购买1辆环保型汽车，可免税1万瑞典克朗(约合1400美元)。瑞典各地的加油站都出售汽油和乙醇混合燃料，以方便环保型汽车用户。

第6章　亚洲主要国家低碳经济政策与行动

6.1　日本低碳经济政策与实践

随着全球气候变暖，海平面不断上升，日本作为一个岛国更加深刻地认识到了保护环境的重要性。日本注意宣传推广节能减排计划，提出建设低碳社会。

6.1.1　日本发展低碳经济的总体目标及政策

在20世纪中期，日本就形成了以保护环境安全为中心，以节约能源、降低能耗、提高效率为基点的政策法规设计。《能源利用合理化法》(又称《节约能源法》是日本能源的核心法律之一。该法根据能源的消耗量对能源使用单位进行了详细分类，规定年能源消耗折合原油300万升以上或耗电1200万千瓦时以上的单位为一类能源管理单位，年能源消耗折合原油150万升以上或耗电600万千瓦时以上的单位为二类能源管理单位，《节约能源法》规定上述单位每年必须减少1%的能源消耗。20世纪70年代，环境问题越来越引起日本民众的重视，政府先后实施以新能源开发为中心的"阳光计划"、以节能技术为中心的"月光计划"和"地球环境技术开发计划"。大学与研究机构都积极研究关于环境保护和低碳节能的各项技术。政府、学术机构和产业界三位一体共同协调合作，政府制定相关政策、专项拨款推进低碳技术的研究。知名高校和研究所积极承担相关课题，探索降低能耗、减少污染的可行性方法和技术。产业界也清醒地认识到低碳是未来发展的潮流所在，在生产过程中积极引进低碳技术，推出绿色节能产品。

日本于1997年制定了《促进新能源利用特别措施法》，对于发展风能、太阳能、垃圾发电、地热能以及燃料电池发电等新能源的单位和机构，政府给予特别的支持措施。1989年日本外务省发布《外交蓝皮书》，第一次将环境问题作为日本的外交课题之一，将环境问题与其外交原有的三大课题并列以确保日本能源安全、为世界经济健康发展作贡献、推进国际合作等。日本政府于1993年颁布《环境基本法》和1994年出台

《环境基本计划》《日本21世纪议程行动计划》，标志着日本环境政策进入了新阶段。1996年，日本支持率先购买环保商品的政府机构、民间团体和企业共同成立了“绿色采购网络”。1997年12月，设立了全球气候变暖对策推进本部，同年在京都由联合国气候变化框架公约参加国第三次缔约方大会上通过了国际性公约《京都议定书》，1998年10月制定了《全球气候变暖对策推进法》。着力研究解决气候变暖对地球大气层及气候、海洋、陆地所造成的影响。2000年制定了《绿色采购法》，规定国家机关和地方政府等单位有优先采购环境友好型产品的义务。

2004年5月，日本公布了《新产业创造战略》，将燃料电池等七个领域作为重点。2007年6月，日本政府制定的《21世纪环境立国战略》指出，为了克服地球变暖等环境危机，实现可持续社会的目标，需要综合推进低碳社会和与自然和谐共生的社会建设。

日本于2007年1月正式征收环境税，主要是根据对环境造成的负荷(化石能源中的碳含量)进行纳税。对于采取措施努力降低排放量的高排放用户可以减税50%~60%；对于钢铁制造业等使用的煤炭、焦炭等实施免税；对煤油减免50%的税收。出台特别折旧制度对节能汽车、家电产品、住宅、建筑、引进节能设备等实行特别折旧和免除税额的优惠政策，使用指定节能设备，可选择设备标准进价30%的特别折旧或者7%的税额减免。出台补助金制度对于企业引进节能设备、实施节能技术改造给予总投资额的1/3~1/2的补助，对于企业和家庭引进高效热水器给予固定金额的补助，对于住宅、建筑物引进高效能源系统给予其总投资额1/3的补助。出台特别会计制度，由经产省实施支援企业节能和促进节能的技术研发等活动，预算纳入“能源供需结科目”。

2009年，日本重启《太阳能鼓励政策》，将其作为经济转型中的核心战略之一。同时提出一项1540亿美元的经济刺激计划，推广太阳能发电、电动汽车及节能电器。制定“领跑者制度”，即以同类产品中耗能最低的产品作为领跑者，然后以此产品为规范树立参考标准，并要求所有同类产品在指定的时期内必须达到该水准。规定新建住宅、建筑物应全部为节能建筑，充分利用税收及预算措施，支持住宅进行装修、隔热、改建等工程。同年4月，日本政府公布了名为《绿色经济与社会变革》的政策草案，目的是通过实行削减温室气体排放等措施，强化日本的绿色经济。根据补充预算方案，日本政府计划通过加大财政支出和减税力度等措施，在2009财年追加13.9万亿日元，将70%的额度投放到促进环保的“低碳革命”领域、充实医疗和护理服务的“健康长寿社会”领域、完善旅游观光和基础设施等“发挥日本魅力”领域，希望在未来3年内拉动40万亿~60万亿日元(约4万亿元人民币)的内需。方案甚至提出了“低碳革命”“健康长寿”“焕发潜力”的发展口号，明确要推动日本2020年实现太阳能发电规模扩大20倍的“世界第一太阳能计划”、全球率先普及电动汽车计划以及2030年实现新建造公共建筑废弃物零排放的目标。围绕这些宗旨和目标，该补充预算案提出了一系列财税措施。比如，建立“以旧换新”的环保车补贴制度和积分回馈的购买家电制度，促进公车、私车加快更换为环保车，加快节能家电普及。具体来说，如果废弃车龄超过13年的汽车，换购达到国家2010年耗油标准的汽车，可获政府25万日元补贴（轻型汽车12.5万日元）。如果汽车使用了几年不想废弃，但换购达到国家4星低排放标准且达到国家2010年耗油标准15%以上的汽车，可获得10万日元的财政补贴（轻型汽车5万日元）。如果购买节能家电，可通过“5%环保积分”回馈方式获得财政补贴。再如，通过财政补贴等形式，推进太阳能发电等能源技术研发项目，加快在学校、家庭、公共建筑、公用设施等领域普及太阳能发电。为促进企业加快技术革新和产品更新换代，将中小企业交际费的税前扣除从400万日元上调到600万日元，同时提高企业2009财年和2010财年研究开发费的税收抵免额度。如果此项抵免额在这两年未能抵完，可以继续在后两个财年抵免。此外，还包括加大整治低碳交通、完善物流及农林渔业基础设施、提高政务及图书馆电子化程度的资金投入等。2009年5月，日本正式启动支援节能家电的环保点数制度，通过日常的消费行为固定为社会主流意识，集中展示绿色经济的社会影响力。这些措施无不与推动低碳产业发展相关。

在对企业执行国家节能环保标准的监督管理方面，日本有一套完整的“四级管理”模式——首相→经济产业省→其下属的资源能源厅→各县的经济产业局。在相关政策的引导下，日本企业纷纷将节能视为企业核心竞争力的表现，重视节能技术的开发。日本政府还通过改革税制，鼓励企业节约能源，大力开发和使用节能新产品。

日本制定了《21世纪环境教育方案》，并实行“可持续开发教育”，在所有层面、所有场合的教育中贯穿低碳社会和可持续社会的建设理念。在学校教育中，通过修订学习指导大纲及各种体验活动推进适于各教育阶段的环境教育，学习并实践建设低碳社会的各种具体措施。高等教育中，通过“环境领导者培育项目”的实施、“产业界和大学、官方与民间合作联营企业”等培养环境人才。同时开展“协同－6%活动”“凉爽地球日”“每人每日减少1千克二氧化碳挑战宣言”“环保积分制度”等活动，通过音乐、电影、时装、运动等多种途径宣传低碳意识，呼吁国民重新认识环境的重要性，促进国民意识向低碳转换。

日本政府正计划到2030年强制所有新建的大楼和房屋安装太阳能板。这项计划旨在展现日本鼓励科技创新和推动再生能源广泛使用的决心。

从日本上述政策演变发展可以看出，日本政府的低碳政策主要集中在低碳能源政策、财政政策、低碳技术政策等方面，具体见表6-1。

表6-1 日本政府低碳经济政策

政策类型	具体政策
低碳能源政策	可再生能源政策，节能政策，能源技术政策
财政政策	环境税收政策(环境税、特别折旧制度、补助金制度、特别会计制度等)，排放量交易，环境资金保障政策，绿色投融资政策
低碳技术政策	“低碳技术计划”“面向2050年日本低碳社会情景的12大行动”
低碳交通政策	环境可持续的城市交通发展战略，绿色物流，新一代环保汽车
绿色消费政策	绿色采购制度，环保标识
信息公开政策	领跑者制度，节能标识制度，碳足迹制度，碳抵消和碳会计制度
国际合作政策	环境外交，环保合作倡议，多国间资金
宣传教育政策	可持续开发教育(ESD)、发展“3R”技术、协同6%活动、凉爽地球日、环保积分制度等

6.1.2 日本绿色采购政策

日本是世界绿色采购的领军人物，无论是从其法律法规方面、组织机构方面、公民意识方面、具体实施过程等方面，日本都走在世界前列。从20世纪90年代初期开始，日本便已经率先开始实施政府绿色采购，由国家推出可持续采购国家政策，指导地方政府与民间的绿色采购行动，并取得了令世界刮目的成绩。绿色采购制度得到了很好的发展和完善，建立了一套符合自己国家国情的有针对性的法律法规体系。日本绿色采购的主要措施是实行环保标识制度并建立完善的绿色采购信息网络；规定绿色采购商品品种及其评判标准。规定各国家机关公布年度绿色采购实际情况，并赋予环境大臣监督、督促各国家机关采取措施，加强绿色采购的权力。

1994年，日本制定实施了《绿色政府行动计划》。在该计划中，拟定了有关绿色采购的原则，鼓励所有中央政府管理机构摒弃原先不好的产品，尽量采购绿色产品，这便是日本有组织的绿色采购活动的开端。1995年，日本制定实施了第一个《政府操作的绿色行动计划》。该计划拟定了绿色采购的目标，并提出要求在2000年完成。1996年，日本政府与各产业团体联合成立了全国绿色采购网络联盟(GPN)，标志着自主性的绿色采购活动在全国范围展开。

绿色采购网络联盟的活动内容主要包括颁布绿色采购指导原则、拟订采购纲要、出版环境信息手册、进行绿色采购推广活动等。到目前为止，已经发展了3000多会员单位，包括日本所有的地方政府，还有大多数规模较大公司如松下、富士、丰田等。GPN开发出了一系列针对不同采购产品的绿色采购纲要，建立了一个包括600多家供应商超过10000多种产品的信息数据库，这些工作为实施绿色采购奠定了良好的技术基础。

迄今为止，GPN已公布包括影印纸、复印机、个人计算机、汽车等11个产品项目的指导纲要，以及8个相关产品项目的环境信息手册，并通过研讨会、座谈会、产品展示会等活动进行绿色消费宣传。这种由政府部门、民间企业、社团组织共同组成的绿色采购团体和联盟，在政府、企业和消费者之间宣传绿色采购观念、提供绿色采购信息以及为会员间信息交流起到很好的作用。

2000年，日本政府颁布了《促进再循环产品采购法》，以促进国际机构和地方当局积极购买对环境友好的再循环产品，同时最大限度地提供绿色采购信息。现在日本各行政机关均制定了绿色采购方针，有166种物品被定为政府优先选购物品，其中原料为100%废纸、白色度不足70%的复印纸被定为最优先购买物品。2001年，政府特定购买物品的采购比例已达到了92.6%，再生复印纸在整个特定购买物品中所占的比例已经由2000年的11.6%上升到2001年23.6%。

2013年2月5日，日本政府决定修改以《绿色采购法》为基础的基本方针。此次的主要变更是追加了5个品目。购买对象扩大到了19个领域266个品目。追加了作为灾害储备品的便携发电机、可长时间保存的面包及营养补充食品等。对于自东日本大地震以来需求增大的便携发电机，设定了废气标准、噪声标准及可持续运转时间。基本方针还针对57个品目调整了采购判断标准。例如办公家具，对于采用塑料材料的产品，规定所使用的再生塑料必须达到重量的10%以上，或植物塑料占重量的25%以上。每年年末各个机关依据一年来绿色采购编制计划的执行情况编制成报告，提交给环境大臣，环境大臣有权在必要的时候要求所有中央政府所属机关的负责人及事业单位、团体组织负责人采取必要的措施促进绿色采购。

2014年2月，日本政府正式推出《推动绿色产品采购基本政策》的白皮书。该政策白皮书规定，从2015年起，政府各机构应根据白皮书的要求，本着按照预算进度的原则，有计划有步骤地采购所需的节能产品。同时，政府各机构还应按照日本财务省制定的《关于推进环保节能商品与相关服务采购条例》规定，严把绿色节能产品与服务的采购关。在政策白皮书中，节能环保绿色空调机（包括中央空调与分体式空调机）的采购也被列入了各级政府绿色采购产品的范畴。

日本绿色采购网络在推动绿色采购方面也起着重要的作用，如绿色采购法网、环境标志介绍网，其中最为著名的就是1996年2月由环境省倡导，众多企业、行政机构、民间团体参加的绿色采购网。该网络组织属于非营利性组织，目前有2491个成员（截至2013年3月21日），它通过在全国各地举办研讨会和展览宣传绿色采购理念，发布关于绿色采购的理论研究成果、绿色产品的信息、绿色评价标准以及建立绿色产品数据库，方便采购者，推广绿色采购。

日本《绿色采购法》通过干预各级政府的采购行为，促使环境产业产品在政府采购中占据优先地位，并对公众的绿色消费起到良好的示范和导向作用。通过对环境友好型产品实施优先购买，为环保型产业的发展创造了巨大的市场需求，极大地调动了企业参与循环型社会建设的积极性，成为推进循环经济发展的重要立法。在《绿色采购法》中，定义了"非生态破坏性物资"：包括原料或成分构成等有助于降低对环境影响的可回收资源，有助于降低对环境影响的产品和服务。为鼓励对非生态破坏性物资的需求，政府或独立管理机构对产品和服务的采购要合理使用预算尽量选择"非生态破坏性物资"。国家应该通过教育或公共活动等鼓励企业和市民提高他们对改用"非生态破坏性物资"的认识，同时采取切实的措施加快国家、地方政府、企业和市民对"非生态破坏性物资"的采购合作。鼓励国家政府和独立管理机构确定"绿色采购"的基本方向；有关国家政府和独立管理机构对"非生态破坏性物资"的采购种类等方法应该在采购中予以强调；指定采购条款的评价标准；鼓励"采购满足标准的物品"以及采购"非生态破坏性物资"的其他重要方法等。采购"非生态破坏性物资"时应考虑：

（1）国家政府、独立管理机构及各区、市、镇、村应合理使用"非生态破坏性物资"，并且尽量不因本法规定的对"非生态破坏性物资"的采购而增加采购物品的总量。

（2）当产品或服务被购买或需求时，制造商、进口商或零售商应尽量以适当的方式提供该产品或服务对环境影响的必要信息。

（3）信息的提供者通过官方授权影响产品的制造、进口和销售以减少对环境的影响，或者说明上述产品对环境影响的信息，信息提供方在科学标准和国际公约的基础上，应尽量提供有效、合理的信息来引导对"非生态破坏性物资"的需求。

（4）为了引导对"非生态破坏性物资"的需求，国家应该整合并分析上述规定由个人提供的相关信息，并提出分析结果。

《绿色采购法》规定，国家机关有绿色采购的义务，同时要求地方公共团体、企事业单位、国民也都要努力施行绿色采购。近年来，绿色采购动向发生了很大变化，日本实施绿色采购行动的团体数量和环保型商品的销售额都呈现快速增长的态势。到目前为止，全日本有83%的公共和私人组织实施了绿色采购。

6.2　韩国低碳经济政策与实践

6.2.1　韩国发展低碳经济的总体目标及政策

韩国深刻认识到低碳绿色增长是世界未来发展的必然趋势，把“低碳绿色增长战略”作为支撑、引导未来经济发展的“新的增长动力”，力图通过发展绿色产业来克服经济危机和提高国家未来的竞争力。韩国政府充分认识到低碳经济在创造经济财富、创造就业岗位方面的巨大潜力，采取诸多切实措施，推出了“绿色新政”，“低碳绿色增长战略”成为韩国未来经济发展的基本方向和道路。因此，韩国已采取强有力的措施，通过引进节能计划，并鼓励开发新的绿色产业，应对气候变化。

2008年全球金融危机开始的时候，韩国就提出了低碳绿色增长的经济振兴战略，依靠发展绿色环保技术和新再生能源，以实现节能减排、增加就业、创造经济发展新动力等政策目标。2008年9月，韩国政府出台了《低碳绿色增长战略》，为韩国未来经济发展指明了方向。所谓低碳绿色增长，就是“以绿色技术和清洁能源创造新的增长动力和就业机会的国家发展新模式”。韩国政府认为，这一战略将成为支撑、引导未来经济发展的新动力。该战略提出要提高能效和降低能源消耗量，要从能耗大的制造经济向服务经济转变。到2030年，韩国经济的能源强度要比目前降低46%。另外，要增加清洁能源的供应并降低化石燃料的消耗。到2030年，化石燃料将从目前占能源消耗总量的83%降低到只占61%，而可再生能源的用量将从2.4%增加到11%，核能的用量将从目前占14.9%提高到27.8%。就可再生能源产业而言，政府希望2030年太阳能光伏发电量达到2007年水平的44倍，风能利用量增长36倍，生物燃料增长18倍，地热能增长50倍。为此，韩国政府和企业将在2030年前投入11.5万亿韩元(约合87.4亿美元)用于绿色技术研发；确保公民能够用得起能源，使低收入家庭的能源开支不超过其总收入的10%。韩国政府还计划在大城市开展“变废为能”活动，充分利用废弃资源，到2012年在全国建立14个“环境能源城”，到2020年建成600个利用农业产品实现能源40%自给的“低碳绿色村庄”。此外，韩国政府还计划在未来四年内拥有200万户使用太阳能热水器的“绿色家庭”。

为了更好地推进、落实绿色增长国家战略，韩国设置了直属于总统办公室的绿色增长委员会(the Green Growth Commission，GGC)。GGC由47个成员组成，下设三个分委员会，分别是绿色增长和行业、气候变化和能源、绿色生活和可持续发展。另外还有一个绿色办公室，以确定减排二氧化碳的目标。除了三个分委员会和绿色办公室以外，GGC还有一个工作组，由来自政府、民间部门、通信企业的60个专家组成。民间各界人士则成立了“绿色增长总协作团体”。针对产业发展，减少整个产业的二氧化碳排放和创造环保事业，韩国还专门成立了以企业为主导的韩国绿色事业IT协会，发挥IT的重要作用，集中力量推动IT更好地应用到产业发展中去。

6.2.2 韩国新能源政策

韩国是经合组织国家中碳排放速度增长最快的国家，人均石油消费量居世界第五，一年要进口石油7.5亿桶。韩国能源消费以石油为主，占42.7%；煤炭是韩国的第二大能源，占24.1%：核能占12.4%，天然气占14.1%，可再生能源及其他仅占不到2%，97%的能源依靠进口，石油、天然气和煤炭几乎全部依靠进口。

韩国的温室气体排放的快速增长源自其能源密集型的产业结构，为韩国经济快速发展做出贡献的造船、钢铁、化学、石化等支柱产业都是能源密集型的，其他的重要产业，包括半导体、电子和汽车制造也直接或间接排放温室气体。由于韩国处于产业转型期，仍有着强烈的追求经济增长的欲望，温室气体排放在可预见的将来仍将保持增长的态势。但由于能源效率的提高和增加可再生能源利用，温室气体增长的速度将继续下降。政府提出低碳绿色增长目标，设定中期减排目标，实是化被动为主动之举，同时也是为了保持韩国的国际竞争力。

韩国新能源和可再生能源的研究与开发大致可分为三个阶段：20世纪80年代末到90年代初是第一阶段，强调基础研究，科研机构和大学是重点资助对象。在这一阶段，科研机构的资助份额约为52%，大学为24%，企业为24%；90年代中期为第二阶段，重点是装置的设计与制造，所以企业成为资助的重点。在这一阶段，企业的资助份额达51%，科研机构为28%，大学为21%；20世纪90年代末到21世纪初是第三阶段，重点是促进商品化和产业化。

为了加快科技发展的步伐，韩国又制定了《科学技术基本计划(2008~2012年)》，该计划提出了韩国在2012年成为全球第5大科技强国的政策目标，5年中，韩国将投资35万亿韩元(约合368.4亿美元)。在新能源和可再生能源方面，为了给下一代的新能源工业奠定坚实的基础，韩国将氢燃料电池、太阳能电池、风能和煤气化联合循环发电列为优先领域。

另外，韩国还把生物能、太阳热能、垃圾能、地热能、水力和潮汐能等6个新能源和可再生能源领域列为近期有商业潜力的重点，并提出了相关的研究课题。

2008年8月，韩国政府公布了《国家能源基本计划》，根据“低碳绿色增长战略”

的基本要求，制定了未来20年国家能源战略的具体目标和实施方案。该计划提出要努力减少石油、煤炭等化石燃料在整个能源结构中的比重，大幅度提高新、再生能源所占比重。到2030年将新再生能源比重由2007年的2.4%提高到11%，石油等化石燃料所占比重由83%下降到61%。同期，太阳能、风能、生物能及地热将分别增长43倍、36倍、18倍和50倍。同时，到2030年新建10座140万千瓦级核电站，使核电在能源构成中所占比重由2007年的36%提高到59%。2008年9月韩国政府推出了《绿色能源产业发展战略》，确定了绿色经济产业发展战略中优先增长动力对象的9大重点领域：光伏、风力、高效照明、电力IT、氢燃料电池、清洁燃料、高效煤炭和能源储藏等，同时推进阶段性增长动力的6个领域：热泵、小型热电联产、核能、节能型建筑、绿色汽车和超导。2009年1月李明博总统主持制定了《新增长动力前景及发展战略》，提出17项新增长动力产业，其中有6项属于绿色技术领域：新能源和再生能源、低碳能源、污水处理、发光二极管(LED)应用、绿色运输系统、高科技绿色城市。同时，韩国环境部提出了加速发展10大绿色技术：污水处理、绿色汽车、气候变化应对、土壤及地下水污染净化、生物资源利用及还原、环保、高效资源回收、温室气体替代物、生活共识环保产品。2009年7月6日韩国政府公布了《绿色增长国家战略及5年计划》，确定了韩国发展“绿色能源”的道路，计划在未来5年投资107兆韩元(约合844亿美元)于绿色能源经济，通过提高能效，减少韩国对化石燃料的依赖并促进经济增长。李明博总统强调：“(该计划)目的是使韩国在2020年前，在能效和遏制环境变化方面，成为世界第七大经济体。”2009年11月17日韩国政府设定了一个自愿减排目标，即到2020年，在2005年的基础上减排4%。2010年4月14日，韩国政府公布了《低碳绿色增长基本法》施行令，开始正式推行这一法案。该基本法施行令构筑了韩国绿色增长的基本框架，今后将依法全面推行低碳绿色增长计划。《低碳绿色增长基本法》的内容包括：制定绿色增长国家战略、绿色经济产业、气候变化、能源等项目以及各机构和各单位具体的实行计划。此外，还包括实行气候变化和能源目标管理制、设定温室气体中长期减排目标、构筑温室气体综合信息管理体制以及建立低碳交通体系等内容。此次韩国推行低碳绿色增长计划的预算总额仅次于中国和美国，达到了310亿美元。

韩国建设的世界最大潮汐发电站——始华潮汐发电站，于2011年8月29日正式投入生产。这意味着韩国政府出台的《低碳绿色增长战略》取得初步成效，为韩国迈入洁净能源、海洋能源开发强国行列铺平了道路。始华潮汐发电站正式投产，韩国可取得增加发电量、减排二氧化碳、替代石油燃料等多种效果。特别值得一提的是，韩国拥有涨退潮间水位差距很大的海岸线，具备了潮汐发电的绝佳条件。因此，韩国将继续增建潮汐发电站，并以此促进低碳绿色增长。始华潮汐发电站位于京畿道安山市大阜洞始华防波堤正中央的海埔新生地，占地面积约14万m^2，是当今世界上规模最大的潮汐发电站。发电站共有10个发电机组、8个排水闸门，发电容量为25.4万kW，年发电量达5.527亿kW，可供50万人口的城市使用等，其规模和发电量超过了号称世界最大的法国朗斯潮汐发电站。潮汐发电利用涨潮和退潮时发生的运动能源生产电力。也就是说，在涨潮时将海水储存在水库内，退潮时放出海水，利用高、低潮位之间的落差，推动水轮机旋转，带动发电机发电。因此，被称为不产生污染的洁净能源，且发电成本低于太阳能和风力发电。

此外，与水力发电相比，潮汐发电能更稳定地供给电力。因为水坝具有防洪等其他功能，有时难以开闸发电。因此，潮汐发电是在低碳绿色增长时代最受欢迎的能源生产方式。潮汐发电的电力生产能力和涨退潮间水位差距形成正比。一般来说，涨退潮间水位差距越大，生产的电力也就越多。韩国的涨退潮间水位差距最高超过9m，具备了潮汐发电的绝佳条件。由于始华潮汐发电站正式投入生产，一年可减少86.2万桶原油进口，降低31.5万t二氧化碳排放量。目前，韩国政府还在忠清南道的泰安、仁川的江华、京畿道的平泽和永宗岛北端等西海岸4处同时推进潮汐发电站建设。韩国将潮汐发电作为推进低碳绿色增长的强大动力，引领韩国走向可持续发展的道路。

6.3 东盟国家低碳经济政策与行动

6.3.1 新加坡低碳经济政策与行动

新加坡是一个面积只有600多平方公里的现代化城市，又是一个自然资源非常稀缺的岛国，对于节能减排、可持续发展的意识强烈。政府、企业和市民，都有视生态环境和能源节约为生命的绿色意识。

新加坡在20世纪70年代初就成立了环境部。把保护和改善环境作为政府的一项重要基本职能。70年代末期，新加坡开始了从进口替代的劳动密集型工业向出口导向的技术密集型工业的转变，产业的特点是小型化、高增值、污染少、能源资源消耗低。这一产业取向不仅带动新加坡经济的新的飞跃，也缓和了经济发展对环境的压力，有效地促进了环境与经济的协调发展。

新加坡于1989年1月5日签署了《保护臭氧层的维也纳公约》，于1990年11月1日加入了《防止船舶污染的国际公约》，于1987年2月28日签署加入了《濒危野生动植物种类国际贸易公约》。

新加坡1991年1月开始引入无铅汽油。到1991年3月，50 %的汽车使用无铅汽油，从1991年7月进口到新加坡的所有汽车必须使用无铅汽油。新加坡把环境政策贯彻于公共交通运输，实行无污染、少污染的运输方式。城市采用电车为运输工具，倡导使用自行车这种最清洁最节能的交通工具。政府计划修建四通八达的自行车道路与城市高速交通系统以及公共汽车站、商业中心、居民小区相连接。新加坡为了保护大气臭氧层，禁止进口和生产含有CFC的物质. 禁止在消防设备、灭火器和冰箱上使用CFC3物质，而选用其他可替代物质. 这个做法比《蒙特利尔协定书》所规定的期限提前了两年实现。政府在积极推行无污染、少污染的产品及项目的同时，还大力开展环境保护的宣传活动，提高公众参与意识，每年11月第一个星期定为“环保周”，总理亲自参与，利用植树、展览等各种形式进行绿色教育，向公众积极倡导绿色生活方式，如提倡使用清洁能源，使用可回收产品、选购绿色产品等，收到了良好效果。

新加坡环境、卫生和安全政策通过一系列法令、条规来体现并由政府职能机构来运作和执行。经过多年工作和不断修订补充，目前这些法令法规已形成比较系统的文件体系，也成为政府部门管理工作的法律基础。

主要的法令包括：

· 环境卫生法令包括12项条规
· 清洁空气法令2项条规1项命令
· 水污染控制和排水法令6项条规
· 辐射保护法令3项条规
· 消灭叮咬虫所致疾病的法令
· 工厂法令含10项条规、6项命令和3项通告
· 港务局法令3项条规
· 消防法令
· 氢氰化合物法令
· 传染疾病法令
· 毒物法令3项规章、1项法令
· 公用事业污染法令8项条规
· 商用船只(油污染）法令
· 食品销售法令
· 沙及花岗岩开采法令
· 雇佣法令

· 工人赔偿法令4项条规6项通告
· 野生动物和鸟类法令
· 危险物种(进出口)法令
· 园林和树木法令
· 建筑管制法令4项条规

新加坡与环境政策有关的法令法规由几个相关的职能部门负责拟定，然后由国会审批通过并下达执行。其中环境部负责基本的环境、卫生和安全法令和法规，劳工部则负责工业安全和工人保健方面的文件。环境部也组织一系列计划来推进环境、卫生和安全政策。一些主要计划包括：《绿色计划——2000年行动方案》《清洁河流教育计划》《生命之绿计划》《废物循环利用计划》《绿色标志计划》等等。

6.3.2 菲律宾低碳经济政策与行动

随着石油等传统能源产量已无法满足菲律宾日益增长的消费需求，发展包括生物燃料在内的新能源替代化石燃料成为菲律宾政府“国家能源战略”的重要一环。新能源开发受到菲律宾政府的高度重视，菲律宾明确国家能源和经济安全的底线是“确保实现国家能源60%自给自足”。从2009年开始的未来10年，菲律宾政府计划投入90亿~100亿美元资金用于新能源项目开发，计划在10年内将可再生能源的发电量增加一倍，从现在的4500兆瓦增至9000兆瓦。

在2008年，菲律宾国会通过了《2008年再生能源法案》，因而，菲律宾将进一步大力发展包括地热、海洋能等新型能源。菲律宾属于太平洋的火山带，可以充分利用地热能源，大概2000或者2300兆瓦的容量。在这个方面菲律宾接近美国。装机容量有2000兆瓦，已经是世界上最大的地热能源利用国家，约占17%的发电量。地热资源在菲律宾各个区域都是平均的，地热在每个地方都可以得到应用。菲律宾有很多河流水流瀑布，可以广泛利用水资源，建造微型水电厂，约有1兆瓦的潜能。风力资源也很大，有约7.6万兆瓦。海洋能源大概超过17万兆瓦，都应用了非常新的技术。生物能源是从废物垃圾中提取相关能量，比如说米的残渣或者其他方面，在菲律宾约有237兆瓦，也是可再生能源一个新的发电方式。

为了鼓励国内外投资者投资各种再生能源，菲律宾政府制订了各种优惠政策。如果想进军菲律宾市场，根据新能源政策可以享受税收假期(包括新增投资)，但是不超过3次，另外进口品可以免除关税，所有需要新能源的设备机械，有10年的关税免收；延期3年的亏损可以到7年，可以降低这方面的亏损，也非常有助于投资者长期的在菲律宾生产和运营。除了税收假期，菲律宾还有税率优惠，还有一些其他的对开发商的奖励，其中还包括加速折旧，国内资金设备和服务的税收信用等值与100%的关税和增值税。非财政的鼓励政策包括可再生能源投资标准，就是在电网系统上对于再生能源电力的强制使用。除此以外还有上网电价回购补贴，对于电网系统的运营商进行优先购买和传输和支付。例如新能源公司与一些石油为基础的和燃煤的发电站相比，有很多优惠和先行购买的待遇。还有一些其他的特别的待遇，有普遍收费的免除。对于发电机的自身消费有免税。新能源公司的传输收费享受平均收费，要比其他的发电站收费要低。对于一些新能源公司进口零部件关税进行免税，比如说进口关税和税收，以及增值税的免除，包括国内资金零件部件。

6.4 亚洲其他国家低碳经济政策与行动

印度是亚洲国家中采取低碳经济政策与行动比较早的国家，一直以来十分关注能源和环境问题，并取得良好效果。从20世纪80年代开始，印度能源利用效率得到大幅提高其取得的效果也是令世人瞩目的，因而，本节将主要介绍印度的低碳经济政策与行动。

6.4.1 印度发展低碳经济的总体目标及政策

1990年5月，在国家发展委员会会议上，印度政府提出了第八个五年计划的设想，以便为制定第八个五年计划纲要作准备。会议纪要中再次强调了与社会现实相脱离的发展和技术进步会导致生态环境的破坏和自然资源的浪费。印度政府一贯认为，造成资源破坏和环境恶化的原因主要是社会贫困和经济落后，其次才是工业发展所产生的副作用对资源的破坏和对环境的影响。只有加速国家经济的发展和社会的进步才是解决资源和环境问题的正确途径，这也正是印度政府制定有关资源和环境政策的基本出发点。由此，印度政府推行的各项扶贫计划，如社会林业计划和基本生活保障计划都被认为是环境改善计划的一个组成部分。

2008年6月，印度发布了《气候变化国家行动计划》。该计划确定将印度国土森林覆盖率从23%提高到33%的目标，并公布了一系列节能措施。计划着重强调了新技术的开发和利用，并承诺印度温室气体人均排放量不会超过发达国家人均水平。该计划提出到2017年，太阳光伏生产能力达到1000MW/年。采光发电1000MW/年。

6.4.2 印度的减排和应对气候变化政策

过去20多年，印度的GDP增长都在8%以上，但是能源消费只增长了4%，单位GDP耗量现在几乎减半，目前与德国的水平比较相近。印度的人均二氧化碳排放量相比其他国家也较低(美国的人均排放量是19.1t，澳大利亚是18.7t，加拿大是17.4t，中国是4.6t，印度只有1.2t)。植树造林是印度应对气候变化的主要政策之一。印度的森林覆盖率每年增长0.8万hm^2，包括生物燃料，这种植树造林实际上对温室气体的排放有效果，2008年印度植树造林的预算增加一倍，约18.5亿美元，每年都有增加，标准也在提高。印度政府计划再造林600万hm^2，目前印度的森林覆盖率是23%，政府计划尽快达到33%。京都议定书里面规定了清洁发展机制，印度最近被评为清洁发展机制做得最好的国家，是全世界登记注册项目最多的国家。2008年，印度政府宣布了八项强制性的减排措施。发展可持续农业，要逐步让农业适应气候变化，同时要开发新的农产品，进行新的农作物播种方式的改革，同时使用信息技术、生物技术和其他的新技术。政府资助高质量的专题研究，支持成立专门的气候变化部门和相关的专业部门，同时对研究结果进行传播。印度一直在进行气候变化方面的研究，有220家科研机构进行这方面的研究，包括喜马拉雅山的冰川融化以及对气候的影响、检测气体等五项独立的研究。预计在未来20年，印度人均温室气体排放仍然将低于4t。

6.4.3 印度的新能源政策

印度是一个能源短缺的国家，人均能源消耗仅为世界平均水平的12.5%。占整个能源构成64%的煤炭和12.5%的石油相对贫乏。据统计，印度煤炭储量为70亿t，至2035年将无煤可采。石油储量和开采能力也远远无法满足日益增长的需求。因而，不得不大量进口原油。印度每年将外汇的41.6%用来进口原油。能源分布也不均匀，煤炭主要集中在东部和中部地区，从而也造成运输能力的紧张。能源不足已成为限制印度经济发展的重要因素之一。

印度政府分别于1981年和1982年创立了新能源委员会和非常规能源局。1992年，非常规能源局转变为“非常规能源部(MNES)”，2006年又更名为“新能源和可再生能源部(MNRE)”。2005年由电力部颁布的《国家电力政策》包含了推进可再生能源开发的主要政策。新能源和可再生能源部是政府负责新能源和可再生能源相关事务的关键部门。

印度拥有丰富的太阳能、风能、生物能和小水电等可再生能源。印度政府正积极地发展这些能源项目。根据“2012年全民通电”规划，印度政府在2012年实现全面电力供应。在印度可用的可再生电力资源中，风能是一种很有发展潜力的资源。印度的风力发电的总潜力超过45000MW，技术潜力为13000MW。截至2007年9月，印度已经有超过7200MW的风力装机容量，是继德国、美国和西班牙之后排在世界第四的国家。虽然印度第10个五年计划(2002~2007)的目标是增加2200MW风力装机容量，实际上新增了5400MW。印度政府提供了支持措施来增加可再生能源对国家的贡献，还颁布了州政府的政策指南，以建立和维持各地方制定促进可再生能源发电项目的具体政策。印度风力发电项目开发一直是由印度政府和州政府提供的财政和金融激励措施推动的。政府提供的激励措施包括：

·对风电项目成本实行80%的加速折旧(初期允许100%的加速折旧)。

·对风力涡轮机的某些进口组件实行优惠关税或关税豁免。

·投产15年内享受与基础设施项目相同的最长达10年的免税期。

·通过国有机构获得的优惠贷款，包括印度可再生能源发展机构有限公司，电力财务有限公司和农村电气化有限公司。

2003年印度的《电力法》要求所有州级能源管理委员会确保电力分销商购买的电力中有来自指定可再生能源发电的最低百分比。2005年全国电力政策规定，非常规来源的电力份额需要逐步增加；由供电公司通过竞标过程来购买。考虑到非常规技术相比常规能源还需要一段时间才能在成本上具有竞争力，委员会可以通过决定适当的价格差异来推广这些技术。2006年1月宣布了《能源收费政策》，规定由于非常规能源技术能与常规能源技术在电力成本上竞争之前还需时日，因此，供电公司的采购价应该实行低价格。《2006年国家农村电气化政策》规定，到2009年为所有家庭供电，以合理的价格提供有质量和稳定的电力，到2012年能提供合格稳定的高品质电力产品，以满足每个单元/每家/每天最低的生活消费用电。2014年，印度政府开始推行用电力能政策，计划用LED灯泡取代现有的7.5亿盏白炽灯。

第7章 大洋洲低碳经济政策与行动

7.1 澳大利亚低碳经济政策与实践

7.1.1 澳大利亚与《京都议定书》

澳大利亚在1992年12月批准了UNFCCC，但在1997年没有批准《京都议定书》，原因在于它认为美国、中国和印度没有参加，该协议是不完整的。为了取代京都议定书，联邦政府于1998年制定了《国家温室战略》(NGS)，它强调了气候变化的一体化方式，要依靠国家、各州、当地政府和促进产业、社区的参与来考虑气候变化问题。政府倡议的自愿项目有《绿色挑战》(1995~2005年)，新的项目《绿色挑战附加》(2005年至今)。但这些自愿的和市场导向的活动并没有明显减少全球变暖的严重影响。在2006年2月，澳大利亚政府内阁宣布采纳《气候变化行动计划》，但仍然没有迹象表明采用国家单一的规制体制在短期内控制温室气体排放。与传统的游说集团不同，澳大利亚出现了一些新集团，为产业调整考虑气候变化。这些大公司取代了绿色或其他环境组织，寻求影响任何碳税或排放贸易机制的制定与构建，保持竞争力。联邦政府不设定排放目标，而依靠产业和公司的行动，政府对研究进行支持，并设立了一个组织在2011年建立碳排放贸易市场。澳大利亚愿意参与选择性的协定谈判，它是《亚太清洁发展和气候伙伴关系》的成员。

2007年12月3日，总理陆克文代表澳大利亚正式签署了《京都议定书》。澳大利亚政府一直致力于节能减排计划，试图改变澳在环保方面的形象。为了减少碳排放以及推动清洁能源的发展，近年来澳大利亚已投入了数十亿美元，2010年在低碳能源方面的投资更是创纪录地达到2430亿美元。2011年出台的碳排放税被看做是2009年前总理陆克文提出的资源附加税的改良和延续，澳大利亚可能将开始向国内重污染企业收取碳税，若国会通过该预案，从2012年7月开始，澳大利亚实施碳税政策。为争取足够的支持，政府在新计划中还纳入了一系列补偿措施，包括《就业和竞争力方案》，为排放密集的出口型行业提供价值 92 亿澳元的补偿；将碳排放税一半以上的收入通过增加补贴和减税等方式为 90% 受影响家庭提供补偿；同时，设立了 12 亿澳元的《清洁技术方案》和 13 亿澳元的《煤矿工业就业计划》。

7.1.2 澳大利亚的减碳政策

2012 年 7 月至 2013 年 6 月，按照澳大利亚政府公布的新的征税方案，每排放 1t 二氧化碳征税 23 澳元(约合 24.7 美元)；2013 年 7 月至 2014 年 6 月，增至 24.15 澳元(25.97 美元)；2014 年 7 月至 2015 年 6 月，为 25.40 澳元(27.32 美元)。新的征税方案将覆盖澳大利亚 60% 的碳排放。政府打算在最初 3 年投入 92 亿澳元(98.9 亿美元)，一方面用于关停一些污染程度较高的发电厂，另一方面确保钢铁、铝业等支柱产业免遭“扼杀”。从 2012 年至 2015 年，政府将免费发放碳排放许可份额，66% 提供给排放量处于中间水平的出口型企业。对冶铝厂、炼锌厂、钢铁制造厂等碳排放较多、贸易量较大的企业，碳排放许可份额将覆盖企业平均排放量的 94.5%。

同时，澳大利亚通过制定和实施能效标准与标识制度来达到提高能效和减排温室气体的目的。澳大利亚的能效标识最初由新南威尔士州和维多利亚州政府在上个世纪 70 年代末设立。直到 1992 年，全国的强制性能效标识计划才得以统一实施。最初的标识以 6 星水平为基础，更多的星就意味着更高的能源效率以及消费者眼中更好的质量。由于最初的能源效率标识已不能适应技术发展的要求，因为一旦生产商的效率达到 6 星水平，那么改进产品能效的市场营销动力将会消失。为此，从 1998 年起，澳大利亚政府开始修订能效标识指标，在广泛听取有关各方意见的基础上，改变了星级效率规则和相关家电产品的能效标准，并从 2000 年 9 月启用新的标识为此，澳大利亚政府实施了“国家家用电器设备能源效率项目”(NAEEEP)，包含的产品和活动见表 7-1，由澳大利亚温室气体办公室(AGO)负责执行。据估计，在 2000～2015 年之间，由于强制性能源效率标识与标准的实施，澳大利亚大约可减少 8100 万 t 二氧化碳排放物。

表 7-1 澳大利亚电器及设备的能效项目(NAEEEP)所包含的产品

产 品	最低能效标准(MEPS)	强制性标识	自愿性标识(标志)
洗衣机	√	√	
干衣机	√	√	
洗碗机	√	√	
家用电冰箱	√	√	
空调(～65kW)	√	√	

（续）

产　品	最低能效标准(MEPS)	强制性标识	自愿性标识(标志)
电加热器	√		
三相电机	√		√
荧光灯镇流器	√		√
光源(lamps)			√
荧光灯(2004)	√		
配电变压器(2004)	√		√
商用空调(2004)	√		√

资料来源：国家发展改革委环资司．节能政策——赴澳大利亚和新西兰考察报告．2006，6.

7.2　新西兰低碳经济政策与实践

新西兰是世界上为数不多的宣布要实现全国无碳化的国家之一，其特有的资源条件，决定了它是一个以可再生能源为主的国家，有丰富的水力资源、风能、太阳能、生物质能、高品质的地热资源和天然气(石油和煤炭主要依靠进口)。在能源供应构成中，丰水季节，水电占63%，天然气占22%，地热能占7%，煤炭占4%，其他能源占3%；最为严重枯水季节，水电供应将下降15%，该部分的能源短缺将主要由地热能来补充。新西兰终端能源消费构成中，交通运输是能源最大消费用户。根据新西兰经济发展部预测，到2025年，若新西兰GDP以2.5%的年均速度增长，则能源需求将年均增长0.6%。其中交通消费年均增长1.3%，工业和商业能源消费不仅不增加，还将年均下降0.1%。

7.2.1　新西兰《国家能源效率与节约战略(NEECS)》

新西兰能源效率与节约法规定，要制定国家的能源效率与节约发展战略，对推进能源效率、能源节约和新能源工作给予政策指导。目前正在实施的NEECS战略是于2001年颁布实施的，主要涉及5个方面：能源供应、工业、交通、政府机构、建筑和家用电器。该战略确定了2个主要目标：到2012年，国民经济的总体能源效率水平提高20%；到2012年，新能源总量发展到30PJ。为了实现这些目标，一方面，要求新西兰各政府部门间紧密合作，建立有效的沟通和协作机制。另一方面，需要学习和借鉴国际上的先进经验、最佳实践并且寻求各种可能的改进机会。

按照新西兰能源效率与节能法的有关规定，目前新西兰政府正对 NEECS 战略进行修订。在修订过程中，要重点考虑与国家能源战略以及温室气体排放战略的结合。其时间框架将延长到2030年，并且将重点制定各部门的战略目标而不是国家总体目标，并且针对个目标要明确具体的责任部门。

7.2.2　新西兰的减碳政策

新西兰在历史上曾尝试引入碳税。新西兰第五届工党曾在2005年提出，新西兰除农产品企业外需要对其每吨二氧化碳排放支付15新元(当前1新元约合5.25元人民币)。当时新西兰政府期望通过该政策来促进新西兰履行《京都议定书》提出的减排目标。但2005年新西兰大选过后该计划未能实施。在价格机制上，新西兰对碳指标有一个25新元的最高价规定。

新西兰政府于2008下半年出台了《排放交易计划》，新西兰工党政府推行的该计划，于2009年由新当权者(新西兰国家党)修改。该计划为包括发电时排放的温室气体制定了排放价格。新西兰政府2009年出台了《资源管理法》，在实施改革的第一阶段，法律规定，对于风电场对环境的影响进行评估是理所当然的。该法律旨在促进对自然和物质资源的可持续管理。2009年《排放交易计划》的修订版为投资者降低了价格。发电商可获得50%的自由分配电力，修改后的计划还包括：对排放单位设定上限为25新西兰元(合17.2美元)的排放款，有效地把该国的碳价固定在12.50新西兰元(1新西兰元=0.7602美元)。电力的自由分配和价格上限于2012年12月底失效。2009年，新西兰政府实施了对电力部门的检查并立法，如果该法案获得议会通过，那么新西兰的监管将会产生重大变化，包括解散电力委员会(该国的电力市场监管机构)。

2009年，新西兰通过法案，要求石油公司销售的所有汽油中必须添加一定比例的生物燃料。从2009年10月开始，新西兰所有销售的汽车燃料中，生物燃料的添加比例为0.5%，2012年增至2.5%。新西兰科学技术研究会将拨款4560万新西兰元促进生物燃料等方面的研究。2014年，新西兰可再生能源发电比例上升至81.6%。

7.3　新西兰木材采购政策

在许多国家，由于木材及其制品的重要领域包括了政府公共部门和大型工程，而木材及其制品的销售与生产关系到世界生态环境和气候变化，因此，为了控制违法木材采购，实现森林经营的可持续发展，并发挥森林在维持全球生态系统中的作用，许多发达国家如新西兰、英国等已开始运用政府采购政策，要求政府部门在采购时优先采购合法的，以可持续方式生产的木材。

在新西兰，木材非法砍伐现象相对较少。新西兰对于木材非法砍伐的调查平均每年只有15起，其中5起非法砍伐木材虽仅几立方米，遭到当局警告；另外几起非法砍伐100m^3左右，已受到司法起诉。据悉，在新西兰，大部分非法采伐案件都最终被新西兰农林部(the Ministry of Agriculture and Forestry，MAF)起诉，受到了法律制裁。

尽管如此，新西兰对非法采伐及贸易仍十分重视，认为每个国家都应确保木材采伐及其贸易的合法性；为防止森林管治、执法和可持续经营效果低于预期设想，相关各方应致力于确保木材交易的合法性。如今在新西兰，非法木材砍伐及贸易已成为一个重要的社会议题，甚至认为它和可持续森林经营(sustainable forest management，SFM)、木材贸易、甚至是更宽泛的环境议题(如生物多样性、气候改变、可持续发展等)密切关联；非法木材砍伐及贸易将导致巨额公共税收流失，加剧这些问题的严重性。

非法木材砍伐及贸易在新西兰得到广泛关注，主要因为新西兰对其林产品贸易的关切及国家对外援助政策交易的评估。

新西兰林产品出口市场和国内市场都面临非法木材的竞争。尽管非法木材砍伐及贸易对新西兰林业部门的冲击尚未评估，但是最近美国一项研究显示了这种冲击的严重性。该研究认为，全球每年有230亿美元的林产品源于非法砍伐，非法木材贸易约50亿美元。新西兰的林业产业主要依据可持续经营原则运作，这在《1991资源管理法案》《1949林业法案》第三部分“本土林业法规”、《新西兰林业协定》中都有明确要求。因此，新西兰林业产业很难与那些通过非法采伐的竞争对手进行公平竞争，最终损害新西兰整个林产业。

另一方面，新西兰是太平洋地区岛国重要援助合作伙伴，并且还支援东南亚的发展中国家。新西兰援助(NZAID)项目致力于长期的合作伙伴关系，目标是通过建立可持续的农村生存环境，以协助当地发展经济、消除贫穷。新西兰认为，对于以自然资源为生计的林区、下游村社、咸水湖和渔场等发展中国家的乡村社区，非法采伐严重损害了其发展潜力，极大地削弱了新西兰对这些国家和地区援助的有效性。

为打击非法木材砍伐及贸易，新西兰采取了一系列的措施。2004年，在生物多样性保护(CBD)大会第七次会议上，新西兰政府表达了对非法木材采伐的关切。此后，新西兰农林部参与了多次非法木材砍伐及其贸易国际、双边、多边会议，实施可持续森林经营援助项目，特别是着手实施木材公共采购政策。

新西兰森林景观

7.3.1 新西兰临时木材采购政策

2003年6月，新西兰内阁批准了一项临时木材采购政策(Timber and Timber Products Procurement Policy Guidelines)，鼓励政府使用可持续生产的、稳定来源、经过认证的木材。临时政策要求各级政府机关采取各种合理措施，确保所有木材及木制品，包括热带木材及其制品，均来源于合法采伐、可持续方式经营的木材。政策要求政府在木材采购政策中扮演领导者的角色，从而可以鼓励政府各部门在遵守现行的政府采购政策的前提下，采购可持续生产的木材，优先采购经过认证的木材。对于符合要求的木材采购，给予一定的优惠，同时要求兼顾国内产品和进口产品。

新西兰的临时木材采购政策主要对以下几个方面进行规定：

(1)所涉及政府采购部门。木材政府采购中的政府机关主要有：1988政府部门目录表列出的公共服务部门、新西兰国防和警察部门，鼓励其他部门参与。各部门要对最终采购决策负责，如判断第三方认证的可行性、采购的经济效益，以及遵守《新西兰政府采购：采购指南》的具体规定。

(2)采购产品种类。临时政策规定的木材采购范围主要有原木、锯材；胶合板

(plywood and veneers);人造板(fabricated wood);木制品(wooden structural components, fittings and joinery);木制家具(wooden furniture)等。产品具体分类主要有两种:“澳大利亚和新西兰标准工业分类代码(ANZSIC)”适用于国内生产的木材产品;Harmonised System Codes(HSC)适用于进口的木材产品。

(3)政策适用范围/界限。临时采购政策适用于合同金额超过50000美元的木材和木制品采购;也适用于整个供货合同期内采购金额还未确定,但预计每年基本上可能超过50000美元的情况。在实际操作中,要求有关部门采购的木材价值在50000美元以下的也应考虑遵守该政策。政府采购部门不应选择估价、或合同分立的方式,以逃避政策约束。

(4)对供应商的要求。所有投标者和参与者的木材和木制品都要经过相关认证,如没有认证,须提交其他的可证明木材可持续来源的原始证明。例如,新西兰国内生产的、合法采伐的木材,根据《1991年资源管理法案》和《1949年森林法案》可持续管理的相关规定,可视为可持续产品。对供应商所提供的森林认证、监管链认证(Chain of custody certification),或其他可持续来源的证明,投标规程要求进行审查、核实。

临时政策提到的木材和木制品认证体系主要有:森林管理理事会(FSC)、泛欧洲森林认证委员会(PEFC)、美国林场体系(ATFS)、加拿大标准协会(CSA)、美国的可持续林业倡议(SFI)、ECO木材标签、马来西亚木材认证委员会自愿木材认证计划等,对于其他的认证标准,农林部门应该严加审查。

(5)主管部门。各单位应该建立相应的系统来记录合同中所采购的木材和木制品,而且要追踪记录所选择的供应商、认证文件和产品的来源。这些信息最终提交给农林部,同时传达给经济发展部,帮助政府进行监控、评估、回馈“临时政策”的执行情况。环境部也分享这些信息,以评估政府各级部门进行可持续采购的利益。有关木材政府采购政策由农林部负责,一般政府采购政策由经济发展部负责。

(6)现状及后续工作。临时政府采购政策符合经济发展部所制定的一般政府采购政策,以新西兰政府和国际社会所认可的可持续森林经营为基础,要求将与木材采购的有关规定添加到现存的政府采购政策的中去。为了更好地与相关政策影响方进行充分协商,修正政府政策执行方法,临时政策要求用两年的时间来进一步研究、咨询和监控,完善新西兰国内及国际认证体系。在两年的过渡期,政府应:

收集更多的政府部门木材使用信息;

就“怎样才能更好地执行木材采购政策”进行广泛调查;

监控在木材认证方面的进展;

与太平洋岛国协商有关政策的发展。

由于这些国家与新西兰有着密切的联系，因此他们可以依靠木材贸易和自己的能力符合将来的森林管理和木材贸易的相关准则。

两年后，政府官员应汇报进展情况，从而可以全面了解临时木材采购政策存在的问题，为政府"是否应该把采购木材的临时方针变为强制性的政策"提供指导。

目前，该政策执行效果评估已完成，并于2006年1月提交内阁各部长审议。

(7)相关配套政策。在此之前，新西兰政府建立了有关森林可持续经营的各种配套政策，如原始私有林木材生产法定标准，努力参与制定可持续森林经营的国际标准。新西兰在保护和维持自然资源的可持续利用方面占据重要的国际地位，天然林和人工林的可持续经营在很大程度上已经在新西兰付诸了实施。2002年劳动党的环境政策强调，新西兰在帮助各国推动森林资源可持续经营和保护区建立方面起了重要的作用，指出政府的工作就是确保新西兰只进口可持续生产的木材。

7.3.2 新西兰农林部《新西兰打击非法采伐及贸易建议措施》讨论稿

2006年2月，新西兰农林部发布《新西兰打击非法采伐及贸易建议措施》(The Proposed New Zealand Approach towards Addressing Illegal Logging and Associated Trade Activities)讨论稿，公布了新西兰打非法采伐及贸易政策5大目标及实施程序。其中第4个目标就是"提高政府在打击非法采伐及贸易中的作用的意识"，计划2005~2008年，达到以下目标：一是确保新西兰木材政府采购政策的有效实施；二是增强对非法采伐及贸易问题及对各级新西兰政府的影响的认识。

2015年，新西兰政府已决定在政府采购中各部门只能购买合法采伐的木材及用合法木材生产的各种产品。同时，政府还关注产品的材料是否源自于可持续管理的森林。由于进口的非法采伐的木材比较便宜，会危害到新西兰本土的材料产品的生产，已严厉取缔了太平洋地区违法砍伐原木的行为。

第8章　非洲低碳经济政策与行动

非洲大陆是受气候变化影响最为严重的地区。近年来，由于旱灾和涝灾在非洲国家比较普遍，造成粮食产量严重不足，全球气候变暖令非洲的贫穷和饥饿问题进一步恶化。联合国《非洲的弱点和改进》报告、联合国政府间气候变化专门委员会（IPCC）的气候变化评估报告以及一些国际性权威研究结果均表明，非洲的温室气体排放总量约占全世界的4%，但却在承受全球气候变暖造成的恶劣影响方面却首当其冲。非洲是本世纪受全球气候变暖负面影响最严重的重灾区。非洲受全球气候变暖影响，九千万人处境危险。

在非洲，全球气候变暖对经济、社会和环境系统产生了严重的影响。这些影响的直接体现就是自然灾害的频发和非洲大陆自然环境资源的不平衡，干旱、洪水、暴雨和其他气候灾害对人类健康，基础设施，农业生产，食品供应，水、土壤及其他人类生活和经济发展所必需的自然资源，带来长久而直接的威胁。IPCC报告认为，气候变化会导致非洲耕地退化，某些非洲国家的耕地数量甚至可能会减少一半。估计到2080年，非洲的干旱和半干旱地区的面积将会增加6000万~9000万公顷。食品安全问题将会成为一个严重的问题。到2080年，将会有8000万~2亿人受到饥饿的威胁。届时，撒哈拉沙漠以南非洲地区饥民总量将占世界饥民总量的40%~50%，而现在这一比率为25%。有关国际性研究还显示，如果气候进一步变暖，到2080年，非洲的干旱和半干旱地区面积可能将增加5%~8%，进而导致非洲的粮食产量下降，预计本世纪非洲的农业生产率会下降30%。在撒哈拉沙漠以南地区非洲部分国家在农业方面所遭受的损失可能将使其国内生产总值下降2%~7%，气候变暖的负面影响十分严重。全球气候变暖还会导致非洲高海拔地区面临疟疾的威胁，使痢疾、脑膜炎、登革热等疾病更为流行。到2080年前后，受疟疾威胁的非洲人可能将比现在增加8000万。因而，气候变化已经引起了越来越多非洲国家的高度关注。乌干达环境部制定了应对气候变化的行动方案，增加在科技和公众教育领域投资，提高公众对气候变化的认识。赞比亚强调森林在吸收温室气体方面的作用，制订国家应对气候变化的战略。南非自2005年以来每年都召开一次气候变化会议，有关气候变化的白皮书也于2010年完成。

非洲在发展低碳绿色经济方面不甘落后，注重开发清洁能源是非洲国家发展低碳经济的重要体现。生物能源、风能、太阳能和地热等可再生能源逐渐受到青睐。肯尼亚最大电力公司——肯尼亚发电公司计划斥资70亿~80亿美元，投资地热、风能、清洁煤等低碳能源发电项目，争取在2013年前增加2000兆瓦的发电能力。科特迪瓦政府在全国范围内鼓励使用太阳能等清洁能源，并鼓励人们选择公共交通方式出行。此外，尼日利亚、塞内加尔、赞比亚、莫桑比克等国也在大力开发生物能源，埃塞俄比亚和坦桑尼亚计划发展风力发电项目。

8.1 南非低碳经济政策与行动

8.1.1 南非《能源政策白皮书》及相关政策与行动

1998年12月南非公布了《能源政策白皮书》，明确政府煤炭工业发展的政策是：继续保持成功、有竞争的原煤市场；确保国家煤炭资源的有效利用；减少由于燃煤造成的环境污染。在电力工业发展方面，政府保证将采取一切合理的立法和其他措施，在资源允许的情况下，逐步解决所有家庭的用电问题、具体有3方面的内容：①逐步解决经济欠发达地区人民的生活用电问题，提高他们的生活质量，促进经济发展；②打破垄断、引入竞争机制，确保国家电力工业的健康发展；③促进地方电力的发展。

为了确保国家电力发展政策的科学性和正确性，1999年4月南非成立了国家电力发展协调委员会，该委员会的任务是就国家的电力发展战略、国家电力发展计划等重大问题向矿产能源部部长提出咨询意见。它下设一些专工作小组，就专项问题进行研究。南非政府的财政、水利、贸工、住房、公共企业、省级地方政府事业等部门，以及国家电力公司、发展银行、国家电力管理局、独立发展基金会均派代表参加了该委员会。《国家电力发展计划》是南非政府重建和发展计划的重要组成部分。在1994~1999年期间，ESKOM公司累计投资60亿兰特，解决了175万农村居民的用电问题，将全国的电力普及率由36%提高到63%。南非矿产能源部是南非政府矿业资源和能源开发利用的政府主管部门。南非矿产能源部把多快好省发展农村电力的非骨干网放在重要的地位，强调与国家骨干网的协调同步发展，重视太阳能发电以及再生能源的开发，以实现完整的国家电力发展计划。

8.1.2 南非生物质能源相关政策与行动

南非重点发展多元化的绿色能源。南非矿业和能源事务部启动了清洁发展机制，鼓励居民使用太阳能，鼓励企业发展生物柴油，并积极与国外合作进行垃圾发电。南非政府宣布把发展生物燃料作为发展可再生能源的主攻方向，并积极建设生物乙醇工厂。

在政府政策的鼓励下，南非的一些机构开发生物质合成油工艺。南非金山大学是南非最著名的高等学府，培养了五名诺贝尔奖获得者，在合成油工艺研究方面领先。该校材料与工艺合成中心(COMPS)针对生物质合成气的特点专门开发出独到的、适合应用于生物质合成气的费托合成新工艺。费托合成是指将主要含一氧化碳和氢气的合成气转化成为油品的传统化学反应。这项德国早期技术在南非特殊的政治经济情形下得以实现大规模工业化应用，以煤炭为原料得到的费托合成汽油、合成柴油已经在南非连续使用50多年，以天然气为原料的费托合成柴油已经被广泛认可为清洁能源，合成油现占南非油品供应的40%。该工艺理念使用无回路工艺，去除了消耗能源的重整、深冷分离、空气分离等工艺单元，并利用尾气进行发电，提高能源利用效率，降低成本。新工艺对于原料气体的惰性气体含量要求降低，适合于各类合成气体，特别适用于生物质得到的合成气，是高效率节能的新一代费托合成技术。随着化石能源日渐枯竭，价格高涨，可再生能源的开发和利用已经引起了各国政府的重视，作为可再生能源中唯一的物质性能源，以生物质为原料生产的替代液体燃料是可再生能源的重要组成部分。生物质合成油本身不含硫，芳烃含量极低，远远优于目前最严格的燃料标准，其燃烧效能也非常出色。相对于以玉米、甘蔗为原料得到的生物乙醇，以及以油料作物为原料的生物柴油等第一代生物燃料，使用生物质，通过费托合成生产得到的生物质合成油称为第二代生物燃料。稻壳、小麦秸秆、玉米秸秆等农业废料，林区不成材的木材等，都是生物质合成油的原料。生物质合成油理论上可以使用任何生物质作为原料，可使用粮食资源，更可使用生物废料，不与粮食争地。

2009年，南非政府禁止用玉米制造生物燃料。南非开展玉米生物燃料项目具有高度风险，南非政府暂不允许用玉米制造生物燃料的决定是正确的。虽然南非政府积极支持发展生物燃料和可再生能源，但同时把保证粮食安全放在了首位。据统计，南非居民一年要消耗800万~900万t玉米。作为非洲最大的玉米生产国，南非在2007~2008年度收获了1270万t玉米。在过去的两年里，虽然南非的玉米获得了丰收，可以充分满足本国居民的粮食需求。但南非政府还是坚决将玉米从可用来制造生物燃料的农作物名单中排除，因为南非目前的玉米产量尚不足以用来开展生物燃料项目。

2010年，南非尼尔森曼德拉城市大学(NMMU)化学技术研究所(InnoVenton)与开普敦大学化工系合作设计和生产的海藻生物质液化反应器面世，该反应器可以将海藻类生物质转化成生物油和其他产品。曼德拉大学希望尽快将这项绿色技术推广到工业应用领域。

8.2　非洲其他国家低碳经济政策与实践

8.2.1　塞内加尔的可再生能源开发政策

由于没有常规能源资源，塞内加尔几乎 100% 现代能源生产都是以化石燃料为基础的。为了满足现代能源生产的需要，塞内加尔需要进口大量化石燃料，对该国的出口创汇和硬通货而言造成负面影响，也增加了该国面临燃料价格上涨时的脆弱性风险。这种情况要求现代能源生产路径的多样化，这成为目前塞内加尔能源政策的主要目标。

在塞内加尔估计每年实际电力需求增长率高于 7% 。由于获得现代能源被视为人权的一部分，因此政府打算将农村地区的电气化率从现在的 16% 增加到 2020 年的 50% 。这将导致未来对电力的需求急剧增加，政府难以满足。塞内加尔在利用可再生资源生产电力上有巨大的潜力。其北部海岸地区有丰富的风力潜能，并且还有丰富的太阳能和生物质潜能。开发这些可再生资源是很有必要的，因为一方面资源可以就地取材，另一方面，可以避免外部腐败或高价带来的安全性问题。然而，利用可再生资源需要政策的大力支持，而且，政策工具必须能取得预期的效果。塞内加尔需要全国性的可再生能源政策以确保国家范围内的可再生资源能被充分挖掘。这就需要一个优化的能源系统为国家的发展提供所需的现代能源，而这个优化的能源体系是能够将可再生能源和化石燃料能源整合在一起，并将之有效利用以满足国家发展的能源需求。

塞内加尔低碳发展的政策目标是加强电力市场，增加现代能源的可得性，同时保护全球环境并通过引导公共和私人投资于可再生资源的发电实现多样化能源资源的目的。为了实现这个目标，政府已经建立并实施了制度性框架。

电力部门现有的有关可再生能源的成本和购买的相关法律（1998 年 4 月 14 日通过的 98-29 号法律和 2002 年 1 月 10 日通过的 2002-01 号法令）已经更新。新法律为国家电网的运营者规定了义务，即国家电力公司国家所有，电网将购买可再生资源生产的电力。这就保证了独立电力生产商们（IPPs）使用可再生资源。新法律还建立了国家补贴制度以弥补不同地区的成本差额。新法还为生物燃料和可再生资源设立了专门的部委，主要负责政策的实施。

对可再生能源的成本和购买制定法律是塞内加尔政府为开发可再生能源和发展电

力部门而使用的政策工具。由法律和制度组成的法律框架，允许不同的利益相关者在良好的环境里各司其职。这条法律为运营国家电网的公司规定了购买可再生资源的电力产品的义务。它适用于下列可再生资源：

· 微型和小型水电站；
· 风力发电站；
· 太阳能发电；
· 废热回收发电；
· 可再生的生物质能发电。

2014年，塞内加尔政府进一步制定政策促进可再生能源的开发和利用，大力推广安装太阳能节能灯，促进太阳能的开发。

8.2.2 肯尼亚的高效节能炉灶推广政策

在许多非洲国家，将木材作为燃料已经被视为毁林和导致森林退化的原因之一，特别是在那些有大城市的国家(如乍得的恩贾梅纳)尤为如此。事实上，毁林最重要的原因是全非洲92%的木材消费用作燃料，由于会增加温室气体排放，薪材使用在非洲是政府和地方面临的一个主要环境问题，而且，这个问题应该被整合进森林管理和环境保护政策中去。在肯尼亚，对大多数家庭和小型作坊而言，木材是主要的初级能源。这个情况在2000年的能源调查中得以确认。调查发现，在肯尼亚的直接初级能源消费中，生物质能超过了68%。调查还显示89%的农户主要依靠薪材，而82%的城市居民主要依靠木炭满足能源需求。

为了推广高效节能炉灶，肯尼亚政府于2004年出台《第四号能源会议案文》，构架了政府的能源政策，案文指出，木材燃料在未来几年仍将成为基础性燃料来源。考虑到这个因素，案文提出了生物质能开发和发展的相关政策，包括高效炉灶的推广和提高高效炉灶效率的研究开发。政策目的在于促进高效炉灶的推广，主要通过增加炉灶的能效和降低价格的研究和开发活动，使城市和农村的贫困人口都能使用高效炉灶。其目的是到2020年时，木炭灶的使用率能从47%增加到100%。2006年第12号《能源法令》第103章授权能源部促进可再生能源技术的开发，包括生物质能、生物柴油、木炭、薪材、沼气、太阳能和风能。可再生能源定义的扩大使构建可再生能源技术的有效和持续生产、使用和市场化成为可能。在肯尼亚，商业高效炉灶的生产和推广并不享受直接补贴。一开始，这种炉灶很昂贵(约15美元/台)，并且没有对炉灶的生产过程建立质量控制。因此，这种炉灶对于收入较低的人群并不具有吸引力。上世纪80年代早期，补贴和研发开始启动，随着制造商的经验积累和竞争的作用，炉灶的材质和生产过程得到创新，并最终制造出质量较好、品种较多和低成本的炉灶。

肯尼亚裂谷省的欧卡瑞地热电厂二期扩建工程目前已经完成了 70% 的地热井钻探工作，新的地热井预计将在两年内产生 280MW 的电能。肯尼亚从 1981 年开始开发地热资源以来，共钻探了 33 口地热井。由于地热资源不受气候因素影响，发电价格不受国际原油价格波动的干扰，地热发电是肯尼亚目前最便宜的发电方式。肯尼亚地热发电资源非常丰富，共有 7000 兆瓦的地热发电潜力。

第3篇

中国低碳经济政策与实践

第9章 中国低碳经济政策与国内实践

9.1 全球经济发展的新趋势

9.1.1 世界经济增长放缓，发展低碳经济创造新的经济增长点

根据全球主要机构陆续发布的对全球经济增长的预测，国际货币基金组织预测2015和2016年的全球增长率将分别为3.5%和3.7%，联合国预测2015和2016年全球经济增长率将达到3.1%和3.3%，世界银行预测2015和2016年全球经济增长率将达到3.0%和3.3%，世界经济合作与发展组织预测2015和2016年全球经济增长率将达到3.7%和3.9%。国际货币基金组织和经济合作与发展组织预测值为按购买力评价法计算外，其他机构预测值按汇率法计算。根据国际货币基金组织的数据，2013年的世界经济增长率为3.3%，而2014年的增长率为3.3%。

相比2014年10月的《世界经济展望》，国际货币基金组织对中国、俄罗斯、欧元区和日本经济前景作出了重新评估，将预测下调了0.3个百分点。由于供给增加导致油价的大幅下跌，使全球经济得到增长，而一些主要石油出口国的经济活动却也因此减弱，总体看油价下跌对全球增长的促进作用不及负面因素的不利影响，这也是国际货币基金组织下调预测的重要原因。

从各国际组织对未来经济增长的预测可以看出其对全球世界增长的信心，国际组织认为世界经济将重回稳定发展的状态，尤其看好美国经济前景，但仍存在诸多风险和不确定性。相比2014年，国际货币基金组织认为全球经济增长趋势基本符合预期，但主要经济体的增长情况有显著差异。美国的复苏强于预期，但其他主要的经济体(特别是日本)的经济未达到预期。而这些经济体的增长之所以弱于预期，主要是因为它们正在经历对中期增长前景预期减弱的漫长调整过程。许多新兴市场经济体(尤其是商品出口国)的利率和风险利差已经上升，暴露于能源价格风险之下的高收益债券和其他产品的风险利差也已扩大。主要先进经济体的长期政府债券收益率进一步下

降，反映了“避风港”效应和一些经济体经济活动的减弱。全球经济增长的风险分布更加均衡。主要的上行风险是油价下跌对全球增长产生更强的促进作用，尽管石油供给冲击的持续性仍不确定。下行风险与市场情绪的变化和全球金融市场的波动有关，特别是在新兴市场经济体，油价的下跌已经导致其中的石油出口国面临外部和资产负债表方面的脆弱性。在欧元区和日本，经济停滞和低通胀仍值得关注。

9.1.2 能源问题将为各国提出新的问题与机遇，发展低碳经济无可回避

（1）亚太地区将消费中东地区全部的富余石油，2015 年出现拐点。根据英国石油的预测，以及国际能源署 2009 年的预测，到 2015 年，中东石油剩余恰好弥补亚太石油的缺口，这意味着亚太地区的消费者与中东生产商之间牵系更深，并且，俄罗斯将成为亚太地区更重要的能源供给商。另外，西非，西伯利亚东部以及伊拉克北部将成为亚太地区消费者争夺石油供给的重点区域。随着 OECD 以及大西洋国家石油消费的降低，它们在国际石油市场上作为规则制定者的能力将进一步下降。

（2）石油价格的多变将导致在能源市场上更多的政府干预。保守来看，在未来的 5～10 年内，全球将进入严重的石油供给的紧缩期。20 世纪 90 年代印度石油公司以及利比亚国际石油公司所采取的石油投资不足与限制进一步挤压了新的产量。从需求面来看，消费可能随着经济危机的缓解而反弹。随着过剩的原油生产能力的下降，可能出现原油供给中断，如果发生了这种状况，将引起新一轮油价的飙升，并进一步刺激政府对能源市场的更多干预。

（3）更多国家开始关注资源的可用性，不仅仅是能源，还包括矿物。根据英国石油的数据，预估现存资源的使用年限分别为：石油，40 年；天然气，63 年；煤炭，147 年；铀，70 年。对于资源可用性的关注不仅让一国开始审视自身资源的储备量，更引发了全球资源集中区域的新一轮投资。这也导致了各国对现有能源的使用效率更多的关注，对替代能源的开发与利用行动非常积极。

（4）各国在能源和基础设施投资上面临挑战。不论在建筑、交通还是电力基础设施建设方面，各国都面临着史无前例的挑战。从需求趋势来看，对化石燃料生产以及基础设施的投资的需求将极大增长。另外，较高的资本投入，迅速变化的价格，政府政策以及技术革新都会对未来 20 年的需求产生影响。

（5）在能源使用和温室气体排放问题上，国际审查不可避免。不管哥本哈根会议的结果如何，各国的能源使用结构和温室气体排放的问题将持续受到国际的审查。另外一个最受关注的指标是各国及区域层面在生产过程中的能源强度。从 20 世纪 80 年代以来，日本生产过程的能源强度很低，基本没有发生什么变化，同样的，英国、巴

西、法国、美国生产单位美元的能源强度均低于2万BTU。印度略高于此，而中国该数字在80年代接近9万BTU，发展趋势为逐年下降，在2002年左右降至3万BTU，并略有反弹。

(6)可再生能源投资开辟新的发展空间。全球能源领域中可再生能源的增长非常可观，可再生能源产能增长占全球能源产能增长的百分比从2004年的10%增长到2009年的36%。2004年以来，在各部门的清洁能源投资方面均有显著的增长，2008年达到1730亿美元，2009年受到经济危机的影响略有下降，为1620亿美元。2012年，可再生能源为全球总能耗提供了19%的能源。2013年，全球可再生能源(不包括装机超过50MW的大水电项目)和燃料新增投资约2144亿美元。

9.2 中国低碳经济政策与发展实践概述

中国政府积极举措、发展低碳经济。时任国家主席胡锦涛提出科学发展观为中国发展低碳经济实现经济可持续发展指明了方向。科学发展观是指坚持以人为本，全面、协调、可持续的发展观。其中可持续，就是要统筹人与自然和谐发展，处理好经济建设、人口增长与资源利用、生态环境保护的关系，推动整个社会走上生产发展、生活富裕、生态良好的文明发展道路。

另外，胡锦涛同志在党的十七大报告中明确提出“要完善有利于节约能源资源和保护生态环境的法律和政策，加快形成可持续发展体制机制，落实节能减排责任制”。这一讲话表明了党中央发展低碳经济，加快可持续发展的决心。根据UNFCCC和《京都议定书》的有关规定，中国作为发展中国家，可以参加以项目为基础的碳排放交易。世界银行报告预计，2008~2012年，除澳大利亚和美国，平均每年全球减排需求大约为600~1150Mt CO_2。中国积极参与国际社会应对气候变化进程，认真履行《联合国气候变化框架公约》(以下简称《气候公约》)和《京都议定书》(以下简称《议定书》)，在国际合作中发挥着积极的建设性作用。我国作为发展中国家，人均温室气体排放量远远小于发达国家，作为发展中国家，根据《公约》和《京都议定书》的规定，没有义务减少或限制温室气体排放。作为一个负责任的发展中国家，自1992年联合国环境与发展大会以后，中国政府率先组织制定了《中国21世纪议程——中国21世纪人口、环境与发展白皮书》，并从国情出发采取了一系列政策措施，把建设生态文明确定为一项战略任务，强调要坚持节约资源和保护环境的基本国策，努力形成节约能源资源和保护生态环境的产业结构、增长方式、消费模式。

2004年11月，中国政府公布了《节能中长期专项规划》。目标是要通过全社会各方面的努力，尽快地扭转近年来能源消费弹性系数大于1的趋势，使2010年中国的GDP能源强度从2003年的2.68tce/万元下降到2.25tce/万元，使同期的年均节能率达到2.2%，并争取在2010~2020年的10年中把年均节能率进一步提高到3%，使2020年的能源强度下降到1.54tce/万元。2005年2月28日，中国已经正式颁布了《可再生能源法》。2005年7月，中国、美国、日本、印度、澳大利亚和韩国六国发表了《亚太清洁发展和气候新伙伴计划意向宣言》，这实际上是个联合技术研究和开发协定；2005年9月，中国和欧盟发表了《中国和欧盟气候变化联合宣言》，确定中欧将在低碳技术的开发、应用和转让方面加强务实合作，尤其是在提高能源效率、促进可再生能源开发方面加强合作，促进低碳经济发展。

2006年年底，科技部、中国气象局、发改委、国家环保总局等六部委联合发布了我国第一部《气候变化国家评估报告》。2007年4月，低碳经济和中国能源与环境政策研讨会在北京举行。2007年8月，国家发改委发布《可再生能源中长期发展规划》，可再生能源占能源消费总量的比例将从目前的7%大幅增加到2010年的10%和2020年的15%；优先开发水力和风力作为可再生能源；为达到此目标，到2020年共需投资2万亿元；国家将出台各种税收和财政激励措施，包括补贴和税收减免，还将出台市场导向的优惠政策，包括设定可再生能源发电的较高售价。2007年9月8日，亚太经合组织第十五次领导人非正式会议8日在澳大利亚悉尼召开，时任国家主席胡锦涛出席当天举行的第一阶段会议并发表重要讲话，提四项建议应对全球气候变化，其中提出：应该加强研发和推广节能技术、环保技术、低碳能源技术，并建议建立“亚太森林恢复与可持续管理网络”，共同促进亚太地区森林恢复和增长，增加碳汇，减缓气候变化。胡锦涛指出：中国将坚持科学发展观，贯彻节约资源和保护环境的基本国策，把人与自然和谐发展作为重要理念，促进经济发展与人口资源环境相协调，走生产发展、生活富裕、生态良好的文明发展道路。中国将把可持续发展作为经济社会发展的重要目标，充分发挥科技创新在减缓和适应气候变化中的先导性、基础性作用，开展全民气候变化宣传教育，继续推动并参与国际合作。

2008年1月清华大学低碳能源实验室在京成立。同月国家发改委和WWF(世界自然基金会)共同选定了上海和保定作为低碳城市发展项目试点，由国家发改委、建设部、科技部、环保总局、商务部等专家组成的项目技术顾问组也正式亮相。国家发改委能源研究所副所长李俊峰表示，低碳发展是中国在城市化和工业化进程中控制温室气体排放的必然选择，也会是全球应对气候变化的重要行动之一。2008年3月，SEE与TCG举办“中国企业与低碳经济”论坛，中国企业了解了国际低碳经济发展的情况，探讨中国企业在低碳经济发展的作用。2008年4月，由众多专家、学者牵头，在各部门关注和关心下，中国低碳网 www.ditan360.com 成立。同月，国合会(中国环境与发展国际合作委员会)首次圆桌会议在北京召开。

发展低碳经济，建设低碳社会已经成为我国的战略重点和全民教育重要方向。

9.2.1 全方位动员，中国积极应对气候变化

中央政府及各部委层面，中央政府已经开始从战略高度、组织保障、国际合作等方面提出应对气候变化的方案。2007年，中国成立了“国家应对气候变化及节能减排工作领导小组”。从针对气候变化的立法与政策性文件方面来看，中国陆续通过了《中华人民共和国科学技术进步法(修订草案)》(2007，国务院)、《中国应对气候变化国家方案》(2007年，国家发改委)、《中国应对气候变化科技专项行动》(2007年，国家科技部)、《中国应对气候变化的政策与行动》白皮书(2008，国务院)，《规划环境影响评价条例(草案)》(2009，国务院)。国家环保总局(2008)提出加强生物多样性相关工作，国家水利部(2008)指出应对气候变化与保障中国经济社会发展的水安全，国家海洋局(2009)成立海洋领域应对气候变化领导小组，建设部、交通部等国家部委也开始关注应对气候变化问题。中国应对气候变化的政策的重点在于节约资源、环境保护和促进技术研发。学者在国家行动方面提出的具体建议涉及下列方面：构建新能源战略[可再生能源(2007)、生物质能源、绿色能源(段茂盛，2007；徐华清，2007；高涛、乌兰等，2009)、增效节能(昊坤，2010)]、中国减缓碳排放与可持续发展(何建坤、刘滨等，2006；2007)、完善资金机制(中国清洁发展机制基金)(巨奎林，2007)、开展国内减灾活动(王振耀，2007)、进行技术资助和技术创新研发与国际技术合作(邹骥、徐燕，2005)、建立国内应对气候变化的相关法律法规(焦冶，2008)和伞状法律体系(徐寅杰、林震，2010)、参与国际气候变化谈判(王礼茂，2005)。

地方政府层面，有学者提出了包括绿色城市的构建与当地资源相结合共同应对气候变化的若干做法与建议，例如构建贵州木本生物质资源林的做法(张利群、何薇薇，2007)、湖北省适应和减缓气候变化的应对方案(潘家华、赵行姝等，2008)、内蒙古构建绿色能源和能源领域，统筹规划建设宁夏碳功能区，论证建设江西生态文明战略(陈双溪，2008)，建议西部应在应对气候变化方面有所作为(王天津，2008)。地方政府提出了构想并制定了各地的行动计划与地方方案。吉林省提出强化防灾减灾工作，大连等城市均提出了建设绿色城市的愿景，广东省拟增进气象相关工作(杜尧东、肖永彪等，2008)，青海省出台《青海省应对气候变化地方方案》。有学者对地方政府行为的影响因素进行了分析，通过一个 MPC-IC 模型分析其内在机制，提出中央政府仍

将在指导国家应对气候变化中扮演重要角色，而地区和地方政府需要进一步发挥主动性应对气候变化(张焕波与马丽等，2009)。

部门层面，各部门均开始研究应对气候变化的思考及举措。林业部门开始关注气候变化中林业的基本定位和重大作用(高均凯，2005；贾治邦，2008；2010)、林业应对气候变化尤其是森林固碳的特殊作用(韦荣华，2007；程鹏，2009)措施与成效(杨锋伟、王兵等，2009)与前景、发展碳汇林业(张科、黄以平等，2008；李怒云、杨炎朝等，2010；铁铮、耿国彪，2010)、加强防治荒漠化和干旱的工作力度(汤家礼，2009)以及林业绿色就业的问题(柯水发、潘晨光等，2010)。2009年11月中国林业产权交易所在北京成立，2009年国家林业局发布了《应对气候变化林业行动计划》；农业部门方面，学者提出农业产业应对气候变化的开发思路与方法措施(唐海峰，2008)，发展低碳农业(梁宝忠，2010)等。2013年，国家林业局发布了《2013年林业应对气候变化政策与行动白皮书》。

企业层面。一些企业开始关注气候变化的机遇与挑战，并采取主动措施降低气候变化可能带来的风险等。如汇丰将积极采取措施以降低由气候变化所可能带来的商业风险，主动减排，探索低碳经济发展所带来的商业机遇，并为其客户指出由于气候变化而可能产生的机遇与风险(邓梁春，2007)，在中国设立区域性气候研究中心等。沃尔沃卡车大中国区总裁何伯格(Fredrik Hogberg)提出减排倡导(2007)。2013年，万科等300多家企业和非政府组织宣布成立中国低碳联盟。

国际合作层面。中国除了积极参与国际减缓气候变化的相关公约之外，目前还与美欧进行了一些合作获得资金，并从世界银行获得贷款。根据欧盟与中国签署的中国气候变化框架贷款(CCCFL)协议，欧洲投资银行向中方提供总额达2.2亿欧元贷款来减轻气候变化的影响。2009年世界银行贷款林业综合发展项目在中国的5个省正式实施，实施期为6年，总投资约2亿美元，通过新造多功能人工林及改造现有人工林提高项目区森林覆盖率。2013年，中美两国政府发表了《气候变化联合声明》建立了中美气候变化工作组。中国政府与英国、德国、丹麦等政府分别签署了框架协议并进行项目合作。

9.2.2 中国积极承担碳减排责任

低碳中国是一个具有更大的服务产业、更先进的劳动者技能和更少环境退化的国家，这种转变是中国发展过程中必不可少的组成部分。中国经济50人论坛课题小组提出建议新增第三种协作减排机制“国家间协作减排计划”(ICP)，强调发达经济体和发展中国家在碳减排中承担“共同但有区别的责任”，以促进发达经济体按其应负起的责任，进行必要的资金与技术转移，与发展中国家合作实现更多的减排。

联合国气候变化大会在丹麦哥本哈根召开当日，中国经济50人论坛与瑞典斯德哥尔摩国际环境研究院共同发表的《走向清洁——中国低碳发展的经济学研究》报告显示，中国在主要的高碳强度行业急剧削减碳排放，同时仍然保持经济增长和实现其发展愿望是可行的。这份由中国、瑞典、德国、英国和美国专家共同完成的报告指出，中国通过提高能效和发展清洁技术等途径，可以实现2050年全球升温低于2℃的目标所要求的减排。中国在建筑、工业、交通和电力行业均有很大的减排潜力。中国将受益于早减排，立即行动是保证全球升温低于2℃可能性的关键。

中国一方面全力推动工业化和城镇化，努力维持可吸纳大量剩余劳动力的经济增速，另一方面在控制人口上做足文章。过去20年，中国人均GDP每年增加9%，人口总量每年却增加不到1%。自20世纪70年代以来，中国通过计划生育，累计少出生3亿多人口，相当于减少两成左右的二氧化碳排放，这是中国对世界控制温室气体排放做出的第一大贡献。其次，通过植树造林、保护天然林、退耕还林还草、草原建设以及建设自然保护区等生态保护政策，中国积极发展森林碳汇。根据第六次全国森林资源调查和专家估算，中国人工造林保存面积达到5400万公顷，森林蓄积量15亿立方米，1980~2005年间累计净吸收51亿t二氧化碳，相当于同期中国二氧化碳排放总量的十分之一左右。中国计划到2020年再增加74%的森林面积和87%的森林蓄积量。总的来说，中国通过控制人口和发展森林碳汇，在2005年一共减少二氧化碳排放约20亿t，相当于当年二氧化碳总排放量的一半；到2020年可减少二氧化碳排放32亿t，相当于当年二氧化碳总排放量的三分之一以上。这些都是中国对全球应对气候问题的实际贡献，比减排承诺还要大得多。

9.3 中国低碳经济政策及行动实践

9.3.1 中国可再生能源政策及行动

9.3.1.1 中国可再生能源政策

我国政府高度重视可再生能源的研究与开发。我国能源需求的急剧增长打破了我国长期以来自给自足的能源供应格局，自1993年起我国成为石油净进口国，且石油进口量逐年增加，使得我国接入世界能源市场的竞争。由于我国化石能源尤其是石油和天然气生产量的相对不足，未来我国能源供给对国际市场的依赖程度将越来越高，国际贸易存在着很多的不确定因素，国际能源价格有可能随着国际和平环境的改善而趋于稳定，但也有可能随着国际局势的动荡而波动。今后国际石油市场的不稳定以及油价波动都将严重影响我国的石油供给，对经济社会造成很大的冲击。大力发展可再生能源可相对减少我国能源需求中化石能源的比例和对进口能源的依赖程度，提高我国能源、经济安全。因此，可再生能源对于我国未来的能源安全至关重要。

新能源(或称可再生能源)主要有：太阳能、风能、地热能、生物质能等。生物质能在经过了几十年的探索后，国内外许多专家都表示这种能源方式不能大力发展，它不但会抢夺人类赖以生存的土地资源，更将会导致社会不健康发展；地热能的开发和空调的使用具有同样特性，如大规模开发必将导致区域地面表层土壤环境遭到破坏，必将引起再一次生态环境变化；而风能和太阳能对于地球来讲是取之不尽、用之不竭的健康能源，它们必将成为今后替代能源主流。

总体而言，在促进低碳经济发展方面，我国有关的立法工作包括：

《中华人民共和国清洁生产促进法》(2003年1月1日施行)、《中华人民共和国促进循环经济法》已经审议通过(2009年1月1日施行)，成为我国发展节能减排，发展低碳经济的一个基本的法制保障；《中华人民共和国能源法》正在起草。能源法作为能源领域的基本法，是促进我国能源发展战略实施的重要注律基础。经国务院批准，2007年1月，跨部门的能源法起草组成立，国家能源办、国家发改委、国务院法制办等15个部门为起草组成员单位。能源法草案征求意见稿由国家能源办于2007年12月3日对外公布，广泛征求社会各方面的意见，并根据各方面的意见对草案建议稿进行修改。

2005年2月28日，中国正式颁布了《可再生能源法》。《可再生能源法》与《节约能源法》（已修订）配套规范性文件的抓紧制定等。此外，我国还将在下一步适时开展一些环境和资源领域法律的修改工作，比如《环境保护法》《环境影响评价法》《大气污染防治法》《矿产资源法》《煤炭法》《电力法》等，抓紧制定和修订节约用电管理办法、节约石油管理办法、建筑节能管理条例等，强化清洁能源、低碳能源开发和利用的鼓励政策。在具体实践中，中国政府支持在农村和边远地区开发利用生物质能、太阳能、风能、地热能等新能源和可再生能源；中国政府积极引进先进的风能技术，进行了许多项技术示范工程，推动风电的发展。近年来，中国政府还开展了十万千瓦级风电场特许权的试点工作，用市场手段促进风电的发展。

2006年年底，我国已经建设农村户用沼气池1870万口，生活污水净化沼气池14万处，畜禽养殖场和工业废水沼气工程2000多处，年产沼气约90亿立方米，为近8000万农村人口提供了优质生活燃料。中国已经开发出多种固定床和流化床气化炉，以秸秆、木屑、稻壳、树枝为原料生产燃气。2006年用于木材和农副产品烘干的有800多台，村镇级秸秆气化集中供气系统近600处，年生产生物质燃气2000万立方米。

通过开发利用森林能源、降低碳排放大有可为。我国已发展薪炭林540万公顷，年生长量约达到1.8亿t，计划到2010年，薪炭林将达到860万公顷。利用这些林业资源，建立能源工厂，将这些生物质热解处理，气体可作为民用煤气，热解的固体木炭进一步加工成化工产品，既可以解决缺少能源的矛盾，又可以为农村劳动力创造就业机会。

我国政府计划到2020年风能发电装机容量由2000万千瓦增加到3000万千瓦。我国拥有丰富的可再生资源，具备发展可再生能源的资源禀赋，而且在新能源开发利用方面积累了丰富的技术经验，可以实现新能源产业的跨越式发展。2005年《中华人民共和国可再生能源法》的颁布，刺激风电迅猛发展，2005年装机容量比2004年增加了64.9%。因此，建议实行积极的新能源发展规划目标，以至少不低于国际同期平均发展水平来规划新能源发展战略。此外，可通过建立新能源发展评价指标体系，加强《中华人民共和国可再生能源法》的执行力度。在发展新能源过程中，一方面需要政府科学规划新能源的发展目标；另一方面需要政府转换职能，让出更多的治理空间，充分发挥新能源行业协会和商会在行业自律、产品标准、资质认证、政策研究等方面的作用，发挥市场机制在资源配置中的作用，促进新能源产业的健康发展。

我国《可再生能源发电价格和费用分摊管理试行办法》中规定光伏、生物质等可再生能源上网电价采用政府保护价，而独独对风电上网电价采用市场指导价，这一规定不利于风电的发展。从风电发展最好的德国、西班牙来看，上网电价实施政府保护价是发展新能源电力最好的政策，固定电价使投资者的利润得到保证，而成为激发新能源投资的不竭动力。因此，为了继续保持高涨的风电投资，必须对风电上网电价也采用固定保护价。

9.3.1.2 中国可再生能源技术发展

中国科技部在相关科技计划中，已经对节能和清洁能源、可再生能源、核能、碳捕集和封存、清洁汽车等具有战略意义的低碳前沿技术开发进行了部署并加大了投入力度。中国在低碳技术领域的自主创新能力正在快速提高，一大批成熟的低碳技术正在得到推广和应用，新的更有效的低碳技术正在国家的大力支持下研发出来并产业化应用。

2008年1月份，清华大学低碳能源实验室正式成立，清华大学校长顾秉林院士表示，清华大学低碳能源实验室将重点研究我国未来能源和节能减排的关键科学问题、先端技术问题、发展战略和技术路线，通过与企业合作实现重大技术集成和产品示范。

2008年8月北京奥运会最大限度地应用“零排放、无污染”燃料电池汽车，用以承担运动员、教练员、媒体记者、场地工作人员以及观众的运送工作和物流、后勤等服务任务，以充分体现“绿色奥运、科技奥运、人文奥运”理念。科技部还实施了科技奥运行动计划，应用绿色能源、清洁汽车、节水循环、节电照明、智能交通等，既节能又环保，是国内“低碳技术”综合应用的一个特例。

在可再生能源的应用方面，中国拥有五家世界上最为庞大的太阳能公司，风力发电的规模也类似。很多中国煤炭企业拥有相当先进的脱硫技术，但是他们为了节省成本而不加以使用，可见技术不是最大的瓶颈，重要的是要建立一套适合低碳技术应用的管理体制和运行机制，同时还需要有效解决成本问题。

二氧化碳绿色化利用不仅是履行《联合国气候变化框架公约》和《京都议定书》的最佳途径，也是缓解石油资源逐渐匮乏和发展低碳经济的策略。若2020年能通过二氧化碳绿色化利用将360万t二氧化碳转化为1300多万t精细化工产品和功能新材料，每年可增加两三千亿元的产值。石油化工行业是仅次于钢铁行业的二氧化碳第二大排放行业，二氧化碳的绿色化利用对于化工行业节能减排意义非凡。中国工程院院士金涌说，中国现在二氧化碳排放量达50多亿t，位居世界第二，很快就会超过美国成为世界第一。中国二氧化碳回收利用总量和应用领域均与西方国家有较大差距，因此二氧化碳的绿色化利用意义更加重大。目前中国二氧化碳绿色化利用研究已经取得了一定的成果，可以获得上千种化学品。国内在将二氧化碳作为超临界溶剂和介质使用的问题上，已经进行了比较深入的研究。

中国一些太阳能技术发展已相当成熟，如太阳能平板型和真空管型集热器大量出口欧美，供不应求。先进的太阳能技术还促使中国从传统太阳能被动采暖建筑发展成为集成太阳能光电、热水、制冷空调、通风降温和可控自然采光等新技术建筑，加上和浅层地能、风能、生物质能等广义太阳能技术结合，形成了科技含量高、资源消耗低、环境负荷小的适宜建筑技术。未来几年，中国太阳能电池的生产能力有可能取代欧洲和日本，成为世界第一大生产国，但中国太阳能电池的市场规模并不大，现在中国太阳能电池的应用需求仅为10～20MW，太阳能电池造价高是最重要的限制因素。而中国尚未给予太阳能发电以优惠补贴政策。已经大规模产业化的太阳能电池主要为晶体硅太阳能电池，而这种电池造价昂贵。随着低成本的需求扩大，薄膜太阳能电池逐渐浮出水面，这种电池造价较低，仅为晶体硅电池的1/3～1/2，但是由于技术限制，这种电池的效率目前不是很高。

中国目前发展低碳经济的重点在于煤炭的洁净高效利用和节能减排。多年来，煤炭清洁、高效利用受到世界各国的普遍重视。现代煤炭清洁转化实际上是指以煤气化为基础，以实现二氧化碳零排放为目标，将高碳能源转化为低碳能源的新型煤化工技术。截至目前，在世界范围内比较成熟的煤资源清洁转化技术有6种，并且这些技术大都实现了产业化生产。这6种技术分别为：煤气化技术，煤液化技术，煤制甲醇、二甲醚(DME)、烯烃(MTO)等技术，煤制合成天然气技术，煤制氢技术，二氧化碳捕获与贮存(CCS)技术。煤炭的清洁转化已成为中国能源战略的重要内容，中国政府1994年就已经将煤炭的清洁转化和高效利用列入《中国21世纪议程》，近年来又明确提出要稳步推进煤炭液化和煤制烯烃示范工程建设。

9.3.1.3 中国环境交易所

碳交易把原本一直游离在资产负债表外的气候变化因素纳入了企业的资产负债表，改变了企业的收支结构。而碳交易市场的存在则为碳资产的定价和流通创造了条件。本质上，碳交易是一种金融活动，但与一般的金融活动相比，它更紧密地连接了金融资本与基于绿色技术的实体经济：一方面金融资本直接或间接投资于创造碳资产的项目与企业；另一方面来自不同项目和企业产生的减排量进入碳金融市场进行交易，被开发成标准的金融工具。碳交易将金融资本和实体经济联通起来，通过金融资本的力量引导实体经济的发展。这是虚拟经济与实体经济的有机结合，代表了未来世界经济的发展方向。

中国是全球第二大温室气体排放国，虽然没有减排约束，但中国被许多国家看做是最具潜力的减排市场。联合国开发计划署的统计显示，截至2008年，中国提供的二氧化碳减排量已占到全球市场的1/3左右，预计到2012年，中国将占联合国发放全部排放指标的41%。近两年来中国在清洁发展机制项目及核证减排量供应量方面已领先全球。2007年中国清洁发展机制项目产生的核证减排量的成交量已占世界总成交量得73%，2008年更是惊人占到84%。显然，中国的实体经济企业为碳市场创造了众多减排额，但一个极为重要的问题是中国处在整个碳交易产业链的最底端。于是，中国创造的核证减排量被发达国家以低廉的价格购买后，通过他们的金融机构的包装、开发成为价格更高的金融产品、衍生产品及担保产品进行交易。不仅如此，他们还正在全力吸引中国的金融机构参与到他们所建立的碳金融市场中，进而赚取中国资本的利润。这就像中国为发达国家提供众多原材料与初级产品，发达国家再出售给中国高端产品，赚取“剪刀差”利润。

在中国，越来越多的企业正在积极参与碳交易。2005年10月，中国最大的氟利昂制造公司山东省东岳化工集团与日本最大的钢铁公司新日铁和三菱商事合作，展开温室气体排放权交易业务。2012年年底，这两家公司获得5500万t二氧化碳当量的排放量，此项目涉及温室气体排放权的规模每年将达到1000万t，是目前全世界最大的温室气体排放项目。

2005年12月19日，江苏梅兰化工股份有限公司和常熟三爱富中昊化工新材料有限公司与世界银行伞型碳基金签订了总额达7.75亿欧元(折合9.3亿美元)的碳减排购买协议。这笔创纪录的温室气体排放交易，能帮助这两家中国企业在未来七年中每年减少1900万t二氧化碳当量的排放量。

自2006年10月19日起，一场“碳风暴”在北京、成都、重庆等地刮起。掀起这场“碳风暴”的是由15家英国碳基金公司和服务机构组成的、有史以来最大的求购二氧化碳排放权的英国气候经济代表团。这些手握数十亿美元采购二氧化碳减排权的国际买家，所到之处均引起了众多中国工业企业的关注。

2008年8月29日，中华人民共和国第十一届全国人民代表大会常务委员会第四次会议通过了《中华人民共和国循环经济促进法》的实施还有市场的需求催生出了三家环境交易所。

2008年8月5日，北京环境交易所和上海环境能源交易所同时挂牌。这是以温室气体排放权为交易对象新兴的交易平台。碳排放配额可以在该机构公开出售，通过交易所交易提高了交易操作的规范程度，改变了交易不透明现象，从而有望改变过去国内碳排放交易价格远低于国际交易价格的局面。业内人士表示，目前发达国家的温室气体减排成本要远远高于发展中国家。对于中国来说，与境外排放技术较为成熟的国家建立环境权益交易是一个双赢的选择。从市场构成的三要素来说，在这一交易平台上，交易商品是二氧化碳的排放权；买方主要是发达国家的企业，这些企业通常已达到较高的减排水平，但同国内其他企业相比较，其碳的排放量仍然很大；而卖方则来自于中国国内一些排碳大户，能耗值高，排放量大，更多的应来自西部省区地方政府，开展生态恢复，种树植草。该市场将会随着需求与供给的不断变化和价格的变动，整体运转起来。但是碳减排交易看起来虽然商机无限，实则也有着很多不确定因素和问题。

2008年8月6日，环境保护部和财政部在北京召开了关于《天津滨海新区开展排放权交易综合试点的总体方案》的专家论证会，天津排放权交易所总体方案通过专家论证；2008年9月25日，天津排放权交易所在天津滨海新区正式揭牌；这几家环境交易所的成立为“低碳技术”产权的转让和推广应用提供了一个市场化的平台，因为有竞争，所以“低碳技术”的价格会在市场的自动调节下趋于合理化，当然同时也需要政府宏观上进行调控。“低碳技术”跨国公司的成立有助于低碳技术的产权转让和低碳技术的推广和应用，所以，要尽快出台相关政策鼓励低碳技术跨国公司的成立。国际上早在2003年，就已经成立了全球第一家气候交易所——芝加哥气候交易所(CCX)，这是全球第一个也是北美唯一一个自愿性参与温室气体减排量交易并对减排量承担法律约束力的组织和市场交易平台。接着又连续有欧盟的EU ETS 、澳大利亚的New South Wales 、美国的Chicago Climate Exchange 和英国的UK ETS 等碳金融机构成立。另外还有其他很多知名的金融机构活跃在这些市场上，包括荷兰银行(ABNAMRO)、巴克利(Barclays Capital)、高盛(Goldman Sachs)、MorganStanley 、UBS 等等。这些碳金融机构的成立和运转，为低碳技术的研发、推广、应用提供了一个有力的平台，为全球的环保事业作出了贡献。政府还需出台进一步的具体政策，来规范这些市场中介交易机构的运作，推动这些交易机构到各个省(自治区、直辖市)、市(地)建立子机构，形成一个全国范围的，甚至是全球范围的市场中介机构交易网，鼓励它们发挥出最佳作用，以利于低碳技术的研发、推广和应用。

2009年，中国首笔碳中和交易成功。2009年9月18日，上海济丰、天津排放权交易所和通标标准技术服务有限公司(SGS - CSTC)签订《碳中和综合服务协议》。协议约定，由天津排放权交易所为上海济丰提供碳中和综合服务，包括组织战略合作伙伴提供碳盘查和碳中和标识授予服务、通过会员及合作网络撮合高品质的自愿减排指标交易、设计交易流程、提供交易结算服务等。根据协议约定，SGS - CSTC 按照ISO14064 - 1：2006规定，为上海济丰进行碳盘查，并于2009年10月9日出具温室气体盘查报告，确认上海济丰于2008年1月1日至2009年6月30日产生的碳排放量为6266t，涉及CO_2、CH_4、N_2O、HFCs、PFCs、SF_6等六种温室气体，主要来自锅炉、用电、自用车辆、污水处理厂、厌氧槽、电焊、消防、差旅飞行和废料处理等。2009年11月13日，上海济丰、天津排放权交易所和厦门赫仕环境工程有限公司签订《碳中和交易合同》，SGS - CSTC 和福建省顺昌洋口水电有限责任公司分别作为见证方和业主方在合同上签章。2009年11月17日，上海济丰包装纸业股份有限公司(上海济丰)委托天津排放权交易所以上海济丰名义在自愿碳标准(VCS)APX 登记处注销一笔6266自愿碳指标(VCU)，抵消上海济丰2008年1月1日至2009年6月30日产生的碳排放量。上海济丰为此通过天津排放权交易所向厦门赫仕环境工程有限公司支付相应交易对价。

2011年，国家发改委在北京、天津、上海、重庆、深圳、广东和湖北等7省(直辖市)开展了碳排放权交易试点工作，目前已有6个地区正式启动碳交易。同时，国家发改委还启动了自愿减排项目的申报、审定、备案和签发工作，公布了行业温室气体排放核算指南，为建设未来全国统一的碳市场打下基础。

2012年6月13日，国家发改委公布《温室气体自愿减排交易管理暂行办法》之后，中国自愿减排交易体系建设在2013年步入快车道。在2013年，国家发改委备案并公布了5家自愿减排交易机构、两批3家审定与核证机构、两批54个方法学，上线自愿减排交易信息平台并公示一批自愿减排审定项目。

国内自愿减排交易的推进，不仅有利于推动节能减排工作的开展，也将会成为“两省五市”碳排放权交易试点的重要补充。目前，各碳排放权交易试点均允许控排企业使用自愿减排项目产生的国家核证自愿减排量(CCER)来部分抵扣其排放量，使用比例为5%~10%。

2013年10月24日，中国自愿减排交易信息平台上线后，自愿减排项目陆续在信息平台上进行公示。截至2013年12月31日，已经有52个审定项目进行了公示。公示的项目以可再生能源发电项目居多，其中风电、水电和光伏项目的数量合计占到了总数的约78%。值得注意的是，广东长隆碳汇造林项目成为我国第一个也是目前唯一一个碳汇自愿减排项目。从项目地域分布来说，碳排放权交易试点中对本地CCER有较高使用比例的广东、湖北两省申请注册的项目最多，分别达到7个和6个，四川、甘肃、河北、云南等传统的CDM大省项目也占较大比重。以上52个项目截至2013年12月31日的减排量如果能够全部签发，产生的CCER将达到1500万吨左右。在这52个项目中，获得联合国CDM执行理事会注册的项目有30个，约占项目总数的58%，其中有17个项目是在联合国CDM执行理事会注册前产生减排量的项目。除了这17个项目外，剩余35个项目预计产生的年减排量为342万吨。

2014年，国务院发布了《2014~2015年节能减排低碳发展行动方案》，进一步明确了这两年节能减排低碳发展的目标任务，重点推动强化节能低碳目标责任、控制能源消费增量等工作。

截至2013年年底，深圳、上海、北京、广东和天津先后启动了地方碳交易市场，正式上线交易。2014年第二季度，湖北和重庆相继正式启动上线交易。地方碳交易试点的运行标志着中国利用市场机制推进绿色低碳发展迈出了具有开创性和重要意义的一步，是中国应对气候变化领域一项重大的体制创新。通过试点省市的积极探索，目前已基本形成了具有一定约束力的、由强度目标转换成绝对总量控制目标的、覆盖部分经济部门的“上限-交易(Cap-Trade)”交易和政策体系，建立了坚实的技术基础和能力。各试点省市均通过场内交易完成了碳定价，带动相关产业发展，企业意识有了显著提高。截至2014年10月底，7个试点省市碳交易市场共交易1375万吨二氧化碳，累计成交金额突破5亿元。

利用碳交易市场机制，借助绿色利益驱动，是发展低碳经济的必由之路。为此，中国在构建一整套与发展全国统一碳市场相关的法律法规体系，因为碳排放权的稀缺性来自强制性设立的排放上限。当前，不仅要发挥现有的排放权交易所、CDM 技术服务中心等机构在构建区域性的信息平台和交易平台的作用，而且要鼓励全国各个地区，特别是长江三角洲和珠江三角洲地区积极构建碳交易区域市场；因为没有众多的区域市场，不可能有统一的国内市场。积极构建作为碳市场之雏形的碳交易试验平台，在目前排污权交易——主要是二氧化硫、化学需氧量试点交易不断完善和推进的基础上，逐步推进节能量等其他创新产品的交易。

9.3.1.4 中国节能投资公司

中国节能投资公司是中央企业中专注于从事节能减排和环境保护的专业化集团之一，从1988年成立至今，一直致力于推动我国节能环保产业升级，推广节能环保技术，建设重大节能环保项目，共建成重大节能和环保工程3000余项，为降低能源消耗和减少二氧化碳排放做出了贡献。

目前，中国节能投资公司的主营业务分布于三大板块，即节能减排技术服务、环境保护（废水、固体废弃物、废气——三废治理）、清洁技术与新能源。近年来，中国节能投资公司高度重视开发节能环保新技术并取得以下成果。

一是垃圾污泥发电技术。污泥含水率高、易腐败、有恶臭，含有重金属等有毒化学物质和病原微生物，随意处置存在较高的二次污染风险。该厂在绍兴采用流化床焚烧技术，将垃圾和污泥混烧发电。共建设3台国产化日处理垃圾400t/天的循环流化床垃圾焚烧炉，同时配套建设2×12MW 抽凝汽式汽轮机发电机组以及相应的环保、电力、污水处理、垃圾预处理等辅助配套措施。工程投产后，一天就可节约原煤450t，每年节约原煤13.5万t。

二是磁悬浮风力发电机组。该厂与合作单位共同开发磁悬浮风力发电机组，利用磁悬浮支撑技术将机组转动部分悬浮起来，取代了常规轴承，消除了轴承摩擦阻力，实现风机的无阻尼运转。在相同风速情况下，转速平均提高10%以上。真正实现“微风启动，轻风发电”，年可发电可由原来的2000~2200h提高到3200~6500h。

三是啤酒企业节能技术。引进日本啤酒工业节能的先进技术，通过合同能源管理方式帮助啤酒厂建设蒸汽回收装置、节能的水冷系统、理想的杀菌系统等设施，至少可以消减30%~40%的能耗。

四是开发通信行业的基站节能技术。与科研单位合作开发了热管/制冷复合型空调机组，用于基站节能。这种空调机组主要有两种工作模式，即制冷模式（制冷循环）和热管模式（自然循环），根据室内外温度和室内负荷情况，机组选择性的运行于制冷模式或热管模式，在保证室内降温要求的前提下达到节能运行的目标。软件模拟分析和基站试用结果都表明，这种空调使基站节能40%以上。

五是蓝藻治理技术。与日本公司合作，采用NAC系统治理蓝藻。这项技术治理蓝藻的原理是首先通过臭氧清除污染源，高效分解有机物、在短时间内同时杀菌、脱色、除臭。第二步是对经臭氧处理后的有机及无机物固状物质，通过气浮分离法，回收其中的磷成分，实现资源的有效回收利用。第三步是向贫氧状态的湖泊供应高浓度含氧水，迅速恢复其自净能力。

9.3.2　中国碳税的发展

1978年12月31日中共中央批转国务院环境变化领导小组的《环境工作变化工作汇报要点》，这是中国政府首次颁发的排污收费的正式文件。1979年9月颁布的《环境保护法(试行)》，对排污收费制度进行了明确规定。1982年2月5日，国务院批准并发布了《排污收费暂行办法》，并于当年7月1日开始在全国实行，意味着排污收费制度在中国正式建立运行。从政策含义上看，这一制度规定所依据的经济激励原则是谁污染谁治理，类似于“排污者付费原则”。在某种意义上说，它与庇古税多有类同之处，如政府干预、仅涉及排污方、不考虑产权问题等。但在实际上，却与庇古税有着较大的区别，这是因为排污标准并非一定是帕累托最优，而且收费率也不是基于边际收益与边际损失之间均衡作为依据的。但无论如何排污收费制度，在控制环境污染的恶化上，还是起到了积极作用的。

然而，从现实与发展看，中国的环境污染问题仍面临严峻的挑战，所以控制环境污染问题解决温室气体减排问题，需要在政策研究上进一步加大力度。从长远计，有关碳税开征的问题似可展开讨论。如有无征收必要，征收有可能带来的一些负面影响，以及在税制设计上怎样尽可能减少其负面影响等？而且还将对一些产业部门、出口产品的竞争力造成一些影响，但中国在制定减排温室气体政策措施时，应将碳税作为一个重要的选择加以考虑。由于气候变化是全球环境问题，其外部性是全球外部性，各个国家相当于一个个企业，其损失是全球性的。所以，在严格意义上，讨论这一问题相对应的应是国际层次上的碳税问题，仅从一国角度是无法真正达到帕累托最优的。然而，我们所面对的现实是目前国际上并不存在一个世界政府，因此，碳税又主要在国内层面上讨论。对此，OECD成员国中，一些已经开征碳税的国家，一直在呼吁开展必要的国际合作措施，通过国际合作联合应用碳税。为进一步促进节能减排、实现清洁发展，中国将加快推进资源税、燃油税改革步伐，研究开征以碳税为代表的环保税；将现行消费税征收范围扩大到煤炭、石油等不可再生能源项目，逐步调高税率。我国目前在节能减排上“内忧外患”的严峻形势客观上使碳税等环保税种的开征成为一种必然趋势。2008年我国煤炭消费量27.4亿t左右，同比增长4.5%。在我国的能源消费结构中，作为二氧化碳排放的“主力军”，煤炭一直处于主导地位，我国是继美国之后全球第二大二氧化碳排放国。而一些发达国家又设置“绿色壁垒”，将环境问题与出口贸易挂钩，对以出口贸易为主导的发展中国家的经济发展造成严重影响。目前，全球气候变暖的严峻形势依然没有得到根本性的扭转，在一些西方发达国家，碳税的开征早已被提上日程，如加拿大、丹麦、瑞典等国已经征收碳税以推进环保，日本也在加紧制定相关的税收政策。

税收政策作为国家宏观调控的重要工具，在能源节约及可持续开发和利用上具有其他经济手段难以替代的功能。我国目前应当充分借鉴国外的先进经验，结合我国能源政策的目标导向和能源战略的现实要求，综合考虑环境、社会与经济效益之间的关系，逐步推进碳税制度建设。

第一，理顺能源价格。当前，我国能源价格大部分由政府制定或管制，价格形成机制尚未与国际接轨，国内能源价格与国际价格存在一定程度的背离。长期以来能源价格不能充分反映能源供给与需求关系，能源价格偏低，进一步导致能源需求快速增长。近年来，世界能源价格开始下降，我国应该抓住机会，理顺能源价格机制，取消对石油等能源价格的补贴，改变石油等能源的负碳税率趋势，从而为未来实行碳税机制做好铺垫工作。

第二，择机引入碳税。我国 CO_2 排放量近些年以较快速度增长，合理的 CO_2 排放量是实现中国经济可持续发展的内在要求。碳税的征收虽然在短期内会对经济增长产生较大的负面影响，但长期看，碳税形成的资本积累可以在一定程度上抵消碳税的负面效应。碳税的引入，可以带来财政收入效应、环境保护效应以及能源结构的调整效应，为中国经济的可持续发展提供了能源和环境的保障。我国应该在综合考虑经济发展状况、能源结构战略基础上适时推出碳税政策。我们可以借鉴 OECD 国家的经验，在碳税开征之初实行较低税率，此后逐渐上升，采用分时间段的累进税率，逐步调整到位，给予企业充分时间来应对新的税率；不同能源实行差别税率，可以通过区分家庭和企业、能源用途而采用多级税率。

第三，税收减免与返还原则。制定碳税制度的目标是减缓气候变化，保护生态环境，而不是增加税收，所以碳税收入要遵从专款专用的原则。在征收碳税的同时，可以减免企业与个人所得税、社会保障缴费等，实现总体税负不变。通过制定相关优惠措施，保护企业核心竞争力，促进新能源和新技术的发展。如对企业安装减排设备给予免税措施，对相关固定资产实行加速折旧，对可再生能源的开发、普及以及技术研究给予税收减免、贷款、研发等方面的优惠政策鼓励。

第四，考虑碳基金的设立。碳税可以带来巨大的财政收入，相关部门可以利用碳税收入的资金建立国家专项基金，实现碳税收入的专款专用。可以考虑设立专门的碳基金，用于提高能源效率、研发节能新技术、寻找新的替代能源、实施植树造林等增汇工程项目、促进国际交流与合作、引进国际上先进技术，从而降低加工业由于征收碳税而成本增加的竞争劣势。一个值得借鉴的案例就是英国的碳基金公司，英国在2001年组建了一个由政府投资、按企业模式运作的独立的碳基金公司。该基金主要致力于三个方面的努力，一是促进研究与开发，二是加速技术商业化，三是投资孵化器，到目前为止已经取得了丰富的成果和经验。

9.3.3　中国发展低碳经济的其他实践活动

9.3.3.1　高度重视发展绿色经济

中国高度重视绿色经济发展，中国政府提出要培育以低碳排放为特征的新的经济增长点，加快建设以低碳排放为特征的工业、建筑、交通体系。继国务院出台十大产业振兴规划之后，新能源发展规划也将在条件成熟时适时出台。但面对全球绿色经济的大潮，各国的政策对我国发展绿色经济有较强的借鉴意义。

首先，必须意识到政策导向与支持是发展绿色经济的助推器。通过确立发展规划和目标来引导，促使各方形成统一预期，引导各方投资顺利进入；通过利益补偿等机制来激励，加大政府投入，通过政府补贴、补助以及奖励等多种形式，鼓励社会投资流入。

其次，明确绿色经济在经济发展中的定位。要把发展绿色经济作为经济发展的制高点。在中国面临经济发展模式的转轨，发展绿色经济更具战略意义。

第三，要发挥本国的优势，确立发展的重点。如法国的核能、巴西的生物能源等等都是本国绿色经济的优势所在。发展绿色经济要结合本国的优势，确立发展的重点。像中国，能源需求大，人口众多，应将发展绿色能源以及推广绿色生活方式作为发展的重点。

第四，绿色技术是绿色经济的重要支撑。英、美等西方国家在碳捕获、清洁煤、智能电网、低碳汽车等绿色技术上保持领先优势。只有加强绿色技术的研发，才能使绿色经济的发展有稳固的基础，也能发挥绿色经济在经济发展中的推动作用。

9.3.3.2　大力推进低碳城市建立

2008年1月28日，全球性保护组织——世界自然基金会在北京正式启动“中国低碳城市发展项目”，上海、保定入选首批试点城市。2011年8月18日国家发改委启动了广东、湖北、辽宁、陕西、云南5省和天津、重庆、杭州、厦门、深圳、贵阳、南昌、保定8市的低碳省区和低碳城市试点工作。并明确了开展试点工作的五项具体任务：编制低碳发展规划，制定支持低碳绿色发展的配套政策，加快建立以低碳排放为特征的产业体系，建立温室气体排放数据统计和管理体系，积极倡导低碳绿色生活方式和消费模式。中国在建低碳城市已初步形成环渤海、长三角、珠三角及西南地区四大区域集聚发展的格局分布。

中国低碳城市构建发展迅速的同时，一些具体问题也开始浮现。《中国低碳城市发展战略研究》报告中指出，中国绝大部分发达城市都有着深厚的工业化基础，直接导致了产业结构偏“高碳”。在规划低碳城市发展战略时，往往关注产业发展过程中的节能减排和循环经济，忽略了城市作为一个整体而应采取的低碳发展策略，以及相关制度的制定和社会氛围的形成。为更好的建设低碳城市，尚需加强低碳城市建设战略规划，统筹兼顾、突出特色；以低碳技术创新为驱动力，优化城市产业结构；建设低碳生态工业园区，构建低碳城市发展着力点；政府引领低碳消费方式，提升城市文化内涵；以市场调节为工具，完善低碳经济市场化机制；着力构建全方位的碳金融市场，拓展碳金融融资渠道。

9.3.3.3 积极打造低碳能源结构

首先，大力提升能源利用效率。通过调整经济结构和实施节能措施，降低单位GDP能耗，目的是提升能源利用效率，建立低能耗的经济结构。由于节能降耗取得成效，中国产业结构“绿色化”程度有所提升，每万元GDP能耗继续下跌。1991~2009年中国以年均6.1%的能源消费增速，支撑了年均10.3%的GDP增速；万元GDP能耗从1990年的2.29t标准煤，大幅降至2009年的1.13t标准煤(按2005年可比价格计算)，平均每年减少3.7%。近二十年来中国能源利用效率提了一倍，否则，现在中国需要增加超过一倍的能源消耗，资源和环境将不堪重负。这是中国对世界控制温室气体排放做出的巨大贡献。

其次，通过发展清洁能源和新能源，打造低碳的能源结构。其中一项极为重要的部署，是要让非化石能源占一次能源消费的比重，从目前的10%左右提高到2020年的15%，向英国、美国等发达经济体看齐。这是一个相当高的目标。目前世界上能源消费最大的美国、中国、俄罗斯和印度等四国，非化石能源比重均低于15%。非化石能源包括水电、核电、风电、太阳能和生物质能等，大多是可再生能源。其中水电规模最大，2010年全国装机容量接近2亿千瓦，占全国发电装机容量的22.5%；发电量5127亿千瓦时，占全国14.3%；其次是核电，装机容量虽只有908万千瓦，发电量却达到700亿千瓦时；其三是风电，装机容量已达到1613万千瓦，发电量269亿千瓦时。以上这三种清洁发电方式产生的发电量，已占到全国总发电量的17%左右。仅这一项就减少碳排放5.5亿t。

9.3.3.4 发展自愿减排与碳交易

2010年10月下旬，国务院下发《关于加快培育和发展战略性新兴产业的决定》中提到，要建立和完善主要污染物和碳排放交易制度。这是中国首次在官方文件中提到碳交易。由于中国目前并不承担强制减排的法律义务，因此要求企业强制减排实属不易，最可能实现突破的还是自愿减排。2011年，《国民经济和社会发展第十二个五年规划纲要》中提出逐步建立碳排放交易市场，发挥市场机制在推动经济发展方式转变和经济结构调整方面的重要作用。2012年6月13日，国家发展改革委员会印发《温室气体自愿减排交易管理暂行办法》，鼓励基于项目的温室气体自愿减排交易，开展对二氧化碳等六种温室气体的自愿减排量的交易活动。

2011年，中国至少有100家碳交易所(或碳交易平台)在建。但当年只有北京环交所做成过一笔碳交易。碳交易之所以冷清的原因就是在于中国尚无强制减排的需求。2012年初，国家发改委宣布，同意北京市、天津市、上海市、重庆市、湖北省、广东省及深圳市开展碳排放权交易试点(以下简称"6+1试点")。碳交易能否顺利实施还在于是否具备好的测量工具和体系。因为需要每一个公司都清楚地核算到底排放了多少，然后低于排放限额的可以卖出配额，高于限额的就可以买进配额。

第10章　中国发展低碳经济的未来路径与政策选择

10.1　中国发展低碳经济面临的机遇

发展低碳经济为中国转变经济增长方式提供了难得的机遇。走低碳发展道路，既是应对全球气候变化的根本途径，也是国内可持续发展的内在需求。发展低碳经济有利于突破中国经济发展过程中资源和环境的瓶颈性约束，走新型工业化道路；有利于顺应世界经济社会变革的潮流，形成完善的促进可持续发展的政策和制度保障体系；有利于推动中国产业升级和企业技术创新，打造中国未来的国际核心竞争力；有利于推进世界应对气候变化的进程，树立中国对全球环境事务负责任的发展中大国的良好形象。

10.1.1　寻求行使发展权与履行责任之间的平衡

气候问题从本质上讲是个发展问题，既关系到发展的成本和代价，也关系到各国发展的权利。《京都议定书》中提出的“共同但有区别的责任”原则，在责任、能力和义务相称的基础上建立了行动框架，这套制度成为各国发展行动最好的指南。

这套制度在历史排放、人均排放和转移排放等问题上分清了责任，明确发达经济体应主动承担其高标准的量化减排指标，到目前为止的绝大多数排放总量都应该由它们负责。发达经济社会中对大量消耗资源的高碳的生活方式本身已经成为可持续发展的悖论，对人类的整体生存权是个重大威胁。另外，发达经济体有能力、也有义务通过资金、技术和能力建设等途径，帮助发展中国家实现减排，减缓和适应气候变化带来的冲击。发展中经济体对气候变化并没有多大的责任，相反却是气候变化最大的受害者，而且它们目前还处在发展的早期阶段，面临着艰巨的减贫和脱困的压力，它们的发展权应该得到尊重和保护，并在力所能及的范围内努力节能减排，减缓和适应气候变化。

但是，《京都议定书》存在着“完美的真空”——要求富有而强大的经济体自律，做出适当的贡献，包括在生活方式方面做出一定程度的牺牲，维持系统的平衡和稳定，以使贫穷弱小的一方免遭灭顶——附件I国家无一能完全兑现自己的减排承诺指标，即使取得现有的成绩，很多也是通过CDM项目从发展中国家购买的减排指标，这实际上意味着它们自身真正所做的减排努力极其有限；至于对发展中经济体的技术转移，就更是无限接近于零了。中国是一个发展中大国，尤其是中国因为发展速度最快、排放总量最大，在经贸方面逐渐列入世界数一数二的大国行列，进而成为发达经济体的靶子和焦点。

诚然，中国必须为自己处于工业发展后期的大量排放所负责。但是，中国仍是发达经济体发展史上造成的污染的受害者，今天却同时被别人当成了新兴的污染加害者；在苦苦争取中国发展权的同时，又要为明天人类的生存权承担起责任。这是一个和平崛起的大国必须付出的代价。中国在这两者之间维持一个平衡的同时，更重要的是转换观念和思路，主动出击，把困难和压力转化为新的发展机遇。因为发展与减排之间的动态平衡，是所有国家都绕不开的，如果我们能够早日实现平衡，也就找到了未来制胜的钥匙。因此，我们必须强化应对气候变化和结构调整的紧迫感，企业尤其应当登高望远，尽快行动起来，抓住政府在国际谈判中争取到的这段难得的缓冲期，把它变成自己实现转型的战略机遇期。从更宏观的角度来看，节能减排应该被当成我们国家的核心国家利益之一，因为气候变化已经对中国的粮食安全、供水安全、减贫努力和减灾行动等构成了重大挑战。

中国要成为一个真正具备足够实力的大国，必须争取自己的发展权。中国要成为一个具有实力受人尊敬的大国，必须在兼顾自己发展权的同时关注人类整体的生存权，并为此承担起相应的责任。

10.1.2　发展低碳经济关系着中国作为崛起中大国的形象

改革开放30多年以来，中国硬实力已经在全球没有人可以否认，但是中国的软实力不够。实际上现在发展低碳经济的问题，在全世界来看也是一个重要的事关国家形象的。英国、德国这样一些国家在全球的低碳经济发展过程中已经走在前面。一个国家在低碳经济发展走得多远、多快，确实显示了一个国家经济发展的文明程度，也显示了一个国家良好的国际形象问题。在某种意义上讲，发展低碳经济也是加强我们中国软实力的重要战略措施。

中国经济的发展，对于提升国家形象、对于我们进一步贯彻科学发展到有着很重要的意义。中国是一个经济大国，在快速发展的经济的过程中为了赢得全球的尊重、为了进一步扩大影响力，在发展低碳经济过程中我们应建立一个节约型的社会、倡导低碳生活方式。对于中国来说这是一个非常重要的革命性的发展进程，建立一种新的生活方式、新的生活模式角度来看待低碳经济问题，把低碳经济发展当成我们学习和实践科学发展观的重要措施，当成我们提倡一种新的生活方式、一种新的经济增长方式的一个重要措施来做。

2008年12月，中国首个官方碳中和标识——中国绿色碳基金碳中和标识发布。碳中和标识是北京环境交易所推出，联合国内外权威机构共同颁发的针对温室气体排放方面的碳标识。该标识用于表明企业或个人在一定时间内直接或间接产生的温室气体排放总量，在自身采取一定措施减排的基础上，通过购买碳额度的形式，资助符合国际规定的节能减排项目，以抵消自身无法避免的二氧化碳排放量，实现碳中和。碳标识是一朵由4个C组成的花，以这种形式传递了碳中和引领未来的信息。绿色代表环境，蓝色代表科技；这两者都是从现代社会发展的根系中生发，在人类社会整体进步的意识影响下，催发绽放，展示着碳中和所倡导的低碳社会的美好未来。碳减排标识是为购买碳排放量的个人或企业提供的具有公信力的碳标识。该标识可用于表明个人或企业进行了碳减排行动，并通过正规渠道与平台购买了碳减排额度。利用这种环保方式，人们计算自己日常活动直接或间接制造的二氧化碳排放量，并计算抵消这些二氧化碳所需的经济成本。

10.1.3　中国发展低碳经济的战略意义

(1)有利于调整经济结构、转变经济发展方式。中国经济虽然保持高速增长，但是在生产环节存在着资源消耗高、利用率偏低等问题，产业结构不合理，环境污染严重，在经济高速发展的同时付出的经济代价和环境代价都比较大。当前中国经济已经到了加快转变经济发展方式的重要时期，把调整经济结构作为转变经济发展方式的战略重点。

发展低碳经济，涉及三个产业的各个领域，是产业结构调整、自主创新、经济社会协调发展、生产方式转变的主导因素，必须从战略的高度给予足够的重视。事实证明，产业结构影响能源消耗总量和经济能耗强度。要发展低碳经济，必须加快产业结构的优化升级，降低第二产业的能耗强度和碳排放强度，推动高碳产业向低碳产业转型。大力发展服务业，建设能源节约型服务部门。另外，除了根本转变思想意识、出台相关的法律政策、调整产业结构、能源结构和消费结构之外，科技创新和支撑体系是低碳经济快速发展的原动力。与发达经济体相比，我们的低碳技术相对落后。中共中央对加快转变经济发展方式进行了深入的思考。2012年7月9日，国务院印发《“十二五”国家战略性新兴产业发展规划》，提出“加快培育和发展节能环保、新一代信息技术、生物、高端装备制造、新能源、新材料、新能源汽车等战略性新兴产业”。目标是“到 2020 年，力争使战略性新兴产业成为国民经济和社会发展的重要推动力量，增加值占国内生产总值比重达到 15%，部分产业和关键技术跻身国际先进水平，节能环保、新一代信息技术、生物、高端装备制造产业成为国民经济支柱产业，新能源、新材料、新能源汽车产业成为国民经济先导产业”。

（2）有利于优化能源结构、保障能源安全。优化能源结构、保障能源安全是中国发展低碳经济的主要驱动力。中国 90% 的温室气体排放来自化石燃料的燃烧排放，因此优化能源结构、大力发展低碳能源、提高能源转化效率可以有效降低二氧化碳排放，是实现减排的主要途径之一。发展低碳经济，可以在以下的几方面促进能源结构的优化：

首先，集约、清洁、高效地利用煤炭。中国煤炭资源丰富，也是中国传统大量使用的燃料。发展低碳经济就意味着要控制煤炭的过快增长，大力发展先进燃煤发电技术，提高煤炭转化效率；大力推进热电、热电冷联供等多联产技术，提高煤炭资源的综合利用效率；集中利用煤炭，提高电气化水平。

其次，优化石油天然气供应。大力发展电动汽车、生物燃料等节能与新能源汽车，加快发展公共交通，控制石油消费的过快增长；通过扩大国内天然气资源的开发利用和进口周边国家天然气，增加天然气对煤炭和石油的替代，提高天然气在能源消费中的比重。

第三，大力发展低碳能源。低碳能源是低碳经济的基本保证。与化石能源相比，可再生能源是低碳能源，应重点开发。可再生能源包括生物质能、水能、风能、地热能、潮汐能等。可再生能源开发需要对开发过程的全生命周期能耗进行分析。例如，太阳能光伏电池，要计算硅材料生产中所排放的二氧化碳量和光伏电池的使用寿命期间的发电总量，以得出正确的评价标准。核能在扣除核材料生产和废物处理过程中所消耗能量后可视为无碳排放能源，欧洲（如法国等）的核电比例较大，对推进低碳经济起了很大作用。中国也要逐步加大核电站的建设。届时中国能源结构实现三分天下的结构，即煤炭占 1/3，油气占 1/3，低碳能源占 1/3，实现能源供应的多元化、清洁化和低碳化。

第四，构建坚强的智能电网。随着低碳能源在能源供应中的比重越来越大，对电网的基础设施和调度能力提出更高的要示。一是要建设坚固的电网骨架，扩大资源配置的范围，将大风电、大核电等新能源基地的电力输送出来。二是要提高配电网对供需信息变化的反应能力，特别是和电动汽车、蓄能装置利用等需求侧管理结合起来，增加可再生能源消纳能力，就地利用可再生能源。

(3)有利于绿化生态环境。长期以来人类面临着两难选择：一是要保护生存环境，二是要保持经济持续发展。经过多年探索，把二者兼顾，实现经济的低碳化，实现绿色经济。低碳经济的提出既是为了应对气候变化，但又超出了气候变化本身。低碳经济以能源的变革为核心，但涉及人类吃住行各个方面、各行各业，主要又与能源、工业、建筑、交通部门有关。据IPCC的报告，全球1970~2004年温室气体排放近70%来自于能源、工业、交通以及住宅和建筑物上大部门，其中，能源供应占25.9%，工业占19.4%，交通占13.1%，住宅和商业建筑占7.9%。低碳经济就是要对这些部门进行“减碳”的改造和转型，以减少温室气体排放为决胜千里来谋求最大产出，是通过人类的经济行为实现人与自然的和谐相处，进而增强人类活动可持续性的一种新的发展模式。

(4)有利于增强国际竞争力。在全球减排的背景下，循环的、生态的、绿色的产品如没有低碳标签，可能会失去国际竞争力，发达经济体消费者可能不认可，最不发达经济体和小岛国也有可能抵制。低碳关乎产品竞争力，并成为塑造企业乃至国家形象的一个重要因素。全球应对气候变化能低碳技术需求强劲，推动了低碳技术低碳新兴产业的快速发展。夺取低碳技术的竞争优势和领先地位，是大国参与气候领域博弈的重要动因和战略目标。欧盟等发达经济体积极推动应对气候变化进程，也有凭借自身在能将和新能源领域的技术优势，扩充新的经济增长点和新的国际市场，保持和扩大与发展中国家差距的战略意图。在国际贸易中，发达经济体也有不断提高产品的环保标准，制造绿色贸易壁垒的趋势，甚至要采取征收边境碳调节税的单边贸易措施，保护本国产品的竞争力，向发展中国家施加减排压力。因此，发展低碳经济，打造产品的低碳竞争力，是我国当前应对国际经济、贸易和技术领域新一轮竞争的核心对策。

(5)有利于应对气候变化。实现《气候变化框架公约》中稳定大气中温室气体浓度的最终目标，将极大压缩未来全球的碳排放空间。全球有限的大气容量资源已被发达经济体历史上、当前和今后相当长时期的高人均排放所严重挤占，发展中国家实现现代化所属必需的排放空间已严重不足，这对发展中国家未来经济发展和能源需求带来了新的制约。同时，中国经济和社会发展也受到国内能源资源保障和区域环境容量的制约。中国当前所处的国际大背景以及自身的国情与发展特征，决定了在应对气候变化领域面临比发达经济体更为严峻的挑战。我们的根本出路在于加强技术创新，节约能源、优化能源结构，转变经济发展方式，走低碳发展的道路。这不仅是应对气候变化、减缓二氧化碳排放的核心对策，也是中国突破资源环境的瓶颈性制约，实现可持续发展的内在需求，两者具有协同效应。中国强调发展过程和途径，通过低碳能源技术的开发和经济发展方式的转变，减缓由于经济快速增长新增能源需求所引起大幅度提高能源效益，提高单位碳排放产生经济效益，长期控制甚至减少二氧化碳排放总量，建立并形成以新能源和可再生能源为主体的可持续能源体系，转变经济发展方式，实现经济发展与二氧化碳排放脱钩，实现经济、社会与资源、环境相协调的可持续发展。

(6)促进低碳发展的制度创新。《中国低碳发展报告(2013)》指出，“十一五”以来，我国节能监管和政策执行体系发生了变革。节能目标责任制的建立将计划经济时期形成的以专业工业管理部门为执行主体的“条”型架构政策执行体系，转变为以地方各级人民政府为执行主体的“块”型体系。这是迄今为止中国节能监管体系中最为重大的结构性变革，也是近年来中国低碳发展中最引人注目的制度创新。

10.1.4 中国发展低碳经济优势与劣势

10.1.4.1 中国发展低碳经济的优势

目前，中国正在深入实践科学发展观，努力建设资源节约型、环境友好型社会。科学发展观的核心是在保持经济又好又快增长的同时，降低资源消耗和环境代价，最终建成“两型社会”。这与低碳经济在实质内涵上是高度一致的。中国政府多次提出将节能减排、推行低碳经济作为国家发展的重要任务。这充分体现出中国政府实现科学发展、低碳发展的强烈意愿。在实践中，近年来中国在调整经济结构、发展循环经济、节约能源、提高能效、淘汰落后产能、发展可再生能源、优化能源结构等方面采取了一系列政策措施，取得了显著的成果，这些都增强了我们发展好低碳经济的决心和信心。虽然中国的减排压力不容小视，但中国发展低碳经济也有着自身减排空间比较大、减排成本比较低、技术合作潜力比较大的潜在优势。

首先，减排空间较大。从总体碳排放情况看，根据荷兰环境评估局(MNP)公布的数据显示，2007年中国的二氧化碳排放量约占世界总体的1/4，当前二氧化碳排放总量已与美国相当，两国所排放的二氧化碳共占了全球二氧化碳总排放量的46%。根据美国世界资源研究所的研究和统计，大气中现存的人为排放的温室气体70%以上来自发达经济体，就人均排放而言，1990年中国为世界平均水平的50%，2000年为60%，当前已与世界平均水平相当。从人均累计排放来看，欧盟542t，德国958t，英国1125t。世界人均173t，中国仅71t。近些年来中国经济调整发展，粗放式的发展方式刺激了碳排量的攀升，但目前的能耗强度和能源效率明显偏低，通过结构调整、技术革新和改善管理等途径，实现节能减排的余地较大。

第二，减排成本比较低。从国际上看，《联合国气候变化框架公约》规定每吨减排成本超过30美元，中国的成本大体为15美元。中国能源需求增长较快，符合减排条件的项目多，规模经济效应非常明显，有利于开展国际碳排放交易，吸引国际资金进入减排项目，目前中国CDM项目达到了3637万t，已经成为全球最大的CCM碳交易量国家。

第三，技术合作潜力较大。中国与发达经济体在电力、交通、冶金、化工、建筑等领域的节能技术及新能源技术方面存在较大差距，而《联合国气候变化框架公约》、中欧之间签署的《中欧关于气候变化的共同宣言》、美国发起的《亚太地区清洁发展与气候新伙伴计划》等多边及双边公约和合作计划都高度重视低碳技术的合作，发达经济体承诺要向发展中国家大规模转让温室气体减排技术。

中国是世界经济发展大国，也是碳排放大国，因而实现低碳中国对全球低碳的实现起到举足轻重的作用。在强化低碳政策的情景下，考虑到中国的GDP增长、发展阶段、科技水平、资源禀赋、国际合作等综合因素，中国碳排放有可能于2030~2035年达到峰值，在经过10年之后将处于一个平稳发展期，2050年达到大幅度减排，实现低碳经济发展和低碳社会，促进全球实现气候变化减缓目标。

10.1.4.2 中国发展低碳经济面临的挑战

目前，中国的经济发展和基础设施建设具有明显的高排放特征，中国发展低碳经济任重道远，面临诸多困难和障碍。

10.1.4.2.1 中国尚处于工业化蓬勃发展的阶段

发达经济体提出的低碳经济是对其发展模式的总结和反思。在基本解决了国内工业化带来的传统环境问题之后，发达经济体开始倡导有利于自身的发展模式。但中国还处在工业化蓬勃发展的阶段，能源消耗很大，发展低碳经济不可避免地要受到发展阶段的制约。

从国内经济发展程度来看，中国正处于工业化和城市化加速发展阶段，工业特别是重化工业比重仍在持续增加，能源密集度不断提高，能源消费呈现迅速增长态势，由此决定了中国温室气体排放总量大、增速快，单位GDP的二氧化碳排放强度高。目前，中国已经成为名副其实的全球制造业大国，为了寻求产业转型，中国正积极推动产业结构的调整。2012年1~11月份，高技术产业增加值同比增长11.8%，高出规模以上工业增加值平均增速1.8个百分点。新一代信息技术、高端装备制造、新材料、节能与新能源汽车等规划发布实施。重点行业兼并重组取得积极进展，列入淘汰落后产能名单的2761家企业落后生产线大部分已关停，产业转移有序推进。中国工业产业结构的调整已经迈出了乐观的一步，但是由于能源结构的刚性，以及能源效率的提高受到技术和资金的制约，中国控制二氧化碳排放的前景仍然不容乐观。在中国快速发展的关键时期，如何在工业化保持高速发展的同时，抑制二氧化碳排放的增速，是中国经济发展所面临的最大挑战。通常情况下，处于工业化进程中的发展中国家，工业在国民经济中的比例会在相当长的时期内占据主导地位，只有在充分工业化之后，才可能由服务业来主导国民经济。由于中国经济的发展在继续完成工业化的重任，经济的低碳转型就不可能全部抛弃“高碳”成分的主业——工业品的生产制造，转向“低碳”成分的服务业等行业。作为“高碳”成分的制造业，虽然通过优化结构和节能，能够相应地减少碳的排放，但无论从投入来讲，还是从科技攻关和市场开拓来讲，都将面临较大的困难和挑战。

城市通常被认为是温室气体的主要排放源，中国经济的低碳转型在很大程度上有赖于城市的低碳化包括城市的能源低碳化、生产低碳化和消费低碳化等。我国不仅处于工业化快速发展阶段，而且处于城市化的加速发展时期。有分析认为，到2020年城市化水平会达到50%左右。今后30年，约有5亿农村人口将进城，城市化水平提高到75%。随着城市化的加速发展，城市的人口的数量不断增加，产业规模不断扩大，市政设施不断增加，交通承载量不断扩大，由此导致流入城市系统的化石燃料快速增加。流入城市系统化石燃料的不断增加，经生产过程和消费过程消耗产生的二氧化碳排放也将随之不断增加。在低碳技术尚未得到重大突破的情况下，城市化的加速发展必然影响和制约中国经济的转型。

从所处国际背景来看，发展低碳经济不可避免地要与全球控制温室气体排放的国际努力联系在一起。其中不可或缺的一项重要内容就是减少温室气体排放或降低温室气体排放的增长速度。根据Kaya恒等式，一个国家(或地区)二氧化碳排放量的增长，主要取决于四个因素的贡献：人口、人均GDP、能源强度(单位GDP耗能)和能源结构。从人口因素看，虽然中国人口的出生率、人口自然增长率、婴儿死亡率、总和生育率都低于世界平均水平，但中国毕竟有13亿的人口基数；从人均GDP看，中国为了满足人们日益增长的物质文化生活的需要的决心和努力不会改变，这是实现社会政治稳定的必要条件，中国不会以降低人均收入或减缓经济增长来实现控制温室气体排放目标；从能源强度看，由于中国的大部分二氧化碳排放是燃烧化石燃料而产生的，并且产业尤其是重工业的能源利用效率水平提高有限，重工业在经济中仍然占有较大比重，并且这种产业结构具有一定的刚性，因此，中国的能源强度仍然相对较高；从能源结构因素来看地，虽然通过落实《可再生能源法》和CDM项目实施，可再生能源开发呈现快速发展趋势，但快速增长的能源消费需求，决定了主要的能源结构在今后相当长的一段时期内不会发生根本性改变，能源结构调整对控制温室气体排放的增长贡献有限。

10.1.4.2.2 中国仍存在技术创新、转让与应用的障碍

实现一个从传统发展路径向一个创新性的发展路径转变，低碳技术创新转让是关键。然而目前低碳技术的创新、转让及应用环节还存在很多障碍。

第一，缺乏一定数量的低碳技术储备。我国低碳技术的储备特别是其中的低碳核心技术储备，远远滞后于西方发达经济体。从低碳的发展情况看，美国有能源技术储备，美国在低碳技术研发上投入大量资金，并在碳搜集和储存方面取得了相当的成果。奥巴马执政后，大力推行绿色经济增长路线，将清洁能源的溢出效应渗透到经济的各层面。欧日具有先行优势，欧洲和日本由于政府和产业界对低碳革命的认识和举措更具前瞻性，并以直接财政补贴、低息信贷支持和税收减免等措施鼓励发展低碳技术，欧日已在低碳技术产业化上获得不可忽视的先行优势。例如，欧洲拥有全球领先的风电设备商LM、Vestas(维斯塔斯)集团，日本拥有全球领先的混合动力汽车厂商——丰田和本田。面对这样一种情形，中国经济的低碳转型有可能陷入比较尴尬的局面。要么花费大量时间用巨资从头开始研发自主低碳技术，从而产生所谓的“锁定效应”。

缺乏核心技术的前期积累，我国低碳技术的发展现状令人担忧。有些还只是简单模仿和照搬欧美等发达经济体(地区)，这种短期行为不仅引发水土不服问题，而且直接影响和制约低碳技术的自主创新。实际上，中国与欧洲的自然环境差异性很大，针对欧洲自然环境开发的风电生产设备功能难以在中国得以有效发挥。这种不经过详细研究而对低碳技术的简单照搬，不仅会丧失技术上的自主权，而且有可能使中国新兴的绿色产业受到打击。由于绿色产业在我国刚起步，利润和发展相对比较大，容易遭遇“高额利润诱惑—疯狂投资—产能过剩—最终泡沫破灭”的循环。在缺乏低碳技术积累的情况下，中国经济的低碳转型一旦陷入泥沼，这种路径处理不好会成为套在中国经济头上的“绞索”，给经济发展带来隐患。

缺乏必要的低碳技术积累，还容易在方兴未艾的国际碳交易市场处于被动地位。某些发达经济体企业通过向中国企业输出技术获得碳排放权，会给中国企业的长远发展带来不利影响。有资料显示，一家日本企业向中国某煤矿提供环保项目贷款，用来引进和购买日方先进环保技术和设备，由此减少二氧化碳排放，其减少的额度核算成标准单位，由日方企业向该中国煤矿购买。表面上看，中国企业似乎没有损失，得到了资金和技术，推动的不过是些无形的“碳排放额度”，可从长远看，日方向外输出储备已久的环保、节能技术，占领市场，由此形成产业标准和技术垄断，中国企业如果将来发展自主环保技术，就可能受制于人。

第二，科技创新能力不足。目前中国由“高碳”向“低碳”转变的最大障碍就是整

体技术水平的落后。不管是从科技投入强度来看还是从投入构成来看，都离发达经济体的水平相去甚远。科技能力不足、资金不足也是科技创新能力不足的重要原因。目前技术创新存在很多不确定性，而且创新成果又非常容易被盗版、流失，使得技术创新所要求的环境、条件比其他投资要苛刻得多。因此，创造有利于技术创新的环境条件，最重要的就是通过实施一系列有效的政策，强化企业技术创新的动力机制。而环保法律、技术标准、安全卫生法规、市场准入门槛等都是政府推进技术进步的有效措施，只有有了使成功的技术创新能安全地获得应有的高回报的政策环境，企业才会把技术创新作为提高市场竞争力的主要途径，才有技术创新的持久动力。

第三，国际技术转让障碍。联合国开发计划署在《2010 年中国人类发展报告——迈向低碳经济和社会的可持续未来》中指出，中国实现未来低碳经济的目标，至少需要 60 多种骨干技术支持，而在这 60 多种技术里，有 42 种是中国目前不掌握的核心技术。这表明对中国而言，70% 的核心技术需要进口。尽管哥本哈根会议的一项重要议程就是发展中国家呼吁发达经济体将本国成熟的节能减排技术免费转让给发展中国家，以补偿发达经济体在历史上的巨大碳排放，但实际情况却是，发达经济体不太可能把技术转让给甚至是卖给竞争对手中国，尤其在中国等发展中国家企业制造能力日益增强的前提下，发达经济体还是选择只将有关的设备卖给发展中国家。

客观来讲，低碳经济毕竟还是新生事物，不仅是中国的技术，世界上的技术也是这样，还不允许人类将一些绝对零碳的能源变得具有充分的商业竞争力。例如，风能、太阳能、生物质能这些新能源虽然很有前景，但是短时期内，在现有的技术创新的条件下，仍然可能不太具有竞争优势。技术对低碳经济发展的制约是全世界的难题。

10.1.4.2.3　生活方式转变的制约

随着人们生活水平的提高，城镇化进程的加快发展，我们现在的生活观念和生活方式发生了较大的改变。“便利”是现代商业营销和消费生活中流行的价值观。不少消费方式让人们在不经意中浪费着巨大的能源。例如，超市电耗 70% 用于冷柜，而敞开式冷柜电耗比玻璃门冰柜高出 20% 。由此推算，一家中型超市敞开式冷柜一年多耗约 4.8 万度电，相当于多耗 19tce，多排放约 48t 二氧化碳，多耗 19 万升净水。又如，越来越多的消费者倾向于购买排量大、奢华体面的私家车，代替公共交通工具，越来越多的室内安装了空调，住宅、汽车成为居民的主要能源消费载体。

中国居民整体的能源消费水平尚处在生存消费阶段，可以预见，在全面建设小康社会的进程中，能源消费还将继续增长。因此，引导合理的能源消费成为减少消费过程碳排放的重点。而我们讲的低碳生活不是压抑人们正常的生活需求，不是降低人们努力换来的生活质量，不是让我们当现在的苦行僧，在保证这些质量的同时，降低那些高档的消费，戒除以高耗能源为代价的“使得消费”嗜好。

10.1.4.2.4 缺乏相应人才的制约

如同多数新的投资领域一样，低碳经济的发展也正在遭遇人才制约。中国改革开放已经进行了30多年，现在进入了第二个转型期。过去的政策、方针、规划，甚至产业结构调整、队伍建设、人才培养都主要是考虑经济的发展。但现在要重新考虑。发展低碳经济已成为中国经济可持续发展的方向，作为未来经济的发展方式，低碳经济人才缺乏已经显而易见，如何培养优秀的相关人才必须及时跟进。

中国正处于工业化、城镇化和国际化的关键阶段，工业化是未来几十年中国经济发展的主线，也是中国经济发展的主要任务。在能源危机、气候危机的大背景下，中国的工业化需要走出一条低能源消耗、低温室气体排放的新型工业化道路。低碳经济是在工业化进程中提出的，要靠新型工业化发展来解决发展中遇到的问题。低碳经济并不限制发展，而是强调低碳化发展。

10.2 中国发展低碳经济的政策选择

10.2.1 中国近年来关于发展低碳经济出台的相关政策

2006年12月26日，中国科技部、中国气象局和中国科学院发布《气候变化国家评估报告》，这是我国编制的第一部有关全球气候变化及其影响的国家评估报告。

2007年6月12日，中国成立国家应对气候变化及节能减排工作领导小组，研究制订国家应对气候变化的重大战略、方针和对策，统一部署应对气候变化工作。

2007年6月，中国国务院发布实施了《应对气候变化国家方案》，明确到2010年应对气候变化的具体目标、基本原则、重点领域和政策措施，成为第一个制定应对气候变化国家方案的发展中国家。

2007年9月8日，亚太经合组织(APEC)第15次领导人会议，时任国家主席胡锦涛同志指出“我们应该本着对人类、对未来高度负责的态度，尊重历史，立足当前，着眼长远，务实合作，统筹经济发展和环境保护”。

2008年，中国国家发改委应对气候变化司成立，牵头我国应对气候变化方面的国内外工作。

2008年12月，中国在吉布提举办了“清洁发展机制与可再生能源培训班”，并于2009年7月在北京为来自非洲国家的官员和学者举办了“发展中国家气候及气候变化国际高级研修班”。

2009年8月，全国人大常委会通过的《关于积极应对气候变化的决议（草案）》明确提出，要立足国情发展绿色经济、低碳经济。各级政府预算要做出相应安排，加大支持力度。

2009年9月，时任国家主席胡锦涛同志在联合国气候变化峰会上发表题为《携手应对气候变化挑战》的重要讲话，指出“中国将进一步把应对气候变化纳入经济社会发展规划……积极发展低碳经济和循环经济，研发和推广气候友好技术”。

2009年12月25日，时任国务院总理温家宝召开国务院常务会议，决定了我国2020年降低碳强度的目标。即到2020年，单位国内生产总值二氧化碳排放比2005年下降40%~45%。2009年12月18日，哥本哈根气候变化领导人会议上，温家宝总理发表《凝聚共识，加强合作，推进应对气候变化历史进程》的讲话，强调“确保机制的有效性”和发达国家的责任和义务。

2010年7月19日，中国国家发改委发布了《关于开展低碳省区和低碳城市试点工作的通知》，确定首先在广东、辽宁、湖北、陕西、云南五省和天津、重庆、深圳、厦门、杭州、南昌、贵阳、保定八市开展试点工作。

2011年1月12日，国家应对气候变化规划编制启动会议召开，研究部署规划编制有关工作。

2011年3月，中国“两会”通过《“十二五”规划纲要》，明确未来五年应对气候变化工作的目标、任务，要求综合运用调整产业结构和能源结构、节约能源和提高能效、增加森林碳汇等多种手段，控制温室气体排放。

2013年7月，国务院发布《关于促进光伏产业健康发展的若干意见》，确定了光伏产业发展对能源结构调整，能源生产和消费革命以及促进生态文明建设的重要性。

2013年8月，国务院发布《关于加快发展节能环保产业的意见》，通过加快发展节能环保产业，对拉动投资和消费，形成新的经济增长点，推动产业升级和发展方式转变，促进节能减排和民生改善，实现经济可持续发展和确保2020年全面建成小康社会。

2013年9月，国务院印发《大气污染防治行动计划》，大力推进生态文明建设，坚持政府调控与市场调节相结合、全面推进与重点突破相配合、区域协作与属地管理相协调、总量减排与质量改善相同步，形成政府统领、企业施治、市场驱动、公众参与的大气污染防治新机制，实施分区域、分阶段治理，推动产业结构优化、科技创新能力增强、经济增长质量提高，实现环境效益、经济效益与社会效益多赢，为建设美丽中国而奋斗。

2014年，国务院印发《2014～2015年节能减排低碳发展行动方案》。《行动方案》从八个方面明确了推进节能减排降碳的三十项具体措施加强节能减排，实现低碳发展。

2014年9月，国务院发布《国家应对气候变化规划(2014～2020年)》。提出了我国应对气候变化工作的指导思想、目标要求、政策导向、重点任务及保障措施，将减缓和适应气候变化要求融入经济社会发展各方面和全过程，加快构建中国特色的绿色低碳发展模式。

2014年11月，国务院发布《关于加强环境监管执法的通知》，进一步解决地方监管执法不到位等问题，加大惩治力度，明确各方职责。

2014年12月，国务院办公厅发布《关于推行环境污染第三方治理的意见》。以环境公用设施、工业园区等领域为重点，以市场化、专业化、产业化为导向，营造有利的市场和政策环境，改进政府管理和服务，健全统一规范、竞争有序、监管有力的第三方治理市场，吸引和扩大社会资本投入，推动建立排污者付费、第三方治理的治污新机制，不断提升我国污染治理水平。

10.2.2 中国实践低碳经济的组织、机构与相关立法

10.2.2.1 中国发展低碳经济的相关机构

从中央政府到各个地市机构，从企业到高等院校，践行低碳理念、关注气候变化不再只是国家层面的问题，而是在全社会开始展开。中央政府成立专门机构，关注气候变化，关注可持续发展(表10-1)。

表10-1 1990～2013年中国成立的发展低碳经济相关机构

日　期	机　构	职　能
1990年2月	国务院专门成立了“国家气候变化协调小组”，下设在国务院环境保护委员会	负责协调、制定与气候变化有关的政策和措施
1998年	国务院对原气候变化协调小组进行了调整，成立了由原国家发展计划委员会牵头，13个部门参与的“国家气候变化对策协调小组”	作为部门间议事协调机构，在研究、制定和协调有关气候变化的政策等领域开展工作
2003年	协调小组再次调整，由15个部门组成，办公室设在国家发改委地区司	成为中国气候变化领域重大活动和对策的领导机构
2006年8月	国务院批准建立中国清洁发展机制基金及其管理中心	利用CDM项目中的国家收益，支持和促进国家应对气候变化行动

（续）

日　期	机　构	职　能
2007年6月12日	成立国家应对气候变化及节能减排工作领导小组	研究制订国家应对气候变化的重大战略、方针和对策，统一部署应对气候变化工作，研究审议国际合作和谈判对案等
2008年	国家发改委应对气候变化司成立	承担综合研究气候变化问题的国际形势，牵头拟订我国应对气候变化重大战略、规划和重大政策，牵头承担国家履行联合国气候变化框架公约相关工作等工作
2008年1月	清华大学在国内率先正式成立低碳经济研究院	重点围绕低碳经济、政策及战略开展系统和深入的研究，为中国及全球经济和社会可持续发展出谋划策
2008年4月22日	中国低碳网正式成立	我国第一个低碳网络媒体和促进平台(ditan360. com)向海内外开放
2008年8~9月	北京、上海和天津先后成立了3家环境与排放权交易所	开展国内排污权等环境与能源产品的交易
2010年1月	国务院成立国家能源委员会	国务院总理温家宝出任能源委主任，包括外交部、财政部、国土资源部、工信部、科技部等多个部委“一把手”及军队高层出任委员
2010年7月19日	中国绿色碳汇基金会在民政部注册成立，业务主管单位是国家林业局	是中国第一家以增汇减排、应对气候变化为目的的全国性公募基金会
2011年4月	中美清洁能源联合研究中心建筑节能联盟在京成立	这标志着中美清洁能源联合研究中心建筑节能的合作工作正式启动
2011年5月	中国民航总局成立了中国民航大学节能减排研究与推广中心	作为行业节能减排专门研究机构，研究并推广节能减排工作
2011年11月	国家发改委成立了国家应对气候变化战略研究和国际合作中心	主要为气候变化工作提供政策研究支撑
2011年	国家林业局成立了华东、中南、西北三个林业碳汇计量监测中心	启动了林业低碳经济综合试点示范、碳汇林业试验区建设试点
2012年	环境与气候变化中心成立	作为我国积极应对气候变化、增强科技支撑能力建设的重要举措

（续）

日 期	机 构	职 能
2012年	林业局成立了生态系统定位观测网站中心	负责开展全国森林、湿地、荒漠生态定位观测研究
2012年	国家应对气候变化及节能减排工作小组成立	加强应对气候变化和节能减排工作
2013年4月	中美气候变化工作组成立	希望能达成一个新的应对气候变化的协议

10.2.2.2 中国发展低碳经济的相关立法

在2003年实施的《清洁生产促进法》和2006年实施的《可再生能源法》基础上，2008年修订了《节约能源法》，首次以法律形式明确规定节约资源为基本国策，进一步确定节能在中国能源发展中的战略地位。2008年颁布的《循环经济促进法》针对中国传统的高耗能、高排放、低利用的经济增长，提出在生产、流通和消费过程中进行减量化、再利用、资源化等活动。循环经济作为一种新的发展模式，将资源节约、环境建设同经济发展有机结合起来，旨在破解制约中国经济发展的结构性矛盾。《循环经济促进法》坚持减量化优先的经济发展原则，包含一系列调整产业结构、促进节能减排的政策性规定，为推进经济又好又快地发展提供了政策导引。2010年4月1日正式实施的《可再生能源法》(修订)确立了可再生能源在经济和社会可持续发展中的地位，规定了可再生能源的资源勘查、规划、科研、产业发展、投资、价格和税收方面的配套政策，明确了政府、企业和用户在可再生能源开发利用中的责任和义务，提出了总量目标、强制上网、分类上网电价、费用分摊、专项资金等各项制度。《可再生能源法》为中国制定可再生能源发展的各项具体政策和发展规划克服了技术、市场、制度等障碍，为可再生能源大发展提供了法律保障、奠定了法律基础。

10.2.3 中国发展低碳经济的政策体系

10.2.3.1 促进新能源和可再生能源发展的政策

10.2.3.1.1 可再生能源发电

中国初步建立了可再生能源发电的政策体系，由六个方面组成。

《可再生能源法》在法律上基本消除了可再生能源大规模发展面临的价格、市场准入、产业薄弱等障碍。

可再生能源的发展规划，明确了可再生能源发展的近期与中远期总量目标，为可再生能源的发展指明了方向。

确定了可再生能源的上网电价。包括：①风电上网电价：按风能资源状况和工程建设条件，将全国分为四类风能资源区，制定相应的风电标杆上网电价。新建陆上风电项目，统一执行所在风能资源区的风电标杆上网电价。②光伏发电上网电价：除西藏外，各省、自治区和直辖市上网电价得到统一。③确定了生物质发电的上网电价。

实施全额保障性收购规定，消除电网接纳障碍。电网企业应当按照可再生能源开发利用规划建设，依法取得行政许可或者报送备案的可再生能源发电企业签订并网协议，全额收购其电网覆盖范围内符合技术标准的可再生能源并网发电项目的上网电量，并为可再生能源发电提供上网服务。实行费用分摊制，对可再生能源发电价格高于当地脱硫燃煤机组标杆上网电价的差额部分，在全国省级及以上电网销售电量中分摊。

在财政和税收方面给予优惠，支持可再生能源发展。中国陆续颁布了可再生能源专项资金管理办法，包括《可再生能源发展专项资金管理暂行办法》(财建〔2006〕237号)、《风力发电设备产业化专项资金管理暂行办法》(财建〔2008〕476号)、《秸秆能源化利用补助资金管理暂行办法》(财建〔2008〕735号)、《太阳能光电建筑应用财政补助资金管理暂行办法》(财建〔2009〕129号)、《金太阳示范工程财政补助资金管理暂行办法》(财建〔2009〕397号)。

在税收方面，自2008年在企业所得税条例中，都明确将风电、太阳能发电、生物质能列为享受税收优惠的范围，给予可再生能源发电企业所得税前三年免税、后两年减半的优惠，从事可再生能源设备制造企业所得税优惠的措施。这些激励手段减轻了可再生能源企业的负担，降低了可再生能源利用的成本。

正在建立可再生能源的技术规范和标准体系。例如，在风电接入方面，风电并网技术《风电场接入电力系统技术规定》已通过终审并报送国家标准化管理委员会，行业标准《大型风电场并网设计技术规范》也已通过最终审核并报送国家能源局。在并网检测方面，行业标准《风电机组低电压穿越能力测试规程》完成征求意见稿。在调度运行方面，行业标准《风电调度运行管理规范》和《风电功率预测功能规范》尚在专业审查阶段。

10.2.3.1.2　核　电

2007年，国家发改委颁布了《国家核电中长期发展规划(2005~2020年)》，提出到2020年核电装机容量4000万千瓦的目标。这是中国第一次明确提出核电发展目标，表明中国将核电发展作为替代火力发电、减少温室气体排放的重要手段。核电已纳入国家能源发展规划，面临着前所未有的良好机遇。国家正在修订《国家核电中长期发展规划(2005~2020年)》，并提出，到2015年核电装机容量达4000万千瓦，2020年不低于6000万千瓦的目标。

为落实国家核电发展规划，促进和支撑核电自主化发展，2009年，国家能源局正式发布了《压水堆核电厂标准体系项目表》和《核电标准建设工作规则》。2011年日本福岛核电站事故引发全球核危机。中国针对核电安全采取四项重要措施：①组织对国内设施进行全面安全检查；②抓紧编制核电安全规划；③调整完善核电发展中长期规划；④核电安全规划批准前，暂停审批核电项目，包括开展前期工作的项目。

2012年12月，时任国务院总理温家宝主持召开国务院常务会议，讨论通过《能源发展"十二五"规划》，再次讨论并通过《核电安全规划(2011～2020年)》和《核电中长期发展规划(2011～2020年)》。会议对当前和今后一个时期的核电建设作出部署：①稳妥恢复正常建设。合理把握建设节奏，稳步有序推进。②科学布局项目。"十二五"时期只在沿海安排少数经过充分论证的核电项目厂址，不安排内陆核电项目。③提高准入门槛。按照全球最高安全要求新建核电项目。新建核电机组必须符合三代安全标准。

10.2.3.1.3 新能源和可再生能源的其他应用

除可再生能源结合电力建设外，中国以改善农村环境条件、增加农民收入为契机，发展可再生能源其他形式的应用。为解决农村生活燃料问题，2008年，中共中央、国务院发布《关于切实加强农业基础建设 进一步促进农业发展农民增收的若干意见》(中发〔2008〕1号)要求推进小水电代燃料工程，旨在让农民使用便宜的小水电取代烧柴和烧煤，促进生态环保。

中国也大力推广可再生能源与建筑结合利用。例如，对农村、牧区生活用能的可再生能源利用项目予以无偿资助、贷款贴息等资金扶持。对与建筑一体化的太阳能供应生活热水、供热制冷、光电转换、照明等重点领域项目按单位建筑面积提供一定财政补贴。财政部对农村沼气项目、秸秆固体燃料项目等直接补贴设备、安装等。另外，以农村中小学、居民住宅与卫生所等公共建筑为重点补助对象，对地源热泵技术补助60元每平方米，太阳能一体化应用15元每平方米，以及以户为单位的太阳能房等补助新增投入的60%。

10.2.3.2 节能政策

中国节能政策体系以约束性节能目标、节能目标分解以及节能目标责任制实施（包括节能统计监测考核）为核心，指导具体的节能行动。2006年9月国务院确定了"十一五"期间各地区单位生产总值能源消耗降低指标计划表。2007年5月，国务院发布的《国务院关于印发节能减排综合性工作方案的通知》(国发〔2007〕15号)提出10个方面45项节能政策措施，建立了政府节能减排工作问责制，将节能减排指标完成情况作为政府领导干部综合考核评价和企业负责人业绩考核的重要内容。2007年11月，国务院下发《国务院批转节能减排统计监测及考核实施方案和办法的通知》(国发〔2007〕36号）以及“三个方案”(具体指《单位GDP能耗统计指标体系实施方案》《单位GDP能耗监测体系实施方案》《单位GDP能耗考核体系实施方案》)。中国节能统计、监测和考核体系是中央政府针对地方政府节能行动的信息管理和行动控制体系，使政府及时掌握节能政策的实施情况以及节能目标的完成情况。该体系程序和标准的严格程度符合《坎昆协议》对发展中国家的要求，保证了对与能源相关的温室气体减排等气候变化减缓政策和自主行动进行系统性测量、报告和核实。2010年8月，国务院国有资产监督管理委员会制定了《中央企业节能减排监督管理暂行办法》(国务院国有资产监督管理委员会令第23号)，进一步加强对重点企业的能效管理。

10.2.3.2.1　关停小火电

2007年出台的《国务院批转发展改革委、能源办关于加快关停小火电机组若干意见的通知》(国发〔2007〕2号)，明确了关停小火电行动的实施方法。国家发展改革委牵头负责全国小火电机组关停工作，将全国小火电机组关停目标分解到各省(自治区、直辖市)，并与各省级人民政府和国有大型电力集团公司签署小火电机组关停目标责任书。电网企业与电力监管部门积极配合，制定相应的政策措施，共同推进小火电机组关停工作。

电网企业加强发电调度监督管理，改进发电调度方式，优先调度可再生能源和高效、清洁的机组发电，限制能耗高、污染重的机组发电。电力监管机构加强小火电机组监督管理，建立监管信息系统，对不符合设计要求和有关规定的，不颁发电力业务许可证。同时对应关停而拒不关停的小火电机组，省级以上人民政府有关部门和单位责令其立即关停，并暂停该企业新建电力项目的资格，直至完成关停任务。鼓励通过兼并、重组或收购小火电机组，并将其关停后实施“上大压小”建设大型电源项目。国家发展改革委根据各省(自治区、直辖市)关停机组的容量，相应增加该省(自治区、直辖市)的电源建设规模。跨省(自治区、直辖市)进行“上大压小”的，关停小机组容量可保留在当地，并相应调减新项目建设地区的电源建设规模。

除行政手段，市场手段也发挥了重要作用。在价格上，各省(自治区、直辖市)人民政府加强小火电机组上网电价的管理，将所有燃煤(油)小火电机组上网电价降低到不高于本地区标杆上网电价，并不得实行价外补贴；价格低于本地区标杆上网电价的小火电，仍执行现行电价。此外，纳入各省“十一五”小火电关停规划并按期关停的机组在一定期限内(最多不超过3年)可享受发电量指标，并通过转让给大机组代发获得一定经济补偿，发电量指标及享受期限随关停延后的时间而逐年递减。“十一五”电力行业累计关停小火电7682.5万千瓦，超过5000万千瓦的目标。

10.2.3.2.2 千家企业节能行动

千家企业是钢铁、有色金属、煤炭、电力、石油石化、化工、建材、造纸、纺织9个重点耗能行业中2004年能耗在18万t标准煤当量以上的高耗能企业。2004年千家企业能源消费总量占全国能源消费总量的33%，占工业能源消费量的47%。

2006年国家发改委等五部委联合出台了《千家企业节能行动实施方案》(发改环资〔2006〕571号)，明确提出2006~2010年需实现节能量1亿t标准煤当量的目标。

2006年，998家企业与地方政府签署了节能目标责任书(其中15家中央企业直接与国家发改委签署了责任书)。为实施千家企业节能行动，国家实施了签订目标责任书，实施能源审计，实施能源利用状况报告制度，开展能效对标活动四项措施。

10.2.3.2.3 淘汰落后产能

加快淘汰高耗能工业落后产能是“十一五”期间力度最大的节能行动之一，体现了“十一五”期间优化工业结构的工作重心。

淘汰落后产能行动主要通过行政措施实施，对能耗水平过高的企业和因为产能不符合产业政策的企业，采取强制拆除和停产。关停淘汰的企业分两类：如果企业是合法的，项目的上马经过了审批和验收，但因为产能不符合产业政策而遭拆除停产，政府给予一定补偿。如果企业在投产前没有任何审批手续，企业直接面临取缔，企业主还可能面临罚款。对因关闭力度大影响地方财政收入的区(市)县，加大财政转移支付力度。对关闭不力的区(市)县，加大问责追究，减少财政转移支付。对于不按期淘汰的企业，将受到吊销排污许可证、限制项目和土地审批、不办理生产许可证、吊销工商登记、停止供电等惩罚措施。对于不按期淘汰的地区，实行项目区域限批制度。

考虑到经济欠发达地区淘汰落后产能造成的经济损失，在实施行政措施的同时，国家配套财政手段予以补助。例如，中央财政奖励资金和地方专项补偿资金给予淘汰关闭过程中涉及的政府、投资方、职工等各方利益补偿。2007~2009年，中央财政安排淘汰落后产能资金162亿元。

市场手段对行政手段有一定补充作用。市场手段之一是对高耗能企业实行差别电价。2006年，中国开始对电解铝、铁合金、电石、烧碱、水泥、钢铁、黄磷、锌冶炼八个高耗能行业实行差别电价政策。2007年，国家发改委颁布四项政策文件，坚决要求贯彻执行差别电价政策：①《关于坚决贯彻执行差别电价政策禁止自行出台优惠电价的通知》(发改价格〔2007〕773号)，进一步强调必须对高耗能企业实行差别电价和禁止实行优惠电价；②《关于对贯彻落实差别电价政策及禁止自行出台优惠电价等情况进行督查的通知》(发改电〔2007〕129号)，决定对各地执行国家差别电价政策及禁止出台优惠电价情况进行全面督查；③《关于进一步贯彻落实差别电价政策有关问题的通知》(发改价格〔2007〕2655 号)和④《关于取消电解铝等高耗能行业电价优惠有关问题的通知》(发改价格〔2007〕3550 号)，再次明确取消对电解铝、铁合金和氯碱企业的电价优惠，并要求对仍在以大用户直供电和协议用电名义自行对高耗能企业实行优惠的部分地区，立即停止优惠行为。

2010 年，国家发改委要求取消国际金融危机爆发之后部分地方对高耗能企业的用电价格优惠，继续对以上八个行业实行差别电价政策，并加大差别电价政策实施力度。自 2010 年 6 月起，以上八个行业的限制类企业电价加价标准由 0.05 元/kW・h 提高到 0.1 元每千瓦时，淘汰类企业电价加价标准由 0.2 元/kW・h 提高到 0.3 元 kW・h，对能源消耗超过国家和地方规定单位产品能耗(电耗) 标准的，实施惩罚性电价，对超标一倍以上的，比照淘汰类电价加价标准执行。

10.2.3.2.4　十大重点节能工程

十大重点节能工程是《节能中长期专项规划》(发改环资〔2004〕2505 号)的重要内容。2006 年，国家发改委等部门确定十大重点节能工程的目标是"十一五"期间形成节能能力 2.4 亿 t 标准煤当量。2006~2010 年，十大重点节能工程形成节能能力 3.4 亿 t 标准煤当量(国家发改委，2011)。

十大重点节能工程的实质是通过政府资金扶持和奖励，激励企业实行节能技术改造，培养企业在节能减排领域的能力。《"十一五"十大重点节能工程实施意见》(发改环资〔2006〕1457 号)要求加快节能技术开发，尤其优先支持采用自主知识产权的示范项目，增强自主创新能力。2007 年，财政部、国家发改委印发《节能技术改造财政奖励资金管理暂行办法》(财建〔2007〕558 号)(以下简称《办法》)的通知，指出中央财政将安排必要的引导资金，采取"以奖代补"方式对十大重点节能工程给予支持和奖励。《办法》规定，中央财政对燃煤工业锅炉(窑炉)改造、余热余压利用、节约和替代石油、电机系统节能和能量系统优化等节能技术改造项目进行财政奖励。具体做法是：节能量超过 1 万 t 标准煤当量的项目，东部地区节能技术改造项目按 200 元/t 标准煤当量给予奖励，中西部地区按 250 元/t 标准煤当量给予奖励。

十大重点节能工程的节能量审核由财政部指定的 28 家第三方机构完成。这个过程分两个阶段。第一阶段在节能技改项目实施前，企业自行将项目节能量上报给市政府，市政府进行初步审核。然后，市政府向省政府上报，省政府进行综合审核。之后，省政府上报给国家发改委，由第三方机构分别对自报节能量进行审核。通过节能量审核的项目，财政部在项目开始前，拨付 60% 的奖励资金给企业。节能量审核的第二阶段在项目实施完成后由第三方机构再次进行。对 100% 完成上报节能量的项目，补全剩余的40%节能奖励；对未完成的项目，根据具体完成情况来决定补发的金额。为了保证审核过程的透明性和公平性，第三方机构不可对本省企业进行审核，节能量审核只能跨省完成。

2011年6月，财政部联合国家发改委共同发布《节能技术改造财政奖励资金管理办法》(财建〔2011〕367号)，提出中央财政将继续安排专项资金，采取"以奖代补"方式，对企业实施节能技术改造给予适当支持和奖励。

10.2.3.2.5 建筑节能

建筑节能包括四个方面：①新建建筑执行节能标准；②既有建筑节能改造；③公共建筑和政府机构节能；④发展绿色建筑。

针对新建建筑设计标准，中国经历了节能30%、50%和65%三个阶段。针对公共建筑的设计，住建部在2005年颁布了《公共建筑节能设计标准》(GB50189—2005)，俗称50%节能设计标准针对建筑施工与验收过程，中国目前现行的标准是2007年10月实施的《建筑节能工程施工质量验收规范》(GB50411—2007)。

现有建筑改造包括：提高围护结构的保温性能，降低空调和采暖负荷；提高公共建筑用能系统与设备的能效；鼓励被动式用能设计，减少建筑通风、照明等负荷。此外，北方采暖地区供热体制改革是既有居住建筑改造的重要部分。2006年建设部印发了《关于推进供热计量的实施意见》(建城〔2006〕159号)，提出从政府机关和公共建筑做起，全面实施供热计量工作，建立和完善供热计量收费机制。2007年，国家发改委和住建部印发了《城市供热价格管理暂行办法》(发改价格〔2007〕1195号)，为完善供热价格形成机制，规范热价管理提供了依据。2007年财政部确定根据气候区给予奖励：严寒地区为55元/平方米，寒冷地区为45元/平方米。2006年起，中国开始推行强制性的计量表安装。安装计量表是为了实现按热量进行供热收费：对于用户，按热量收费促使用户节约用热，并进行围护结构改造以减少热量消耗；对于供热企业，按热量收费促进企业改善供热管网运行，并注意提高热源能效，以降低生产、供应热量的成本。这样，计量表的安装可以直接或间接地促进北方城镇集中供热系统的节能减排。安装计量表的目的是通过按热量收费的收费机制鼓励减少消耗。然而，中国目前的热价未能反映供热运行费用，对供热企业无法形成激励。另一方面，热价以户为结算点，不能反映不同热工性能建筑的差别，难以有效激励终端用户。由于热价定价还没形成激励，安装计量表的激励作用非常有限，安装率很低。

中国深入开展国家机关办公建筑和大型公共建筑的节能，并从三个层面推进。一是从法律法规与国家规划层面，对公共建筑节能提出发展目标。国务院《民用建筑节能条例》(中华人民共和国国务院令第530号)与《公共机构节能条例》(中华人民共和国国务院令第531号)规定，国家办公机关建筑与大型公共建筑应该建立能耗计量、完成能源审计，县级以上地方政府应当制定当地公共建筑用电限额，并提出“十一五”期间节能20%的目标。2007年国务院《节能减排综合性工作方案》(国发〔2007〕15号)规定：在25个示范省市建立大型公共建筑能耗统计、能源审计、能效公示、能耗定额制度，实现节能1250万t标准煤当量的目标。二是出台相关标准法规，规范建筑用能系统的运行管理以及配套能耗统计体系的相关技术要点。建设部颁布了《空调通风系统运行管理规范》(GB50365—2005)，并出台了《国家机关办公建筑和大型公共建筑能源审计导则》(建科〔2007〕249号)和《关于印发国家机关办公建筑和大型公共建筑能耗监测系统建设相关技术导则的通知》(建科〔2008〕114号)。三是出台相关管理措施与激励政策。2007年以来，建设部在23个城市组织试行民用建筑能耗统计工作。为支持能耗统计工作，财政部建立了专项基金补助建立建筑节能监管体系支出，包括搭建建筑能耗监测平台、进行建筑能耗统计、建筑能源审计和建筑能效公示等支出。2009年建设部与统计局联合颁布《民用建筑能耗和节能信息统计报表制度》，并于2010年下发《关于印发〈民用建筑能耗和节能信息统计报表制度〉的通知》(建科〔2010〕31号)，在全国各省市全面展开针对所有建筑的能耗统计工作。

中国致力于普及绿色建筑概念，并鼓励对建筑进行能效标识。2006年，建设部与科技部联合发布了《绿色建筑评价标准》(GB/T50378—2006)，这是中国第一个关于绿色建筑的标准规范。建设部与科技部出台《绿色建筑评价标识管理办法》(建科函〔2007〕206号)、《绿色建筑评价技术细则》(建科函〔2007〕205号)、《绿色建筑评价技术细则补充说明(运行使用部分)》(建科函〔2009〕235号)和《绿色建筑评价技术细则补充说明(规划设计部分)》(建科函〔2008〕113号)等，用于指导绿色建筑评价标识和绿色建筑设计评价标识项目评价工作。

2010年8月发布的《绿色工业建筑评价导则》将绿色建筑的标志评价工作进一步扩展到了工业建筑领域，标志着我国绿色建筑评价工作正式走向细分化，为指导现阶段我国工业建筑规划设计、施工验收、运行管理以及规范绿色工业建筑评价工作提供了重要的技术依据。2010年11月国家标准《建筑工程绿色施工评价标准》(GB/T50640—2010)及行业标准《民用建筑绿色设计规范》(JGJ/T229—2010)分别颁布，前者使一直备受关注的绿色施工评价进入了可操作层面，后者弥补了绿色建筑标准规范领域无设计规范的空白，可在建筑项目的规划设计阶段为实现绿色建筑目标提供重要的技术依据。目前，中央财政已经设立建筑节能专项资金，支持建筑节能发展。2012年4月，财政部与住房城乡建设部联合发布了《关于加快推动我国绿色建筑发展的实施意见》，提出要建立高星级绿色建筑财政政策激励机制，对二星级及以上的而绿色建筑给予中央财政奖励。2013年，由发展改革委、住房城乡建设部共同制定的《绿色建筑行动方案》，目的是合理改善建筑舒适性，从政策法规、体制机制、规划设计、标准规范、技术推广、建设运营和产业支撑等方面全面推进绿色建筑行动，加快推进建设资源节约型和环境友好型社会。2014年，《绿色建筑评价标准》修订完成。根据住房和城乡建设部《关于印发〈2011年工程建设标准规范制订、修订计划〉的通知》（建标[2011]17号）的要求，由中国建筑科学研究院和上海市建筑科学研究院（集团）有限公司会同有关单位在原国家标准《绿色建筑评价标准》GB/T 50378—2006基础上进行修订。

10.2.3.2.6 节能产品惠民工程

高效节能家电和节能灯的推广应用是降低建筑能耗的重要途径。目前政策体系包括如下两个方面：一是制定节能产品相关标准，规范产品市场，提高产品能效等级；二是开展相关工程项目，配套激励政策促进节能产品的推广。

10.2.3.2.7 低碳交通行动

2010年，全国启动了"车船路港"千家企业低碳交通专项行动。专项行动以"车船路港"千家交通运输企业为载体，结合行业特点推进节能减排工作。"车"：大力推广节能驾驶经验，加强营运车辆用油定额考核，严格执行车辆燃料消耗量限值标准，淘汰高耗能车辆，推广新能源和清洁燃料车辆，推进甩挂运输。"船"：大力推广船型标准化，靠港船舶使用岸电。"路"：大力推广高速公路不停车收费，优化运输组织，推广甩挂运输，公路隧道节能和路面材料再生技术，推进太阳能在公路系统的应用。"港"：大力推广轮胎式集装箱、门式起重机、"油改电"和船舶使用的岸电建设。

在车辆燃料消耗量限值标准方面，交通行业已制定和实施了一批技术标准和行业细则。2004年，国家质量监督检验检疫总局和全国汽车标准化技术委员会批准发布了强制性国家标准《乘用车燃料消耗量限值标准》（GB19578—2004）。另外，国家颁布了强制性国家标准《轻型汽车燃料消耗量标识》（GB22757—2008），于2010年1月1日起实施。交通运输部印发了《关于促进甩挂运输发展的通知》（交运发〔2009〕808号）。

此外，中国在降低汽车活动水平方面也采取了多项措施。具体有：增加公交系统在交通结构中的比例、牌照限行、征收燃油税和鼓励其他出行方式（如轨道交通）。

10.2.3.2.8 标准标识

国家标准委制定和修订了46项与《节约能源法》配套的标准，其中新制定国家标准37项，修订9项。有36项为国家强制性标准，大部分标准已于2008年6月1日起实施。

出台中国第一个绿色建筑标准规范：《绿色建筑评价标准》。2005年3月1日，《能源效率标识管理办法》（国家发改委和国家质检局2005年第17号令）开始实施。

10.2.3.3　碳汇政策

2009 年 6 月，中国政府召开全国林业会议，明确指出林业在应对气候变化中的特殊地位，并强调中国必须把发展林业作为应对气候变化的战略选择。中央林业工作会议明确赋予林业五大功能，即生态、经济、社会、碳汇和文化功能。2009 年 11 月，国家林业局发布《应对气候变化林业行动计划》，确定了三个阶段性目标。中国增加碳汇的最重要手段是造林。除直接种植碳汇林外，多项致力于治理水土流失、防沙治沙、保护天然林资源的重点林业工程有增加碳汇的协同效应。同时，中国通过加强森林管护，提高森林质量和蓄积量，增加森林碳汇。

(1)造林。造林是中国林业减缓气候变化的重要举措。造林通过三个机制实施：①重点林业工程形成增加碳汇的协同效应；②推进清洁发展机制项目；③中国绿色碳汇基金会引导企业和公众自愿减排。

《林业发展十二五规划》中提出，5 年完成新造林 3000 万公顷、森林抚育经营(含低效林改造)3500 万公顷，全民义务植树 120 亿株。到 2015 年，森林覆盖率达到 21.66%，森林蓄积量达到 143 亿立方米以上，森林植被总碳储量力争达到 84 亿 t，重点区域生态治理取得显著成效，国土生态安全屏障初步形成，林业产业总产值达到 3.5 万亿元，特色产业和新兴产业在林业产业中的比重大幅度提高，产业结构和生产力布局更趋合理；生态文化体系初步构成，生态文明观念广泛传播。

(2)森林管护。国家林业局提出要积极推进森林可持续经营，优化森林资源结构。与增加碳汇相关的森林管护主要从两方面推进：①中幼林抚育；②有害生物防控。

10.2.3.4　经济激励政策工具

10.2.3.4.1　税收激励和约束

(1)企业所得税。企业所得税优惠是为了鼓励企业实施节能项目或购买节能专用设备。此外，为支持可再生能源发展，可再生能源发电企业也享受所得税优惠。

例如，节能项目(包括公共垃圾处理、沼气综合开发利用、节能减排技术改造等)享受第一至第三年免征所得税，第四至第六年减半征收。节能专用设备投资额的 10% 可以从企业当年的应纳税额中抵免；当年不足抵免的，可以在以后 5 个纳税年度结转抵免。可再生能源发电企业享受所得税前三年免税、后两年减半的优惠，从事可再生能源设备制造企业享受所得税优惠。

(2)增值税。增值税优惠包括资源综合利用增值税优惠、核电机企业增值税优惠、节能服务公司增值税优惠等。例如，从 2008 年开始，核电机组自正式投产次月起 15 个年度内，增值税先征后返，返还比例分三个阶段逐级递减，前 5 年可以返还 75% 的增值税。

资源综合利用增值税税收优惠有四种类型：免税、即征即退、即征即退、先征后退。

2011年财政部发布《关于调整三代核电机组等重大技术装备进口税收政策的通知》。具体如下：自2010年1月1日起，对符合规定条件的国内企业为生产国家支持发展的三代核电机组而确有必要进口部分关键零部件、原材料，免征关税和进口环节增值税。自2011年7月1日起，对符合规定条件的国内企业为生产国家支持发展的千万吨炼油设备及天然气管道运输设备、大型船舶装备、成套棉纺设备而确有必要进口部分关键零部件、原材料，免征关税和进口环节增值税。二、自2012年1月1日起，对财关税[2009]55号附件《重大技术装备进口税收政策暂行规定》第三条所列项目和企业进口本通知附件3所列自用设备以及按照合同随上述设备进口的技术及配套件、备件，一律征收进口税收。

根据《财政部、国家税务总局关于资源综合利用及其他产品增值税政策的通知》（财税[2008]156号）和《财政部、国家税务总局关于资源综合利用及其他产品增值税政策的补充的通知》（财税[2009]163号）的相关规定，销售对燃煤发电厂及各类工业企业产生的烟气、高硫天然气进行脱硫生产的副产品、利用锋利生产的电力实行即征即退50%的增值税。

《财政部、国家税务总局关于促进节能服务产业发展增值税、营业税和企业所得税政策问题的通知》（财税〔2010〕110号）明确，对符合条件的节能服务公司实施合同能源管理项目，取得的营业税应税收入，暂免征收营业税。节能服务公司实施符合条件的合同能源管理项目，将项目中的增值税应税货物转让给用能企业，暂免征收增值税。《财政部、国家税务总局关于将铁路运输和邮政业纳入营业税改征增值税试点的通知》（财税〔2013〕106号）附件3明确，符合条件的节能服务公司实施合同能源管理项目中提供的应税服务免征增值税。财税〔2010〕110号文件规定，对符合条件的节能服务公司实施合同能源管理项目，符合企业所得税税法有关规定的，自项目取得第一笔生产经营收入所属纳税年度起，第一年至第三年免征企业所得税，第四年至第六年按照25%的法定税率减半征收企业所得税。

（3）进口关税。降低进口关税是为了鼓励进口有利于技术创新的商品和资源性的商品。例如，自2006年11月1日起，进口制造节能设备所需的关键零部件，进口关税由1%~7%降至0~3%。其中，计算机直接制版机器、纺织机械零部件、具有变流功能的半导体模块等7项有利于技术创新和生产制造节能产品所需的关键设备或零部件的税率将由目前的1%~7%降低为0~3%；煤炭、成品油、氧化铝等26项资源类产品的税率由3%~6%降低为0~3%。2008年1月1日起，汽油、柴油、航空煤油进口关税从2%调至1%。出口关税。为控制高能耗、高污染和资源性商品出口，国家加征出口关税。2007年6月起，中国对142项商品加征出口关税。其中重点是对80多种钢铁产品进一步加征5%~10%的出口关税，这些产品主要包括普碳钢线材、板材、型材以及其他钢材产品。另外，将2006年已经征收出口关税的钢坯、钢锭、生铁等钢铁初级产品的税率由10%提高至15%。这是继2007年4月份对这些钢铁产品取消出口退税、另对其他70多种钢铁产品大幅度降低出口退税后，针对产能过剩、出口增长过快的钢铁产品采取的进一步宏观调控措施。

2012年我国将对730多种商品实施较低的进口暂定税率，其中包括发展高端装备制造、新一代信息技术、新能源汽车等战略性新兴产业所需的关键设备和零部件。此次结构性下调进口关税，将进一步增强国内企业对高新技术产品的进口动力。经国务院批准，自2014年10月15日起，取消无烟煤（税号：27011100）、炼焦煤（税号：27011210）、炼焦煤以外的其他烟煤（税号：27011290）、其他煤（税号：27011900）、煤球等燃料（税号：27012000）的零进口暂定税率，分别恢复实施3%（无烟煤）、3%（炼焦煤）、6%（炼焦煤以外的其他烟煤）、5%（其他煤）、5%（煤球等燃料）的最惠国税率。

（4）出口退税。为遏制高耗能、高污染行业快速发展，国家取消或降低高耗能、高污染产品的出口退税。2007年7月1日起，取消553项高耗能、高污染资源性产品出口退税。2009年4月1日起，又调高了出口退税率，钢板带材、部分钢铁制品提到9%，铝型材等有色金属材、聚氯乙烯等塑料提到13%。2010年7月15日起又取消部分钢材、有色金属加工材等406个税号的退税率。

（5）成品油消费税。自2009年1月1日起实施成品油税费改革，取消原在成品油价外征收的公路养路费、航道养护费、公路运输管理费、公路客货运附加费、水路运输管理费、水运客货运附加费等六项收费，逐步有序取消政府还贷二级公路收费；同时，将价内征收的汽油消费税单位税额由每升0.1元提高到1元；柴油消费税单位税额由每升0.1元提高到0.8元；其他成品油消费税单位税额相应提高。驾车者多用多缴，少用少缴。

2015年，国家对成品油进口环节消费税进行了调整。①将汽油、石脑油、溶剂油和润滑油的进口环节消费税单位税额由1.4元/升提高到1.52元/升。②将柴油、航空煤油和燃料油的进口环节消费税单位税额由1.1元/升提高到1.2元/升。航空煤油继续暂缓征收。

（6）资源税费。中国资源税有从量定额征收和从价定率征收两种形式。2014年10月，财政部、税务总局发布《关于实施煤炭资源税改革的通知》，要求自2014年12月

1日起，对衰竭期煤矿开采的煤炭减征30%资源税，对充填开采置换出来的煤炭减征50%资源税，以鼓励煤炭企业提高资源回采率，保护矿区环境，同时帮助部分困难煤炭企业减负。

10.2.3.4.2 资源价格

中国实行政府控制电力、水、天然气、直接取暖等的价格管理方法。虽然政府控制价格可以保护低收入人群的利益，但不灵活的要素价格无法发挥市场配置资源的作用，使市场能源的供需双方不能得到正确的经济信号，导致资源被低成本耗用。针对这个问题，国家出台并试点阶梯电价、阶梯水价、峰谷电价等。2009年以来，中国实施了成品油价格改革，多次调整成品油价格，完善价格形成机制。2010年6月，上调天然气出厂基准价格，取消价格双轨制，扩大浮动幅度。自2007年以来，通过供热体制改革，为完善供热价格形成机制提供了依据。对限制类和淘汰类企业实行差别电价。

10.2.3.4.3 绿色信贷

2007年，国家环保总局、中国人民银行、中国银监会联合发布的《关于落实环保政策法规防范信贷风险的意见》，被称为是关于绿色信贷的最重要的政策性意见，意见发布以来，各级环保部门和金融监管部门已联手合作，运用绿色信贷政策，调控信贷投向，控制高污染、高环境风险行业和企业授信，许多污染企业因环境问题而不能获得贷款。

2012年银监会为推动银行业金融机构以绿色信贷为抓手，积极调整信贷结构，有效防范环境与社会风险，更好地服务实体经济，促进经济发展方式转变和经济结构调整，制定了《绿色信贷指引》银监发〔2012〕4号。

10.2.3.4.4 市场培育

随着中国政府积极转变自身在经济治理中的干预方式，完善节能市场机制成为新的发展趋势。2010年4月，国务院办公厅转发国家发改委等部门《关于加快推进合同能源管理促进节能服务产业发展的意见》(国办发〔2010〕25号)，从投资、财政、税收、金融等方面加大了对合同能源管理项目和节能服务公司的支持力度。2010年6月，财政部与国家发改委决定对年节能量在500tce以上(含)、10000tce以下的合同能源管理项目给予奖励，其中中央财政奖励为240元/tce，省级财政奖励不低于60元/tce。

附　录

附录一　国外低碳经济政策及文件

1.1　联合国2009年气候变化会议相关文件

1.1.1　《哥本哈根协议》

各国领导人、政府首脑、官员以及其他出席本次在哥本哈根举行的联合国2009年气候变化会议的代表:

为最终达成本协议第二款所述的会议目标，在会议原则和愿景的指引下，考虑到两个特别工作组的工作成果，我们同意特别工作组关于长期合作行动的x/CP.15号决议，以及继续按照特别工作组x/CMP.5号决议要求，履行附录I根据京都议定书列出的各方义务。

我们同意此哥本哈根协议，并立即开始执行。

（1）我们强调，气候变化是我们当今面临的最重大挑战之一。我们强调对抗气候变化的强烈政治意愿，以及“共同但区别的责任”原则。为达成最终的会议目标，稳定温室气体在大气中的浓度以及防止全球气候继续恶化，我们必须在认识到全球气候升幅不应超过2℃的科学观点后，在公正和可持续发展的基础上，加强长期合作以对抗气候变化。我们认识到气候变化的重大影响，以及对一些受害尤其严重的国家的应对措施的潜在影响，并强调建立一个全面的应对计划并争取国际支持的重要性。

(2)我们同意，从科学角度出发，必须大幅度减少全球碳排放，并应当依照IPCC第四次评估报告所述愿景，将全球气温升幅控制在2℃以下，并在公平的基础上行动起来以达成上述基于科学研究的目标。我们应该合作起来以尽快实现全球和各国碳排放峰值，我们认识到发展中国家碳排放达到峰值的时间框架可能较长，并且认为社会和经济发展以及消除贫困对于发展中国家来说仍然是首要的以及更为重要的目标，不过低碳排放的发展战略对可持续发展而言是必不可少的。

(3)所有国家均面临气候变化的负面影响，为此应当支持并实行旨在降低发展中国家受害程度并加强其应对能力的行动，尤其是最不发达国家和位于小岛屿的发展中国家以及非洲国家，我们认为发达国家应当提供充足的、可预测的和持续的资金资源、技术以及经验，以支持发展中国家实行对抗气候变化举措。

(4)附录Ⅰ各缔约方将在2010年1月31日之前向秘书处提交经济层面量化的2020年排放目标，并承诺单独或者联合执行这些目标。这些目标的格式如附录Ⅰ所示。附录Ⅰ国家中，属于《京都议定书》缔约方的都将进一步加强该议定书提出的碳减排。碳减排和发达国家的资金援助的衡量、报告和核实工作，都将根据现存的或者缔约方大会所采纳的任何进一步的方针进行，并将确保这些目标和融资的计算是严格、健全、透明的。

(5)附录Ⅰ非缔约方将根据第四条第一款和第四条第七款、在可持续发展的情况下实行延缓气候变化举措，包括在2010年1月31日之前按照附录Ⅱ所列格式向秘书处递交的举措。最不发达国家及小岛屿发展中国家可以在得到扶持的情况下，自愿采取行动。

附录Ⅰ非缔约方采取的和计划采取的减排措施应根据第十二条第一款(b)，以缔约方大会采纳的方针为前提，每两年通过国家间沟通来交流。这些通过国家间沟通或者向秘书处报告的减排措施将被添加进附录Ⅱ的列表中。

附录Ⅰ非缔约方采取的减排措施将需要对每两年通过国家间沟通进行报告结果在国内进行衡量、报告和审核。附录Ⅰ非缔约方将根据那些将确保国家主权得到的尊重的、明确界定的方针，通过国家间沟通，交流各国减排措施实施的相关信息，为国际会议和分析做好准备。寻求国际支持的合适的国家减排措施将与相关的技术和能力扶持一起登记在案。那些获得扶持的措施将被添加进附录Ⅱ的列表中。

这些得到扶持的合适的国家减排措施将有待根据缔约方大会采纳的方针进行国际衡量、报告和审核。

(6)我们认识到，减少滥伐森林和森林退化引起的碳排放是至关重要的，我们需要提高森林对温室气体的清除量，我们认为有必要通过立即建立包括REDD+在内的机制，为这类举措提供正面激励，促进发达国家提供的援助资金的流动。

(7)我们决定采取各种方法，包括使用碳交易市场的机会，来提高减排措施的成本效益，促进减排措施的实行；应该给发展中国家提供激励，以促使发展中国家实行低排放发展战略。

(8)在符合大会相关规定的前提下，应向发展中国家提供更多的、新的、额外的以及可预测的和充足的资金，并且令发展中国家更容易获取资金，以支持发展中国家采取延缓气候变化的举措，包括提供大量资金以减少乱砍滥伐和森林退化产生的碳排放(REDD+)、支持技术开发和转让、提高减排能力等，从而提高该协定的执行力。

发达国家所作出的广泛承诺将向发展中国家提供新的额外资金，包括通过国际机构进行的林业保护和投资、在2010年至2012年期间提供300亿美元。对于那些最容易受到冲击的发展中国家如最不发达国家、小岛屿发展中国家以及非洲国家而言，为该协定的采用提供融资支持将是最优先的任务。

在实际延缓气候变化举措和实行减排措施透明的背景下，发达国家承诺在2020年以前每年筹集1000亿美元资金用于解决发展中国家的减排需求。这些资金将有多种来源，包括政府资金和私人资金、双边和多边筹资，以及另类资金来源。多边资金的发放将通过实际和高效的资金安排，以及为发达国家和发展中国家提供平等代表权的治理架构来实现。此类资金中的很大一部分将通过哥本哈根绿色气候基金(Copenhagen Green Climate Fund)来发放。

(9)最后，为达成这一目标，一个高水准的工作小组将在缔约方会议的指导下建立并对会议负责，以研究潜在资金资源的贡献度，包括另类资金来源。

(10)我们决定，应该建立哥本哈根气候基金，并将该基金作为缔约方协议的金融机制的运作实体，以支持发展中国家包括REDD+、适应性行动、产能建设以及技术研发和转让等用于延缓气候变化的方案、项目、政策及其他活动。

(11)为了促进技术开发与转让，我们决定建立技术机制(Technology Mechanism)，以加快技术研发和转让，支持适应和延缓气候变化的行动。这些行动将由各国主动实行，并基于各国国情确定优先顺序。

(12)我们呼吁，在2015年结束以前完成对该协议及其执行情况的评估，包括该协议的最终目标。这一评估还应包括加强长期目标，比如将全球平均气温升幅控制在1.5℃以内等。

草案决议-/CP.15

按照公约特设工作组长期合作行动的努力成果。

主席提议

致力于全面、有效而持久地实施公约，从现在起到2012年及以后，各缔约国进行长期合作。

(1)决定扩大长期合作行动特设工作组的工作范围，以确保其能够继续以具有法律效力文件的形式尽快向缔约国大会第16次会议提交工作成果。

(2)要求长期合作行动特设工作组继续吸收缔约国大会第16次会议上提交的AWG-LCA的成果，以及缔约国在此基础上从事的工作。

(3)要求下一届缔约国大会主办国进行全面、透明的磋商，以便找出让缔约国大会第16次会议取得成功的最有效谈判过程。

草案决议 -/CMP. 5

为京都议定书附件Ⅰ缔约方进一步承诺减排努力的特别工作小组(以下称特别工作小组)的工作成果。

主席提议

决定确保京都议定书第一和第二承诺期可以衔接。

承认附件Ⅰ缔约方将要继续在对抗气候变化方面起领头作用。

(1)欢迎特别工作小组依照京都议定书努力达到1/CMP. 1. 所取得的进展。

(2)要求特别工作小组递送会议所采用的结果，要起到京都议定书第六次会议的同样作用。

(3)要求特别工作小组引导其第十次会议的草案，使其起到京都议定书第五次会议的同样作用。

(4)命令下一次替代京都议定书缔约方会议的缔约方大会的主办国，为确保CMP6的成功，要承办大量的、透明的会议，使得谈判过程的效率达到最高。

附表1 与会方承诺减排信息

与会方	承诺细节		承诺状态	是否包括土地利用、土地利用变化和林业(LULUCF)	机制引入
	2020年减排范围	参照年			
澳大利亚	5%~15%或25%	2000	官方宣布	是	是
白俄罗斯	5%~10%	1990	考虑中	是	量化限制和减排目标(QELROs)依据具体条件而定
加拿大	20%	2006	官方宣布	初步定为2006年总排放量的2%~2%	无重要使用
克罗地亚 a	5%	1990	考虑在	是	待定
欧盟 ь	20%~30%	1990	立法通过	若减排为20%则不包括；若减排为30%则在-3%~3%之间	初步估计：若减排20%则为4%，若减排30%则为9%
冰岛	15%	1990	官方宣布	可观贡献	限制机制使用
日本	25%	1990	官方宣布	初步定为1990年排放量的1.5%~2.9%	待定
哈萨克斯坦	15%	1992	官方宣布	待定	待定
列支敦士登	20%~30%	1990	官方宣布	否	10%~40%

（续）

与会方	承诺细节		承诺状态	是否包括土地利用、土地利用变化和林业（LULUCF）	机制引入
	2020年减排范围	参照年			
摩纳哥	20%	1990	官方宣布	否	是
新西兰	10%~20%	1990	官方宣布	是	是
挪威	30%~40%	1990	官方宣布	约6%	是
俄罗斯	15%~25%	1990	官方宣布	待定	待定
瑞士	20%~30%	1990	官方宣布	是（根据现有计算规则）	初步估计，若减排20%则为36%，若减排30%则为42%
乌克兰	20%	1990	考虑中	待定	是
美国	14%~17%	2005	考虑中	是	是

a. 根据决议7/CP.12的计算，相对基准减排5%等同于2020年相对1990年减排6%。

b. 欧共体总排放量包括：受京都议定书第四条款约束的15个成员国，以及其余协定附件一包括的成员国。

1.1.2 《哥本哈根协议》中各国态度

1.1.2.1　中　国

作为《联合国气候变化框架公约》及其《京都议定书》的缔约方，中国一向致力于推动公约和议定书的实施，认真履行相关义务。目前，国际社会正在就落实“巴厘路线图”、加强公约及其京都议定书全面、有效和持续实施进行谈判，已于2009年年底举行的联合国哥本哈根气候变化会议取得积极成果，中国将在这一谈判进程中继续发挥积极、建设性作用。为此，谨提出中国关于哥本哈根气候变化会议落实“巴厘路线图”的有关立场。国务院总理温家宝18日在丹麦哥本哈根气候变化会议领导人会议上发表了题为《凝聚共识　加强合作　推进应对气候变化历史进程》的重要讲话。讲话全文如下：

凝聚共识　加强合作 推进应对气候变化历史进程

——在哥本哈根气候变化会议领导人会议上的讲话

（中华人民共和国国务院总理　温家宝2009年12月18日　哥本哈根）

拉斯穆森首相阁下，各位同事：

此时此刻，全世界几十亿人都在注视着哥本哈根。我们在此表达的意愿和做出的承诺，应当有利于推动人类应对气候变化的历史进程。站在这个讲坛上，我深感责任重大。

气候变化是当今全球面临的重大挑战。遏制气候变暖，拯救地球家园，是全人类共同的使命，每个国家和民族，每个企业和个人，都应当责无旁贷地行动起来。

近三十年来，中国现代化建设取得的成就已为世人瞩目。在这里我还要告诉各位，中国在发展的进程中高度重视气候变化问题，从中国人民和人类长远发展的根本利益出发，为应对气候变化做出了不懈努力和积极贡献。

——中国是最早制定实施《应对气候变化国家方案》的发展中国家。先后制定和修订了节约能源法、可再生能源法、循环经济促进法、清洁生产促进法、森林法、草原法和民用建筑节能条例等一系列法律法规，把法律法规作为应对气候变化的重要手段。

——中国是近年来节能减排力度最大的国家。我们不断完善税收制度，积极推进资源性产品价格改革，加快建立能够充分反映市场供求关系、资源稀缺程度、环境损害成本的价格形成机制。全面实施十大重点节能工程和千家企业节能计划，在工业、交通、建筑等重点领域开展节能行动。深入推进循环经济试点，大力推广节能环保汽车，实施节能产品惠民工程。推动淘汰高耗能、高污染的落后产能，2006~2008 年共淘汰低能效的炼铁产能 6059 万吨、炼钢产能 4347 万吨、水泥产能 1.4 亿吨、焦炭产能 6445 万吨。截至今年上半年，中国单位国内生产总值能耗比 2005 年降低 13%，相当于少排放 8 亿吨二氧化碳。

——中国是新能源和可再生能源增长速度最快的国家。我们在保护生态基础上，有序发展水电，积极发展核电，鼓励支持农村、边远地区和条件适宜地区大力发展生物质能、太阳能、地热、风能等新型可再生能源。2005~2008 年，可再生能源增长 51%，年均增长 14.7%。2008 年可再生能源利用量达到 2.5 亿吨标准煤。农村有 3050 万户用上沼气，相当于少排放二氧化碳 4900 多万吨。水电装机容量、核电在建规模、太阳能热水器集热面积和光伏发电容量均居世界第一位。

——中国是世界人工造林面积最大的国家。我们持续大规模开展退耕还林和植树造林，大力增加森林碳汇。2003~2008 年，森林面积净增 2054 万公顷，森林蓄积量净增 11.23 亿立方米。目前人工造林面积达 5400 万公顷，居世界第一。

中国有 13 亿人口，人均国内生产总值刚刚超过 3000 美元，按照联合国标准，还有 1.5 亿人生活在贫困线以下，发展经济、改善民生的任务十分艰巨。我国正处于工业化、城镇化快速发展的关键阶段，能源结构以煤为主，降低排放存在特殊困难。但是，我们始终把应对气候变化作为重要战略任务。1990~2005 年，单位国内生产总值二氧化碳排放强度下降 46%。在此基础上，我们又提出，到 2020 年单位国内生产总值二氧化碳排放比 2005 年下降 40%~45%，在如此长时间内这样大规模降低二氧化碳排放，需要付出艰苦卓绝的努力。我们的减排目标将作为约束性指标纳入国民经济和社会发展的中长期规划，保证承诺的执行受到法律和舆论的监督。我们将进一步完善国内统计、监测、考核办法，改进减排信息的披露方式，增加透明度，积极开展国际交流、对话与合作。

各位同事，

应对气候变化需要国际社会坚定信心，凝聚共识，积极努力，加强合作。必须始终牢牢把握以下几点：

第一，保持成果的一致性。应对气候变化不是从零开始的，国际社会已经为之奋斗了几十年。《联合国气候变化框架公约》及其《京都议定书》是各国经过长期艰苦努力取得的成果，凝聚了各方的广泛共识，是国际合作应对气候变化的法律基础和行动指南，必须倍加珍惜、巩固发展。本次会议的成果必须坚持而不能模糊公约及其议定书的基本原则，必须遵循而不能偏离"巴厘路线图"的授权，必须锁定而不能否定业已达成的共识和谈判取得的进展。

第二，坚持规则的公平性。"共同但有区别的责任"原则是国际合作应对气候变化的核心和基石，应当始终坚持。近代工业革命 200 年来，发达国家排放的二氧化碳占全球排放总量的 80%。如果说二氧化碳排放是气候变化的直接原因，谁该承担主要责任就不言自明。无视历史责任，无视人均排放和各国的发展水平，要求近几十年才开始工业化、还有大量人口处于绝对贫困状态的发展中国家承担超出其应尽义务和能力范围的减排目标，是毫无道理的。发达国家如今已经过上富裕生活，但仍维持着远高于发展中国家的人均排放，且大多属于消费型排放；相比之下，发展中国家的排放主要是生存排放和国际转移排放。今天全球仍有 24 亿人以煤炭、木炭、秸秆为主要燃料，有 16 亿人没有用上电。应对气候变化必须在可持续发展的框架下统筹安排，决不能以延续发展中国家的贫穷和落后为代价。发达国家必须率先大幅量化减排并向发展中国家提供资金和技术支持，这是不可推卸的道义责任，也是必须履行的法律义务。发展中国家应根据本国国情，在发达国家资金和技术转让支持下，尽可能减缓温室气体排放，适应气候变化。

第三，注重目标的合理性。中国有句成语：千里之行，始于足下。西方也有句谚语：罗马不是一天建成的。应对气候变化既要着眼长远，更要立足当前。《京都议定书》明确规定了发达国家至 2012 年第一承诺期的减排指标。但从实际执行情况看，不少发达国家的排放不减反增。目前发达国家已经公布的中期减排目标与协议的要求和国际社会的期望仍有相当距离。确定一个长远的努力方向是必要的，更重要的是把重点放在完成近期和中期减排目标上，放在兑现业已做出的承诺上，放在行动上。一打纲领不如一个行动，我们应该通过切实的行动，让人们看到希望。

第四，确保机制的有效性。应对气候变化，贵在落实行动，重在机制保障。国际社会要在公约框架下做出切实有效的制度安排，促使发达国家兑现承诺，向发展中国家持续提供充足的资金支持，加快转让气候友好技术，有效帮助发展中国家、特别是小岛屿国家、最不发达国家、内陆国家、非洲国家加强应对气候变化的能力建设。

最后，我要强调的是，中国政府确定减缓温室气体排放的目标是中国根据国情采取的自主行动，是对中国人民和全人类负责的，不附加任何条件，不与任何国家的减排目标挂钩。我们言必信、行必果，无论本次会议达成什么成果，都将坚定不移地为实现、甚至超过这个目标而努力。

谢谢!

1.1.2.2 美 国

减排4%目标亦难以承诺。奥巴马上任之初曾希望借助自己的超高人气，推动美国在哥本哈根会议前通过一项气候法案，尽管美国的承诺仅相当于在1990年基础上减排温室气体4%左右，与发展中国家期望的仍有巨大差距。

1.1.2.3 俄罗斯

俄罗斯总统宣布，到2020年俄罗斯的温室气体排放量将下降25%。也就是说，在1990~2020年期间，俄罗斯将保证温室气体的总排放量减少逾300亿t。

1.1.2.4 其他主要国家的态度

(1)欧盟：承诺于2050年减排95%。欧洲在气候变化问题上试图重新确立自己的国际领导地位，指出如果哥本哈根峰会能够达成气候变化协议，欧洲将在2050年前削减高达95%的温室气体排放，在2020年前减少30%。

(2)印度：印度环境部长拉梅什3日宣布，印度将在2020年前将其单位国内生产总值(GDP)二氧化碳排放量在2005年的基础上削减20%~25%。

(3)英国：2009年英联邦政府首脑会议28日发表《西班牙港气候变化共识：英联邦气候变化宣言》，强调在哥本哈根联合国气候变化会议上各方应该达成有法律约束力的协议，发达国家应该对困难国家给予帮助，尤其是资金援助。

(4)澳大利亚：澳大利亚国会参议院2009年12月2日却再度否决了澳工党政府提出的气候变迁法案，这使得澳总理陆克文将空手赴会。澳大利亚是全球最大的煤炭出口国，澳人均排放量超过美国。提议未来十年内温室气体排放量将较2000年减少5%~15%。

1.1.3　哥本哈根协定前后的各国减排承诺对比公布

根据哥本哈根协议，目前已经有包括中国在内的55个国家，按照《哥本哈根协议》的要求向联合国气候变化框架公约秘书处递交了各自到2020年的温室气体减排承诺。绿色和平认为，目前各国的承诺远不足以拯救气候，呼吁全世界各国政府加大减排力度。

各国在《哥本哈根协议》中表示对气候科学对全球碳排放需要大幅度降低的要求，从而将全球气温升幅控制在2℃以下。根据联合国气候变化专家委员会（IPCC）的研究，全球升温2℃被视为一个至关重要的临界点，越过这个界限，地球将有可能遭遇大规模不可逆转的环境影响。但是，按照各国目前现已提出的减排目标，全球平均温度将比工业化前上升3℃。这对全球环境和社会等方面的影响将是灾难性的。各国政府必须言行一致，提出更加雄心勃勃的减排目标和行动计划，才可能达到《哥本哈根协议》中将全球升温控制在2℃内的承诺。为保证全球升温被控制在2℃的警戒线以内，到2020年，工业化国家在1990年水平上减排40%，并为发展中国家提供充足的减缓和应对资金；同时，发展中国家则应当把碳排放的增长预期降低15%~30%。然而，发达国家目前提出的指标远远低于这个要求，其目标总和仅仅相当减少总排放量的11%~19%（见附表2及附表3）。

绿色和平组织对55个政府递交的减排承诺与其在哥本哈根之前和期间提出的承诺进行了比较，结果发现国际社会对于应对气候变化的努力甚至有所减弱。这意味着轰轰烈烈的哥本哈根大会没有能在提升全球气候政治决心方面起到多大的作用。

附表2　哥本哈根协定前后的各国减排承诺对比之一

（工业化国家2020年的总体经济减排量化目标，截至2010年2月2日）

国家或地区	哥本哈根会议之前的减排目标与基准年	哥本哈根协定的减排承诺与基准年	变化
澳大利亚	5%~25%（2000）	5%~25%（2000）	无变化
加拿大	20%（2006）	17%（2005）	削弱
克罗地亚	5%（到加入欧盟前）	5%（到加入欧盟前）	无变化
欧　盟	20%/30%（1990）	20%/30%（1990）	无变化
冰　岛	15%（1990）	Not Yet	
日　本	25%（1990）	25%（1990）	无变化
哈萨克斯坦	15%（1992）	15%（1992）	无变化
新西兰	10%~20%（1990）	10%~20%（1990）	无变化

（续）

国家或地区	哥本哈根会议之前的减排目标与基准年	哥本哈根协定的减排承诺与基准年	变化
挪 威	30%/40%(1990)	30%/40%(1990)	无变化
俄罗斯	10%/20%~25%(1990)	15%~25%(1990)	无变化
瑞 士	20%/30%(1990)	仍未递交	
土耳其	7%(1990)	仍未递交	
乌克兰	20%(1990)	仍未递交	
美 国	17%(2005)	17%(2005)	无变化

附表 3 哥本哈根协定前后的各国减排承诺对比之二

（符合发展中国家本国国情的减排行动：2020 年的总体经济减排量化目标，截至 2010 年 2 月 2 日）

国 家	哥本哈根会议之前的努力	哥本哈根协定的承诺	变化
巴 西	36%~39%(BAU)	36%~39%(BAU)	无变化
中 国	40%~45%碳强度（2005)	40%~45%碳强度(2005)	无变化
印 度	20%~25%碳强度(2005)	20%~25%碳强度(2005)	无变化
印度尼西亚	26%(BAU)；41%（BAU，如果获得资金等支持）	26%(BAU)	无变化，不过没有提及最高减排目标
以色列	20%(BAU)（1）	20%(BAU)	无变化
马尔代夫	100%	100%	无变化
马绍尔群岛	无减排目标	40%(2009)	加强
墨西哥	20%~ 30%(BAU)	仍未递交	
摩尔多瓦		25%(1990)	新减排目标
新加坡	16%(BAU)	16%(BAU)	无变化
南 非	34%(BAU)	34%(BAU)	无变化
韩 国	30%(BAU)	30%(BAU)	无变化

1.2 2011 年气候变化大会相关文件

1.2.1 一揽子决议

2011 年 11 月 28 日联合国气候变化大会在南非德班召开。会议批准一揽子决议，涉及《京都议定书》第二承诺期、绿色气候基金等议题，但就应对全球气候变化，会议取得的成果还远不够。

会议主要成果有三个：

第一，大会当天批准《议定书》工作组和《联合国气候变化框架公约》下“长期合作行动特设工作组”决议，建立德班增强行动平台特设工作组。

第二，德班平台主要负责制定一个适用于所有《公约》缔约方的法律工具或法律成果，2012 年上半年着手，不晚于 2015 年完成。然后，根据这一法律工具或法律成果，各缔约方 2020 年起探讨如何减排。

第三，大会宣布，继续《京都议定书》第二承诺期，2013 年开始实施。同时，会议决定正式启动“绿色气候基金”，成立基金管理框架。到 2020 年发达国家每年向发展中国家提供至少 1000 亿美元，帮助后者适应气候变化。

决议其他文件包括制定监督和核查减排的规则、保护森林、向发展中国家转移清洁能源技术。

总体上看，尽管会议批准一揽子决议，但部分内容不够具体，而且措辞留有巨大漏洞，可能让某些国家得以逃避应承担的减排责任。例如，就《议定书》第二承诺期期限，决议没有明确说明是 5 年或 8 年；对于绿色气候基金，资金来源和管理机制仍是空白；没有提及惩罚措施……

1.2.2 各方立场

1.2.2.1 欧盟希望德班大会能确定行动路线图

新一轮联合国气候变化大会将于 28 日在南非德班召开。欧盟宣布了对这次大会的期许：希望大会为 2012 年以后的控制温室气体排放行动确定路线图。

欧盟委员会发布的公报说，为最终达成一个雄心勃勃、全面且具有法律约束力的协议，德班大会与会各方必须确定相关行动路线图和实施期限。只有大会确定这一路线图，欧盟才有可能接受《京都议定书》第二承诺期。与此同时，欧盟强调未来达成的控制温室气体排放协议应覆盖所有主要经济体。

欧盟还为其支持《京都议定书》第二承诺期提出了其他条件，其中包括各方针对相关行动路线图和最迟在 2020 年生效、全面且有法律约束力的排放控制协议，确定审议表决期限；建立一个或几个基于市场模式的新机制以促进形成国际碳排放交易市场。欧盟希望德班大会做出决定，设立旨在向发展中国家提供资金支持的“气候绿色基金”和相关机构。

此外，欧盟计划在德班大会上宣布，其承诺在 2010～2012 年间为发展中国家适应气候变化筹集 72 亿欧元的融资工作已取得良好进展，该筹款金额已达 46.8 亿欧元。

然而有专家指出，欧盟强调 2012 年后温室气体排放控制的协议应覆盖所有主要经济体，与《联合国气候变化框架公约》及其《京都议定书》确立的“共同但有区别的责任”原则相悖。此外，发达国家在向发展中国家提供应对气候变化的资金支持方面，常常将原有的其他援助项目贴上“气候标签”，而欧盟的相关筹款承诺没有对此给予详细说明。

1.2.2.2 美国：《京都议定书》“不在谈判桌上”

美国气候变化特使托德·斯特恩在德班气候大会前夕表示，在德班会议上美国不会就《京都议定书》(下称《议定书》)问题与各方进行磋商。

“《议定书》不在美国的谈判桌上，”斯特恩在华盛顿外国记者中心对媒体表示，“不过，我们也不认为《议定书》会导致谈判陷入僵局。”他说，主要经济体中的日本、俄罗斯和加拿大已对《议定书》说不，只有欧盟想“做点什么”，尽管“具体做什么仍不清楚”。

斯特恩称，在国际层面处理气候变化的机制需要“开放”，并“包括所有主要经济体”。美国不认为各方会在德班针对2020年前的减排承诺达成具有约束力的协议。

在回答新华社记者有关美国对气候谈判“双轨制”的看法时，斯特恩说：“美国并未参与双轨制中的其中‘一轨’，也就是《议定书》缔约方这‘一轨’，应该由《议定书》缔约方谈它们想对《议定书》做些什么。另外‘一轨’包括所有《联合国气候变化框架公约》缔约方，这才是我们加入谈判并重点关注的议题。未来我们究竟是否还会有双轨制仍是开放的问题，我们需要拭目以待。”

斯特恩说，美方支持执行2010年在墨西哥坎昆达成的一揽子非约束性协议，赞成设立绿色发展基金帮助发展中国家减缓和适应气候变化，不过设立基金的大门并非只对发达国家开放，对发展中国家、私营机构也是敞开的。

1997年，包括美国在内的《联合国气候变化框架公约》缔约方在日本京都通过了规定发达国家减排目标的《京都议定书》。但美国布什政府在2001年宣布退出《京都议定书》，该国是目前唯一游离于《议定书》之外的发达国家。

有气候问题专家指出，虽然奥巴马政府上台后，在应对气候变化方面采取了一些措施，但与国际社会多年的期盼相比，这一转向并未进入正轨。美国提出的减排目标离国际社会的要求仍相距甚远；美国迄今未给出明确的资金援助数额；在技术转让问题上也消极应对；同布什政府一样，美国现政府仍坚持让发展中国家承担具有约束力的量化减排指标。这些都表明，美国目前的气候政策仍缺乏足够的诚意。

1.2.2.3 中方：欧盟应在气候问题继续发挥领导作用，坚持承诺

就本次会议的结果而言，中国认为，一是坚持了《联合国气候变化框架公约》、《京都议定书》和“巴厘路线图”授权，坚持了双轨谈判机制，坚持了“共同但有区别的责任”原则；二是就发展中国家最为关心的《京都议定书》第二承诺期问题作出了安排；

三是在资金问题上取得了重要进展，启动了绿色气候基金；四是在坎昆协议基础上进一步明确和细化了适应、技术、能力建设和透明度的机制安排；五是深入讨论了2020年后进一步加强公约实施的安排，并明确了相关进程，向国际社会发出积极信号。但中国同时指出，德班会议未能全部完成“巴厘路线图”谈判，落实坎昆协议和德班会议成果仍需时日。各方在有关2020年后加强公约实施的安排上还需要做更多工作。发达国家在自身减排和向发展中国家提供资金和技术转让支持的政治意愿不足，是影响国际社会合作应对气候变化努力的最主要因素。声明说，“我们期待发达国家拿出政治诚意，在明年的卡塔尔会议上完成《京都议定书》第二承诺期的谈判，进一步提高减排承诺水平，落实资金和技术转让承诺，与发展中国家合作进一步落实坎昆会议和德班会议成果，谈判解决《巴厘路线图》未决的问题，尽快完成《巴厘路线图》授权的谈判”。作为“77国集团+中国”的一员，中国代表团全面、积极、深入地参加了德班会议各个议题的谈判磋商，从不同层面广做各方工作，以积极、务实、开放的姿态与其他发展中国家进行沟通协调，与发达国家开展对话磋商，全力支持东道国为推动德班会议取得成功所做的工作，为会议取得积极成果作出了最大限度的努力，发挥了建设性作用。中国政府将本着对本国人民和世界人民高度负责的态度，坚定不移地实施积极应对气候变化的政治措施，采取强有力的国内行动，推动绿色低碳发展，积极参与气候变化国际谈判进程，为应对全球气候变化作出积极贡献。

中国对第二承诺期的问题表明立场，将继续和欧盟、美国等国家在双边上就这个问题交换意见、磋商，希望欧盟应该在气候变化问题上继续发挥领导作用，要坚持已经确定的议定书和第二承诺期。关于2020年之后的问题，我们还是坚持科学的原则，等到2015年科学评估之后，基于科学进一步确定2020年之后国际社会应该如何采取进一步的行动。金融危机之后各国的经济都出现了困难，我们觉得这些困难都是暂时的，但是在这个阶段，气候变化问题并不是不重要了，而是不那么突出了。在2015年进行科学评估之后，这个问题会重新引起国际社会的重视。经济困难是暂时的，但是应对气候变化这个任务和问题是长期的。

无论国际社会出现什么样的情况，中国政府始终会坚持我们既定的方针。首先是对人类的生存和长远发展负责，另外就中国自己国内资源、能源、环境的要求来说，坚持节能减排，应对气候变化的政策措施也完全符合中国可持续发展和科学发展的需要，所以我们必须要坚持。转变中国的发展方式，调整产业结构、经济结构、能源结构，实现绿色低碳发展，这个决心不会动摇，我们会始终坚持下去，因为这既是对人类负责，也是中国可持续发展内在的需要。这点上我们决心是不会动摇的。

关于资金问题，这次气候变化谈判要解决的问题，首先就是快速启动资金，在

2010~2012年三年中每年发达国家要拿出100亿美元，一共是300亿快速启动资金。在2012年之后，到2020年，最后要达到每年有一千亿美金的长期的对发展中国家的资金安排，对于这个问题，我们的立场是这样的：关于快速启动资金，这次德班会议上会公布发达国家提供300亿美元资金的情况，我们希望这个资金按照原来的要求，是一种新的、额外的资金，现在看资金的提供情况不太符合新的、额外的资金要求。关于长期资金，我们希望这个资金还是按照要求，是一种新的、额外的、充足的资金安排，首先它的来源可以是多元的，但主要应该是发达国家的公共资金为主，其他的私营部门、市场机制筹措的资金作为补充。

还有绿色气候基金，现在成立了过渡委员会，他们提出绿色气候基金的设计方案报告，我们支持这个过渡委员会的报告，希望在这次德班会议上就他们的报告进行审议，能够尽快地把绿色气候基金建立起来，满足国际社会应对气候变化的需要。现在也有一种观点，说西方国家经济有困难，现在讨论资金问题不是时候。确实存在这个问题，我们也理解西方国家现在存在的困难，但是我们现在讨论的问题是长期的融资机制，经济困难是暂时的，机制是长期要坚持的，所以在这点上也不妨碍现在来讨论。现在有困难可以少出一点，但是将来融资还是要满足资金的相关要求，希望在德班会议上就长期资金、绿色气候基金问题的体制、机制、制度作出相关决定，就是说由谁出钱、出多少钱、怎么分配、怎么管理等问题，能够在这次会议上有积极的进展，这也是各国建立政治互信的一个很重要的基础和条件。

我们总的要求不光是在资金问题上，在气候变化的谈判当中已经形成的共识和协议，希望各个国家都能够认真负责的兑现，履行自己的承诺和义务，采取行动。我们一定会认真履行中国应该承担的责任和义务，也希望其他国家能够来兑现承诺，积极的采取行动，大家一起携手努力，来共同应对气候变化对我们的挑战。

1.2.3 各国 CO_2 减排目标

气候变化是世界各国面临的共同问题，减少温室气体排放是世界各国的共同责任，从历史累积排放来看，发达国家几百年工业化过程中的碳排放才是气候变化的主要原因。正如国际能源署《世界能源展望2009》所指出的，“要想成功阻止气候变化，一个至关重要的因素是各国政府履行其承诺的速度”。其中，特别是发达国家要尽快承诺并履行其应该承担的减排目标。在中国政府第一次对全世界公开承诺量化减排指标之际，世界其他主要发达和发展中国家的态度如何呢?

(1)美国。美国承诺2020年温室气体排放量在2005年的基础上减少17%。据专家测算，这约为在1990年基础上减排4%。另外，美国的减排目标还包括到2025年减排30%，2030年减排42%，2050年减排83%。

(2)欧盟。通过包括气候与能源一揽子计划和各种能效措施，无条件承诺到2020年将温室气体排放量较1990年减少20%以上。同时承诺抬高减排幅度至30%，前提是各发达经济体同意相当水平的减排力度，同时发展中经济体做出重大贡献，共同促成国际条约的签署。

(3)日本。若哥本哈根会议能达成协议，日本将把减排目标定为在1990年的基础上对温室气体减排25%。

(4)挪威。挪威是首个承诺到2020年较1990年温室气体减排达40%的国家，这与发展中国家要求富裕发达国家做出的减排承诺幅度一致。

(5)澳大利亚。承诺到2020年在2000年基础上实现温室气体减排5%至25%(后一个数字均是有条件承诺)，但这个目标已被议会两次否决。

(6)新西兰。承诺到2020年在1990年基础上实现温室气体减排10%至20%。

(7)加拿大。承诺到2020年在2006年基础上实现温室气体减排20%，相当于在1990年基础上减排2%。

(8)新加坡。承诺到2020年该国温室气体排放量将较“如常运作”排放量削减16%。

(9)中国。制订了一系列控制温室气体排放的目标及行动，包括在2020年前，把单位国内生产总值温室气体的排放量，较2005年减少40%至45%。

(10)巴西。计划到2020年将温室气体排放量在预期基础上减少36.1%~38.9%。巴西国家气候变化计划涵盖了目标远大的林业发展措施，包括到2020年将森林非法砍伐面积减少80%。

(11)俄罗斯。是世界主要温室气体排放国之一。俄罗斯总统德米特里梅德韦杰夫日前就减排作出最新表态，承诺2020年前把温室气体排放量在1990年基础上减少25%。

(12)印度。计划到2020年实现单位GDP温室气体比2005年下降20%至25%。

(13)韩国。在2020年前将本国的温室气体年排放量在2005年的基础上减少4%，相当于在1990年基础上减少30%。

(14)印度尼西亚。承诺自愿使用国家预算到2020年对温室气体减排26%。印尼总统尤多约诺同时承诺，如果国际提供资金援助，能源和林业部门将减少41%的碳排放量。

1.2.4 《京都议定书》概要

为了人类免受气候变暖的威胁，1997年12月，《联合国气候变化框架公约》第3次缔约方大会在日本京都召开。149个国家和地区的代表通过了旨在限制发达国家温室气体排放量以抑制全球变暖的《京都议定书》。《京都议定书》规定，到2010年，所有发达国家二氧化碳等6种温室气体的排放量，要比1990年减少5.2%。具体说，各发达国家从2008~2012年必须完成的削减目标是：与1990年相比，欧盟削减8%、美国削减7%、日本削减6%、加拿大削减6%、东欧各国削减5%~8%。新西兰、俄罗斯和乌克兰可将排放量稳定在1990年水平上。议定书同时允许爱尔兰、澳大利亚和挪威的排放量比1990年分别增加10%和1%。

《京都议定书》需要占1990年全球温室气体排放量55%以上的至少55个国家和地区批准之后，才能成为具有法律约束力的国际公约。中国于1998年5月签署并于2002年8月核准了该议定书。欧盟及其成员国于2002年5月31日正式批准了《京都议定书》。2004年11月5日，俄罗斯总统普京在《京都议定书》上签字，使其正式成为俄罗斯的法律文本。截至2005年8月13日，全球已有142个国家和地区签署该议定书，其中包括30个工业化国家，批准国家的人口数量占全世界总人口的80%。

截至2004年，主要工业发达国家的温室气体排放量在1990年的基础上平均减少了3.3%，但世界上最大的温室气体排放国美国的排放量比1990年上升了15.8%。2001年，美国总统布什刚开始第一任期就宣布美国退出《京都议定书》，理由是议定书对美国经济发展带来过重负担。

2007年3月，欧盟各成员国领导人一致同意，单方面承诺到2020年将欧盟温室气体排放量在1990年基础上至少减少20%。英国公布确定二氧化碳减排目标法案草案

2012年之后如何进一步降低温室气体的排放，即所谓“后京都”问题是在内罗毕举行的《京都议定书》第2次缔约方会议上的主要议题。

《京都议定书》建立了旨在减排温室气体的三个灵活合作机制——国际排放贸易机制、联合履行机制和清洁发展机制。以清洁发展机制为例，它允许工业化国家的投资者从其在发展中国家实施的并有利于发展中国家可持续发展的减排项目中获取“经证明的减少排放量”。

2005年2月16日，《京都议定书》正式生效。这是人类历史上首次以法规的形式限制温室气体排放。为了促进各国完成温室气体减排目标，议定书允许采取以下四种减排方式：

(1)两个发达国家之间可以进行排放额度买卖的“排放权交易”，即难以完成削减任务的国家，可以花钱从超额完成任务的国家买进超出的额度。

(2)以“净排放量”计算温室气体排放量，即从本国实际排放量中扣除森林所吸收的二氧化碳的数量。

(3)可以采用绿色开发机制，促使发达国家和发展中国家共同减排温室气体。

(4)可以采用“集团方式”，即欧盟内部的许多国家可视为一个整体，采取有的国家削减、有的国家增加的方法，在总体上完成减排任务。

1.2.5 《控制危险废物越境转移及其处置巴塞尔公约》概要

随着工业的发展，危险废物的产生与日俱增，逐渐成为世界各国面临的主要公害。据统计，全世界每年产生的危险废物已从1947年的500万t增加到目前的5亿多t，其中发达国家占95%。由于处置场地少，技术复杂，代价昂贵，特别是国内制定了严格的环保法规，加上民众环保意识较强，一些发达国千方百计地将危险废物转移到发展中国家。危险废物越境转移对人类健康和生态环境造成灾难性的危害。为此，1989年3月通过了《巴塞尔公约》。公约控制的危险废物按来源分为18种，按成分分为27种。包括中国在内的64个公约缔约方1994年通过一个决议，规定立即禁止向发展中国家出口以最终处置为目的的危险废物越境转移，从1998年起，以再循环利用为目的的危险废物出口也被禁止。

1.2.6 《欧盟—中国近零排放煤炭技术协议》概要

中国因用煤而排放的二氧化碳到2030年将翻番，因此找到将排放量降至最低的方法至关重要。碳捕获和埋存技术有可能把排放量减少高达90%。虽然中国的地质埋存容量仍需进一步评估，但亚太经济合作组织论坛2（APEC;)最近的一项研究证实，确有若干沉积盆地有可能储存被排放出的碳，其中包括可以因此采获更多石油的油田、提高改善煤层甲烷回收率和盐水含水层的机会。通过使用一系列的捕获技术，就有可能从电厂和气化装置这样的源头捕获被排放的碳。

欧盟—中国近零排放煤炭技术协议的目标是，确保中国和埋存技术落实到位。协议将使用欧盟现有的研究和开发成果，并鼓励双方间的技术转让。

协议是欧盟—中国气候变化伙伴关系的组成部分，这个伙伴关系是在2005年9月的欧盟—中国峰会上宣布的。宣言说，欧盟和中国的目标是在2020年前“发展并示范在碳捕获和埋存上先进的近零排放煤炭技术”。此后，双方已签署了两份谅解备忘录，设定了近零排放煤炭计划的第一阶段目标，确定了由英国出资的具体行动细节。

1.2.7 《联合国气候变化框架公约》概要

2006联合国气候变化大会在肯尼亚首都内罗毕举行，大会期间举行了《联合国气候变化框架公约》第12次缔约方大会和《京都议定书》缔约方第2次会议等一系列关于全球气候问题的国际会议。

《联合国气候变化框架公约》(简称《框架公约》)是1992年5月22日联合国政府间谈判委员会就气候变化问题达成的公约，于1992年6月4日在巴西里约热内卢举行的联合国环发大会(地球首脑会议)上通过。

《框架公约》是世界上第一个为全面控制二氧化碳等温室气体排放，以应对全球气候变暖给人类经济和社会带来不利影响的国际公约，也是国际社会在对付全球气候变化问题上进行国际合作的一个基本框架。公约于1994年3月21日正式生效。截至目前，公约已拥有189个缔约方。

公约有法律约束力，旨在控制大气中二氧化碳、甲烷和其他造成“温室效应”的气体的排放，将温室气体的浓度稳定在使气候系统免遭破坏的水平上。

公约对发达国家和发展中国家规定的义务以及履行义务的程序有所区别。公约要求发达国家作为温室气体的排放大户，采取具体措施限制温室气体的排放，并向发展中国家提供资金以支付他们履行公约义务所需的费用。公约建立了一个向发展中国家提供资金和技术，使其能够履行公约义务的资金机制。

公约规定每年举行一次缔约方大会。自1995年3月28日首次缔约方大会在柏林举行以来，缔约方每年都召开会议。今年是《框架公约》缔约方大会首次在撒哈拉以南非洲国家举行。

1.2.8 英国《气候变化法案》概要

我们都知道，我们需要采取行动以应对气候变化。

气候变化是世界面临的最重要的挑战，科学和经济方面的依据都比以往更加清晰地证明了这一观点。现在我们采取措施的成功与失败将影响到子孙后代。随着全球排放量的持续增加，各国都在寻找新的解决办法。我们可以彼此学习，包括英中两国之间。

本周，在英国，我们承诺发展“低碳未来”。《气候变化法案》是世界上在该领域的第一个法案，意味着到本世纪中期英国温室气体排放量必须依法减少80%。

法案有两个主要目的：

(1)表明英国致力于为全球减排承担相应的责任——无论是现在还是明年最终在哥本哈根达成共识；

(2)提高碳管理，促进英国向低碳经济的转型。英国的承诺认为，要做到这种规模的改变，需要马上采取行动并搭建框架来适应气候变化。

有些人提出，在经济不景气时期，我们应该放弃应对气候变化的目标。但事实上，我们不应该后退。相反，立即采取有针对性的行动来应对气候变化是至关重要的。忽视气候变化的代价将远远超过尽早采取有力行动所付出的成本。当今世界需要意识到低碳增长方式是唯一实现可持续发展和经济繁荣的路线。应对气候变化的新技术会从商业和经济层面带来巨大机遇，并有利于推动可持续发展。我们在近期经历了信息技术产业的突破性增长，当今社会有潜力来迎接环境技术产业的新一轮革命。

虽然不可避免地会出现一些需要左右权衡的事情，但是有办法可以同时解决经济不景气以及应对气候变化这两个问题，即：在居民住宅采取节能的办法，这样可以减少花费并降低排放；在新型环保产业投资，这样不但可以提高能源安全，还能降低我们对污染性燃料的依赖。低碳经济有益于改善商业和环境，造福居民。

因为在达成目标之前，政治家们总是会面临着时间太短的压力，所以《法案》还包括了一个特定的承诺——让事实指导行动。一个独立的气候变化委员会就达成减排80%的目标给我们提供了建议，使用最新的科学技术、联合国报告以及与国内的专家交流。委员会还将根据2050年前的每个“碳预算”继续给出建议，并且要让公众知道他们的建议，以便将来可以要求政府解释为何没有采纳他们的某项建议。

我们为自己所制定出的《气候变化法案》而感到自豪。我们已经看到了英国如何在国内尽到自己的力量，以及作为更广泛地区的一部分如何尽到自己的力量，比如在欧洲雄心勃勃的努力。

但是，我们也知道仅仅依靠政府的力量是不能完成上述改变的。对企业来说，减少碳排放必须成为它们经营中的必要部分。

我们知道，虽然做出改变的决心必须从国内开始，但却不会止于国内，我们需要全球都能下定决心。中英两国拥有稳固的双边关系，在今年年初签订了气候变化联合声明。在此基础上，我们将继续合作，共同探讨解决问题的方案。

世界各国领导人将在下月聚首波兰，明年则是在哥本哈根。这些都是带来改变的真正机会。国家之间分享意见、相互启发，政府之间和社团之间相互激励，有了这些，我相信我们可以找到一条解决之道，共同创建一个低碳世界。

1.2.9 《全球碳交易减排框架执行》摘要

本报告经首相委任发布，旨在检验限额交易体系的作用及其发展过程中所面临的主要挑战。本报告的主要目的是检验现行交易系统的优势和不足，为未来几年的全球碳交易发展制定详尽的战略规划。本报告的目标分为以下四个主要方面：

·全面评估限额交易体系作为气候变化减缓工具的优点和局限。

·为限额交易体系制定长远框架，以最新科学为基础，认可现行的国际气候变化框架，确保在成本效益好的情况下快速的减少温室气体排放。

·制定路线图，以便扩大和联合发达国家的限额交易体系，并为发展中国家建立过渡机制。

·评估全球碳交易系统的政府管理要求，为能力建设的需求提供建议。

相对于其他政策手段，限额交易体系具有内在的优势，能够以良好的成本效益将排放降低到一定的水平。然而同样重要的是，我们要认识到，碳交易不会实现所有气候变化政策的目标。我们还需要诸如监管、税收、补贴等其他政策工具，对碳交易的目标进行补充和支持，以实现更广泛的低碳经济转型。

本报告不再深入讨论已经详尽论述了的问题，如欧盟碳排放交易体系（EU ETS）和美国地区性温室气体减排行动计划（RGGI），国家间因排放泄露引发的挑战，或者运作良好的碳排放交易体系所需的一系列本质结构特点，等等。拍卖所筹集的收入，次级碳交易市场和非市场来源的资金，以及对其他政策手段的详细分析，这些本身都是重大的项目，也不属于本报告讨论的范畴。但是，本报告确实对与发展全球碳交易系统这一整体目标起到相互作用的问题做了深入探讨。

1.2.10 《联合国2007年减缓气候变化报告》概要

2007年5月4日联合国政府间气候变化专门委员会（IPCC）在泰国曼谷发布了该委员会第四次报告的第三部分。报告重点分析了气候变化特别是温室气体排放引起的全球气候变暖对世界各国的影响，并提出了减缓气候变化的对策。

这份名为《减缓气候变化》的报告指出，70年以来世界的温室气体排放量上升了70%，如果各国不采取更多措施，到2030年，六种温室气体的排放量还将在2000年的基础上上升25%~90%；但是，通过采取更强有力的措施，世界能够减缓并扭转排放趋势，最终稳定大气中温室气体的含量。

报告指出，现在大气中二氧化碳的含量是百万分之425，要在2030年之前将这一含量控制在百万分之535以下，世界的国内生产总值将减少三个百分点，但与不采取任何措施付出的代价相比，这一成本并不高。

报告预测，如果将大气中二氧化碳的含量稳定在百万分之445到百万分之490之间，同时将二氧化碳含量的峰值控制在2015年出现，并使其在2050年削减到仅为2000年的50%~85%的水平，到时地球的温度将会比前工业化时代高出2~2.4℃；设定的减排目标越大，控制气候变化的效果就越好。

减排温室气体的京都议定书第一阶段2012年到期时，必须有一个新的机制生效，他呼吁各国在今年12月于印尼的巴厘岛举行的联合国气候变化大会上发起新的机制。

《联合国气候变化框架公约》秘书处副执行秘书理查德·金利肯定了报告提出的利用现有技术提高能源效率、节省能源、开发可再生能源的建议，他还介绍了当前清洁发展机制的实施效果。

碳市场将来至为关键，目前根据《京都议定书》建立的碳市场还处于初期，但确实已经减少了温室气体排放，这一清洁发展机制目前的运作减少的温室气体排放相当于加拿大和希腊排放量的总和，并为发展中国家带来了切实的清洁能源投资。将来，碳市场还需要进一步发挥作用。

这份报告由168名学者撰写，提供给各国政策制定者的摘要经过了105个国家的代表在泰国曼谷进行的一个星期的谈判，摘要从能源供应、建筑、交通、工业、农业、林业、废物处理等各方面提出了减少排放温室气体的建议。

1.2.11 《生物多样性公约》概要

《生物多样性公约》(Convention on Biological Diversity)是一项保护地球生物资源的国际性公约，于1992年6月1日由联合国环境规划署发起的政府间谈判委员会第七次会议在内罗毕通过，1992年6月5日，由签约国在巴西里约热内卢举行的联合国环境与发展大会上签署。公约于1993年12月29日正式生效。常设秘书处设在加拿大的蒙特利尔。联合国《生物多样性公约》缔约国大会是全球履行该公约的最高决策机构，一切有关履行《生物多样性公约》的重大决定都要经过缔约国大会的通过。

该公约是一项有法律约束力的公约，旨在保护濒临灭绝的植物和动物，最大限度地保护地球上的多种多样的生物资源，以造福于当代和子孙后代。公约规定，发达国家将以赠送或转让的方式向发展中国家提供新的补充资金以补偿它们为保护生物资源而日益增加的费用，应以更实惠的方式向发展中国家转让技术，从而为保护世界上的生物资源提供便利；签约国应为本国境内的植物和野生动物编目造册，制订计划保护濒危的动植物；建立金融机构以帮助发展中国家实施清点和保护动植物的计划；使用另一个国家自然资源的国家要与那个国家分享研究成果、盈利和技术。

截至2004年2月，该公约的签字国有188个。中国于1992年6月11日签署该公约，1992年11月7日批准，1993年1月5日交存加入书。

2004年2月，《生物多样性公约》缔约方第七次部长级会议在吉隆坡举行。

1.2.12 温家宝总理在第5届世界未来能源峰会上的讲话全文

尊敬的穆罕默德王储殿下，各位贵宾，女士们、先生们：

大家好！

首先我代表中国政府对第五届世界未来能源峰会的召开表示热烈祝贺！对王储殿下和阿联酋政府为本次大会所作的努力和周到安排表示衷心感谢！

世界未来能源峰会已连续举办五届。我们高兴地看到，越来越多的各国政要、国际组织代表、企业家和专家学者相聚一堂，启迪未来能源发展思路，共商可持续发展大计。这对于保护人类共有家园，促进世界经济复苏和繁荣，具有重要意义。

这是我第一次踏上阿联酋的土地。来之前我就了解到，你们正在沙漠腹地建设世界首座“零碳城”马斯达尔。这一创举率先诞生在盛产石油的中东海湾地区，其远见卓识和巨大魄力，令世人钦佩！我预祝你们成功！

能源是支撑人类文明进步的物质基础，也是现代社会发展须臾不可或缺的基本条件。人类对能源的利用，从薪柴时代到煤炭时代，再到油气时代，每一次变迁都伴随着生产力的巨大飞跃。当然，传统化石能源的开发利用，也给人类的可持续发展带来了严峻挑战。近年来，绿色发展在全球蓬勃兴起。其核心是，减少对能源资源的过度消耗，追求经济、社会、生态全面协调可持续发展。为此，世界各国进行了积极探索，中国也做出了不懈努力。

积极调整经济结构，加大节能减排力度。我们推进了工业、交通、建筑、居民生活等领域的节能减排。在电力、钢铁、水泥、电解铝等高耗能行业中，淘汰大批落后生产能力，新上一批先进生产能力。5 年来，电力行业共关闭了落后小火电机组 8000 万千瓦，相当于欧洲一个中等国家的装机容量。政府对这些企业给予必要补偿，并相应安排了 60 多万职工再就业。这是我们在应对国际金融危机非常困难的情况下完成的。仅此一项，一年就少烧原煤 9200 万吨，减排二氧化碳 1.84 亿吨。据统计，2005 年至 2010 年，中国单位国内生产总值能耗下降近 20%，相当于减排二氧化碳 14.6 亿吨，为减缓全球气候变化作出了贡献。

加大政策扶持，加快清洁能源发展。截至 2011 年，中国水电装机突破 2 亿千瓦，居世界第一；风电装机达 4700 万千瓦，太阳能装机达 300 万千瓦，成为全球发展最快的地区；核电装机容量 1000 多万千瓦，有 27 台机组正在建设，在建规模居世界首位。中国发展清洁能源，投入之大、建设之快、成效之显著，为世界所公认。

加快传统产业改造，提高能源利用效率。我们以信息化带动工业化，积极采用先进适用技术改造传统产业，大幅度提高企业的能效水平。近 5 年来，在全国实施了锅炉改造、电机节能、建筑节能、绿色照明等一系列节能改造工程，成效显著。其中，每千瓦时火力发电煤耗降低了 37 克，降幅达 10%；吨钢综合能耗降低了 13%；新建设的有色、建材、石化等重化工项目，其能源利用效率达到或接近世界先进水平。

倡导低碳生活方式，推行绿色消费。虽然中国人均能耗水平比 OECD 国家少很多，但我们仍在全社会倡导节俭、文明、适度、合理的消费理念。我们在大中城市、工业园区和企业广泛开展循环经济试点和低碳经济试点，大力推行清洁生产和资源综合利用。我们在国家机关及公共建筑实行严格的节能措施，夏季室内不低于 26℃，冬季不高于 20℃。由于政府带头，崇尚节约、绿色消费越来越成为公民的自觉行动。

从 2011 年至 2015 年，中国实施国民经济和社会发展第十二个五年规划。这个规划的重点之一，就是把大幅度降低能源消耗强度和二氧化碳排放强度作为约束性指标，合理控制能源消费总量。我们将逐步改变目前以煤为主的能源结构，增加优质化石能源的比重，显著提高天然气、核能、可再生能源的供给能力。我们继续坚持立足国内的方针，主要依靠本国能源满足日益增长的消费需求。我们还将通过科技创新和体制创新，提高能源加工转换效率，尽可能减少能源生产和消费过程中温室气体和污染物的排放。到2015年，中国非化石能源占一次能源比例，将从2010年的8.3%提高到11.4%；能耗强度比2010年降低16%，二氧化碳排放强度下降17%。实现这些目标，面临的困难很多，付出的代价很大，但我们毫不动摇。

女士们，先生们!

纵观世界文明发展史，能源问题关系国计民生，关系人类福祉，也同国际政治息息相关。很显然，解决未来能源问题，不仅要考虑经济因素和科技因素，还要考虑政治因素和国际因素。为了发展未来能源，为了建立稳定、经济、安全的能源供应体系，为了减少能源资源问题带来的困扰和不平等，世界各国应当进一步行动起来，共同做出更大的努力。为此，我建议：

第一，把节能增效放在首位。节约能源，既是一场技术革命，也是一场社会变革。厉行节约、反对浪费，是各民族共有的传统美德。节约能源是化解能源供需矛盾的必然选择。不论能源富集国还是能源相对短缺的国家，都应当推动建立节约型生产方式、生活方式和消费模式。当然，节约能源不是简单地减少使用，也不是要降低人们的生活质量。要通过采用先进科技提高能效，建设低投入、高产出、低消耗、少排放、能循环、可持续的国民经济体系，以尽可能少的能源资源支撑经济社会的可持续发展。

第二，大力发展可再生能源和清洁能源。可再生能源资源丰富，分布地域广，开发潜力大，环境影响小，大都可以永续利用，是开拓未来能源的重要方向。但是，除水能外，大部分可再生能源的经济性和稳定性还不够理想，推广普及的难度较大。各国应加强政策扶持，扩大应用规模，逐步降低成本，越来越多地替代化石能源。核电是安全可靠、技术成熟的清洁能源。安全高效地发展核电，是解决未来能源供应的战略选择。化石能源在今后很长一个时期内仍然是世界能源消费的主体。它的开发利用，一要清洁，二要高效，逐步实现高碳能源的低碳化利用。国际可再生能源署成立以来，为推动可再生能源的开发和利用发挥了积极作用。中国将继续加强与国际可再生能源署的交流与合作。

第三，积极推动能源科技革命。科技决定能源的未来，科技创造未来的能源。从长远看，最终解决未来能源问题，并不取决于对能源资源的拥有，而是取决于对能源高科技的拥有，取决于能源科技革命的突破性进展。能源更新换代周期长，往往需要十年、几十年乃至更长时间，需要庞大的资金投入。能源消费大国和能源生产大国在推动能源科技革命上负有重要责任。政府应当加大投入，推进能源科技创新的工程示范和产业化。未来能源作为重要的战略性产业，一旦取得重大突破，必将成为经济发展的强大引擎。发达国家掌握着能源先进技术，应当在保护知识产权的前提下，向发展中国家和不发达国家提供、转移技术。

第四，有效保障能源安全。受到国际货币体系、过度投机、垄断经营、地缘政治等因素的影响，大宗能源产品价格很大程度上脱离了实体经济的供求关系，其暴涨暴跌，加剧了世界经济的非正常波动。这种不合理状况，必须从根本上加以改变。能源的安全运输、有效供给和市场稳定，符合新兴经济体、发达国家和能源输出国的共同利益，也有利于消除经济危机的隐患和影响。为了稳定石油、天然气市场，可考虑在G20的框架下，本着互利共赢的原则，建立一个包括能源供应国、消费国、中转国在内的全球能源市场治理机制。要通过协商对话，制定公正、合理、有约束力的国际规则，构建能源市场的预测预警、价格协调、金融监督、安全应急等多边协调机制，使全球能源市场更加安全、稳定、可持续。

女士们，先生们！

世界文明为全人类共同创造，各个民族都贡献了自己的力量。谈论世界未来能源发展，我们不能不重视西亚北非的特殊地位和作用。这一地区已探明石油储量超过全球50%，天然气储量超过全球40%，其战略位置相当重要。世世代代居住在这里的人民，勤劳、智慧、勇敢和善良。你们的祖先曾经铸造了辉煌灿烂的古代文明。今天，你们同我们一样，对建设一个绿色、温馨的地球村，充满着热情和期待。中国一贯尊重西亚北非地区国家和人民的自主选择，支持其依靠资源禀赋和优势发展本国经济。中国作为安理会常任理事国和负责任的国家，将继续与国际社会一道，促进西亚北非地区的和平、稳定和发展！

当前，国际金融危机的阴霾仍未散尽，局部地区的社会动荡尚未结束。但是，危机总会过去，繁荣终将到来。“单丝不成线，独木不成林”。中国将继续同世界各国人民一道，加强国际合作，推动可持续创新，致力发展未来能源，共同建设一个绿色和可持续发展的新世界！

最后，祝本次会议取得圆满成功！

附录二　国内低碳经济政策及文件

胡锦涛同志提出科学发展观为中国发展低碳经济实现经济可持续发展指明了方向。科学发展观是指坚持以人为本，全面、协调、可持续的发展观。其中可持续，就是要统筹人与自然和谐发展，处理好经济建设、人口增长与资源利用、生态环境保护的关系，推动整个社会走上生产发展、生活富裕、生态良好的文明发展道路。

另外，胡锦涛同志在党的十七大报告中明确提出“要完善有利于节约能源资源和保护生态环境的法律和政策，加快形成可持续发展体制机制，落实节能减排责任制”。这一讲话表明了党中央发展低碳经济，加快可持续发展的决心。

根据 UNFCCC 和《京都议定书》的有关规定，中国作为发展中国家，可以参加以项目为基础的碳排放交易。世界银行报告预计，2008 ~ 2012 年，除澳大利亚和美国，平均每年全球减排需求大约为 600 ~ 1150 百万 t 二氧化碳。中国积极参与国际社会应对气候变化进程，认真履行《联合国气候变化框架公约》和《京都议定书》，在国际合作中发挥着积极的建设性作用。我国作为发展中国家，人均温室气体排放量远远小于发达国家，作为发展中国家，根据《公约》和《京都议定书》的规定，没有义务减少或限制温室气体排放。作为一个负责任的发展中国家，自 1992 年联合国环境与发展大会以后，中国政府率先组织制定了《中国 21 世纪议程——中国 21 世纪人口、环境与发展白皮书》，并从国情出发采取了一系列政策措施，把建设生态文明确定为一项战略任务，强调要坚持节约资源和保护环境的基本国策，努力形成节约能源资源和保护生态环境的产业结构、增长方式、消费模式。

2004 年 11 月，中国政府公布了《节能中长期专项规划》。目标是要通过全社会各方面的努力，尽快地扭转近年来能源消费弹性系数大于 1 的趋势，使 2010 年中国的 GDP 能源强度从 2003 年的 2. 68t 标煤/万元下降到 2. 25tce/万元，使同期的年均节能率达到 2. 2%，并争取在 2010 ~ 2020 年的 10 年中把年均节能率进一步提高到 3%，使 2020 年的能源强度下降到 1. 54tce/万元。

2005 年 2 月 28 日，中国已经正式颁布了《可再生能源法》。在具体实践中，中国政府支持在农村和边远地区开发利用生物质能、太阳能、风能、地热能等新能源和可再生能源；中国政府认真引进先进的风能技术，进行了许多项技术示范工程，推动风电的发展。近年来，中国政府还开展了十万千瓦级风电场特许权的试点工作，用市场手段促进风电的发展。

2005 年 7 月，中国、美国、日本、印度、澳大利亚和韩国六国发表了《亚太清洁发展和气候新伙伴计划意向宣言》，这实际上是个联合技术研究和开发协定；2005 年 9 月，中国和欧盟发表了《中国和欧盟气候变化联合宣言》，确定中欧将在低碳技术的开发、应用和转让方面加强务实合作，尤其是在提高能源效率、促进可再生能源开发方面加强合作，促进低碳经济发展。

2006 年年底，科技部、中国气象局、国家发改委、国家环保总局等六部委联合发布了我国第一部《气候变化国家评估报告》。

2007 年 4 月，低碳经济和中国能源与环境政策研讨会在北京举行。

2007 年 8 月，国家发改委通过了《可再生能源中长期发展规划》：提到要充分利用技术成熟、经济性好的可再生能源，加快推进风力发电、生物质发电、太阳能发电的产业化发展，逐步提高优质清洁可再生能源在能源结构中的比例，可再生能源占能源消费总量的比例将从目前的 7% 大幅增加到 2010 年的 10% 和 2020 年的 15% 。可再生能源的开发利用将带来显著的环境效益。达到 2020 年发展目标时，可再生能源年利用量相当于减少二氧化硫年排放量约 800 万 t，减少氮氧化物年排放量约 300 万 t，减少烟尘年排放量约 400 万 t，减少二氧化碳年排放量约 12 亿 t，年节约用水约 20 亿 m^3，可使约 3 亿亩林地免遭破坏。优先开发水力和风力作为可再生能源；为达到此目标，到 2020 年共需投资 2 万亿元；国家将出台各种税收和财政激励措施，包括补贴和税收减免，还将出台市场导向的优惠政策，包括设定可再生能源发电的较高售价。

2007 年 9 月 8 日，亚太经合组织第十五次领导人非正式会议 8 日在澳大利亚悉尼召开，中华人民共和国国家主席胡锦涛出席当天举行的第一阶段会议并发表重要讲话，提四项建议应对全球气候变化，其中提出：应该加强研发和推广节能技术、环保技术、低碳能源技术，并建议建立“亚太森林恢复与可持续管理网络”，共同促进亚太地区森林恢复和增长，增加碳汇，减缓气候变化。胡锦涛指出：中国将坚持科学发展观，贯彻节约资源和保护环境的基本国策，把人与自然和谐发展作为重要理念，促进经济发展与人口资源环境相协调，走生产发展、生活富裕、生态良好的文明发展道路。中国将把可持续发展作为经济社会发展的重要目标，充分发挥科技创新在减缓和适应气候变化中的先导性、基础性作用，开展全民气候变化宣传教育，继续推动并参与国际合作。

2007 年 9 月，国家科学技术部部长万钢在 2007 中国科协年会上呼吁大力发展低碳经济。

2008 年 1 月 17 日，联合国环境规划署驻华代表处首任主任夏堃堡先生在首届中国和谐城市论坛上指出“低碳经济是实现城市可持续发展的必由之路”。

2008 年 1 月，清华大学低碳能源实验室在京成立。

2008 年 1 月，国家发改委和 WWF(世界自然基金会)共同选定了上海和保定作为低碳城市发展项目试点，由国家发改委、建设部、科技部、环保总局、商务部等专家组成的项目技术顾问组也正式亮相。国家发改委能源研究所副所长李俊峰表示，低碳发展是中国在城市化和工业化进程中控制温室气体排放的必然选择，也会是全球应对气候变化的重要行动之一。

2008 年 3 月，阿拉善 SEE 生态协会与气候组织举办“中国企业与低碳经济”论坛，让中国企业了解国际低碳经济发展的情况，探讨中国企业在低碳经济发展的作用。阿拉善 SEE 生态协会会长王石对此次会议致欢迎词，英国前首相布莱尔与会。

2008 年 3 月 28 日下午，全国政协副主席董建华一行访问清华大学，了解清华大学在低碳能源领域相关科研情况。

2008 年 4 月，由众多专家、学者牵头，在各部门关注和关心下，中国低碳网 www. ditan360. com 成立。

2008 年 4 月，中国环境与发展国际合作委员会首次圆桌会议在北京凯宾斯基饭店召开。

2008 年 11 月 5 日，中国环境文化促进会和中国发展战略学研究会社会战略专业委员会在北京举办《中国碳平衡交易框架研究》研讨会，并发布《中国碳平衡交易框架研究》报告，首次提出以“碳”这一可定量分析要素作为硬性指标，对经济活动加以监测、识别和调控，建议在中国以省级为单位推行“碳源—碳汇”交易制度。环保部副部长、中国环境文化促进会会长潘岳在研讨会指出，“高碳模式”将会严重制约中国未来的发展，而“低碳经济”将成为中国建设“生态文明”的重要突破口。潘岳在发言中说，在全球应对气候变化形势的推动下，世界范围内正在经历一场经济和社会发展方式的巨大变革：发展低碳能源技术，建立低碳经济发展模式和低碳社会消费模式，并将其作为协调经济发展和保护气候之间关系的基本途径。这也是世界主要国家应对气候变化的战略重点所在。

2009 年 8 月 26 日，时任国务院副总理李克强主持召开全国污染源普查领导小组会议。他强调，要深入贯彻落实科学发展观，以污染源普查为契机，更加注重保护环境和改善民生，进一步加强环保工作，切实解决突出的环境污染问题，促进经济社会可持续发展，不断提高人民生活水平和质量。

2009 年 8 月 27 日，全国人大常委会《关于积极应对气候变化的决议草案》经人大常委会表决通过，这是我国最高立法机构首次就应对气候变化问题做出决议。决议提出五个方面的应对措施。

决议进一步提出了积极应对气候变化的原则：从我国基本国情和发展的阶段性特征出发，在可持续发展框架下，统筹国内与国际、当前与长远、经济社会发展与生态文明建设；坚持减缓与适应并重，强化节能、提高能效和优化能源结构；坚持依靠科技进步和技术创新，增强控制温室气体排放和适应气候变化能力；坚持通过结构调整和产业升级促进节能减排，通过转变发展方式实现可持续发展。

决议着重从五个方面阐述了积极应对气候变化的切实措施：一是强化节能减排，努力控制温室气体排放；二是增强适应气候变化能力；三是充分发挥科学技术的支撑和引领作用；四是立足国情发展绿色经济、低碳经济；五是把积极应对气候变化作为实现可持续发展战略的长期任务纳入国民经济和社会发展规划，明确目标、任务和要求。决议提出，我国坚持“共同但有区别的责任”原则，坚持可持续发展原则，将继续建设性地参加气候变化国际会议和国际谈判，促进《联合国气候变化框架公约》及《京都议定书》的全面、有效和持续实施，同时坚决维护我国作为发展中国家的发展权益，坚决反对借气候变化实施任何形式的贸易保护。

2009 年 9 月 3 日，时任中国国务院副总理回良玉率团出席在日内瓦召开的第三次世界气候大会高级别会议。本次大会主题是“气候预测和信息为决策服务”，旨在加强气候预测和气候应用工作，密切科学家与决策者的联系，推动相关经济社会问题的解决，提高适应气候变化的能力。回良玉在讲话中说，以气候变暖为主要特征的全球气候变化对人类经济社会生活和可持续发展带来深刻和长远的影响，需要国际社会共同积极应对。中国政府将一如既往地全面推进气候服务的发展，树立“公共气象、安全气象、资源气象”的发展理念，进一步提高监测预报的准确性、灾害预警的时效性、气象服务的主动性、防范应对的科学性，开发利用好气候资源，努力将与气候相关的风险控制到最低限度。中国将继续坚持《联合国气候变化框架公约》和《京都议定书》基本框架，坚持“共同但有区别的责任”原则，积极参与和推动国际社会应对气候变化进程，推动即将召开的哥本哈根会议取得积极成果。中国政府将同国际社会密切合作，推进多方面的气候服务，使其更好地造福全人类，为人类社会可持续发展作出新贡献。

2009 年 9 月 10 日，时任中国总理温家宝在大连开幕的 2009 年夏季达沃斯论坛上倡议，世界各国应加强合作，共同应对全球气候变化。温家宝说，中国高度重视气候变化问题，制定了应对气候变化国家方案，不断增加科研投入，大力调整产业结构，推动节能减排。经过三年努力，单位 GDP 能耗累计下降 10%，二氧化硫和化学需氧量排放累计下降 9% 和 6.6%。目前，中国还在进一步采取措施，努力减缓温室气体排放。温家宝倡议，世界各国应依据《联合国气候变化框架公约》和《京都议定书》，坚持共同但有区别的责任原则，开展广泛对话和务实合作。发达国家要正视自己的历史责任和高人均排放现实，大幅度降低温室气体排放，并为发展中国家应对气候变化提供资金、技术和能力建设支持。发展中国家也应尽最大努力，为应对气候变化做出积极贡献。

2010 年 3 月，中国颁布《应对气候变化领域对外合作管理暂行办法》，进一步规范和促进了气候变化国际合作。

2010 年 4 月，国务院办公厅转发了国家发展改革委等部门《关于加快推进合同能源管理促进节能服务产业发展的意见》，从投资、财政、税收、金融等方面加大了对合同能源管理项目和节能服务公司的支持力度，基本消除了制约合同能源管理推广的政策和体制障碍。6 月，财政部与国家发展改革委联合印发了《合同能源管理财政奖励资金管理暂行办法》，2010 年安排中央财政资金 12.4 亿元，对采用合同能源管理方式为企业实施节能改造的节能服务公司给予支持。

2010 年 4 月，修改后的《可再生能源法》正式实施，设立了可再生能源发展基金，完善了风电、太阳能等可再生能源全额收购制度和优先调度办法，为可再生能源的发展提供了有力的法律支持。同时《能源法》立法加快，《石油天然气管道保护法》已经在全国人大审议通过，并于 2010 年 10 月施行，对优化能源结构将产生积极影响。

2010 年 8 月，国务院组织 13 个部门，组成 6 个督察组，对全国 18 个重点地区进行节能减排专项督查，促进各地加大工作力度，努力完成“十一五”节能目标。国务院国有资产监督管理委员会制定了《中央企业节能减排监督管理暂行办法》，进一步加强了对重点企业的能效管理。

2010 年 9 月，中国人民政治协商会议全国委员会举办的第四次“21 世纪论坛”，开设了“合作应对挑战，实现绿色增长”“气候变化、新能源以及国际合作”等专题研讨会。2010 年 5 月，中国国际经济交流中心主办了绿色经济与应对气候变化国际合作会议，来自联合国等国际组织、尼日利亚、澳大利亚、英国、日本等国的政府官员、企业代表、专家学者等参加会议，为各国加强气候变化合作提供了良好的交流平台。

2010 年 10 月，国务院发布了《关于加快培育和发展战略性新兴产业的决定》，提出根据战略性新兴产业的特征，立足国情和科技、产业基础，现阶段重点培育和发展节能环保、新一代信息技术、生物、高端装备制造、新能源、新材料、新能源汽车等新兴产业，并明确了今后一个时期的发展目标和政策导向。

2011 年制定实施的《中华人民共和国国民经济和社会发展第十二个五年规划纲要》确立了今后 5 年绿色、低碳发展的政策导向，明确了应对气候变化的目标任务。

2010年，中国全面参与墨西哥坎昆会议谈判与磋商，坚持维护谈判进程的公开透明、广泛参与和协商一致，就各个谈判议题提出建设性方案，为坎昆会议取得务实成果、谈判重回正轨作出了重要贡献。特别是在关于全球长期目标、《京都议定书》第二承诺期、发展中国家减缓行动的"国际磋商与分析"以及发达国家减排承诺等分歧较大的问题的谈判中，积极与各方沟通协调，从各个层面与各方坦诚、深入交换看法，增进相互理解，凝聚政治推动力。利用"77国集团+中国"和"基础四国"等机制加强与广大发展中国家的沟通协调，利用各种渠道加强与发达国家的对话，为开好坎昆会议做了有效铺垫。中国还与会议东道国墨西哥密切沟通，提供了有益建议和全面支持。2010年10月，在坎昆会议召开前，中国在天津承办了一次联合国气候变化谈判会议，为推动坎昆会议取得积极成果奠定了基础。

2011年11月底到12月初，联合国气候变化会议将在南非德班召开，中国认为，德班会议应落实2010年坎昆会议上各方达成的共识，确定相关机制的具体安排，并就坎昆会议未能解决的问题继续谈判，在已有共识的基础上取得积极成果。

2011年中国政府发布了《"十二五"控制温室气体排放工作方案》，将"十二五"碳强度下降目标分解落实到各省(自治区、直辖市)，优化产业结构和能源结构，大力开展节能降耗，努力增加碳汇，低碳发展取得积极成效。

2011年，林业局发布了《林业应对气候变化"十二五"行动要点》，提出了4项林业适应气候变化主要行动，着力加强森林抚育经营和森林火灾、林业微生物防控，优化森林结构，改善森林健康状况。

2011年，国家发展改革委在北京市、天津市、上海市、重庆市、湖北省、广东省及深圳市启动碳排放权交易试点工作。各试点地区加强组织领导，建立专职队伍，安排试点工作专项资金，抓紧组织编制碳排放权交易试点实施方案，明确总体思路、工作目标、主要任务、保障措施及进度安排。着手研究制定碳排放权交易试点管理办法，明确试点的基本规则。测算并确定本地区温室气体排放总量控制目标，研究制定温室气体排放指标分配方案。建立本地区碳排放权交易监管体系和登记注册系统，培育和建设交易平台，做好碳排放权交易试点支撑体系建设。北京市、上海市、广东省分别在2012年3月28日、8月16日和9月11日启动碳排放权交易试点。

2012年6月，国家发展改革委出台《温室气体自愿减排交易管理暂行办法》，确立自愿减排交易机制的基本管理框架、交易流程和监管办法，建立交易登记注册系统和信息发布制度，鼓励基于项目的温室气体自愿减排交易，保障有关交易活动有序开展。

2012年，国家发展改革委组织编写了《中国应对气候变化的政策与行动(2011)》

白皮书，系统介绍“十一五”以来我国应对气候变化工作和落实国家方案所取得的成就。

2012 年，国务院办公厅印发了《“十二五”控制温室气体排放工作方案重点工作部门分工》，对方案的贯彻落实工作进行全面部署。中央政府发布了一系列应对气候变化相关政策性文件，包括《工业领域应对气候变化行动方案(2012~2020 年)》《“十二五”国家应对气候变化科技发展专项规划》《低碳产品认证管理暂行办法》《能源发展“十二五”规划》《“十二五”节能环保产业发展规划》《关于加快发展节能环保产业的意见》《工业节能“十二五”规划》《2013 年工业节能与绿色发展专项行动实施方案》《绿色建筑行动方案》《全国生态保护“十二五”规划》等，应对气候变化政策体系得到进一步完善。

在 2013 年两次会晤中就加强气候变化对话与合作以及氢氟碳化物(HFCs)问题形成重要共识。2013 年 7 月第五轮中美战略与经济对话期间举行了两国元首特别代表共同主持的气候变化特别会议，深化了两国国内气候变化政策和双边务实合作的交流。2012 年 6 月，时任总理温家宝在出席 2012 年联合国可持续发展大会期间，呼吁各方按照“共同但有区别的责任原则”应对气候变化，发展绿色经济，推动可持续发展。

2013 年 7 月，国务院对国家应对气候变化工作领导小组组成单位和人员进行了调整，李克强总理任领导小组组长，并增加了部分职能部门。目前中国已经初步建立了国家应对气候变化领导小组统一领导、国家发展改革委归口管理、有关部门和地方分工负责、全社会广泛参与的应对气候变化管理体制和工作机制。

2013 年，国家发展改革委会同有关部门，制定了考核办法，对省级人民政府 2012 年度控制温室气体排放的目标完成情况、任务与措施落实情况、基础工作与能力建设情况等进行了试评价考核。

2013 年 2 月，国家发展改革委会同有关部门对《产业结构调整指导目录(2011 年本)》有关条目进行了调整，强化通过结构优化升级实现节能减排的战略导向。

2013 年 2 月，国家发展改革委、国家认监委联合印发《低碳产品认证管理暂行办法》，第一批认证目录包括通用硅酸盐水泥、平板玻璃、铝合金建筑型材、中小型三相异步电动机 4 种产品，并在广东、重庆等省(直辖市)开展低碳产品认证试点工作，探索鼓励企业生产、社会消费低碳产品的良好制度环境。

2013 年，环境保护部制订了《蒙特利尔议定书》下加速淘汰含氢氯氟烃的管理计划，积极开展非二氧化碳类温室气体和短寿命气候污染物等相关专题研究，与联合国环境规划署(UNEP)合作编写了“控制短寿命气候污染物的环境与气候效应”报告。

2013 年，中国政府出台《国家适应气候变化战略》，明确了 2020 年前国家适应气候变化工作的指导思想和原则，并采取积极行动，提高气候变化影响监测能力及应对极端天气气候事件能力，减轻了气候变化对经济社会发展和生产生活的不利影响。

2014 年 1 月，国家发展改革委印发《节能低碳技术推广管理暂行办法》，加快节能低碳技术进步和推广普及，引导用能单位采用先进适用的节能新技术、新装备、新工艺。

2014 年 5 月出台了《2014～2015 年节能减排低碳发展行动方案》，明确提出单位国内生产总值二氧化碳排放今明两年分别下降 4% 和 3.5% 以上；2014 年 9 月印发了《国家应对气候变化规划(2014～2020 年)》，明确了 2020 年前中国应对气候变化工作的指导思想、主要目标、总体部署、重点任务和政策导向；2014 年 9 月在联合国气候峰会上，中国国家主席习近平特使、国务院副总理张高丽全面阐述了中国应对气候变化的政策、行动及成效，并宣布中国将尽快提出 2020 年后应对气候变化行动目标，碳排放强度要显著下降，非化石能源比重要显著提高，森林蓄积量要显著增加，努力争取二氧化碳排放总量尽早达到峰值。

2014 年，国务院印发了《2014～2015 年节能减排低碳发展行动方案》，对“十二五”后两年节能减排降碳工作进行了全面安排和部署。为加强重点企业节能管理，工业和信息化部组织制定并发布《有色金属、石化和化工等行业节能减排指导意见》，推进高耗能行业工业企业能源管理中心建设。继续强化节能目标责任考核，2013 年，国家发展改革委会同 8 个部门组织开展了省级人民政府 2012 年节能目标责任评价考核。

2014 年 3 月，环境保护部发布《关于落实大气污染防治行动计划严格环境影响评价准入的通知》，从环评受理和审批的角度，提出实行煤炭总量控制地区的燃煤项目必须有明确的煤炭减量替代方案。2014 年 3 月，国家发展改革委、能源局及环境保护部联合印发《能源行业加强大气污染防治工作方案》，从能源行业发展角度提出要加强能源消费总量控制，逐步降低煤炭消费比重，制定国家煤炭消费总量中长期控制目标。

2014 年环境保护部、国家发展改革委等有关部门联合印发《京津冀及周边地区落实大气污染防治行动计划实施细则》，明确提出到 2017 年年底，北京市、天津市、河北省和山东省压减煤炭消费总量 8300 万吨，其中，北京市净削减原煤 1300 万吨，天津市净削减 1000 万吨，河北省净削减 4000 万吨，山东省净削减 2000 万吨。2014 年 7 月，国家发展改革委、国家能源局印发《京津冀地区散煤清洁化治理工作方案》，通过散煤减量替代与清洁化替代并举等措施，力争到 2017 年年底解决京津冀地区民用散煤清洁化利用问题。

2014 年 3 月荷兰海牙核安全峰会期间，中美两国元首举行会晤并就继续加强在气候变化领域对话与合作、推进中美气候变化工作组框架下务实合作达成共识。7 月第六轮中美战略与经济对话期间举行了气候变化问题特别联合会议，并核准了中美气候变化工作组的工作进展报告。

参考文献

[1]班和平．解读“巴厘路线图”．半月谈，2008(1).

[2]半月谈．应对危机面向未来德国迈向绿色经济[EB/OL]．2009-9-24，http：//www. chinanews. com/gj/gj-hqcz/news/2009/09-24/1883689. shtml.

[3]北京环境交易所．碳减排与碳中和标识[EB/OL]．2012-9-14，http：//www. cbeex. com. cn/article/ywzx/tjyzx/zxpd/zsyd/201209/20120900041276. shtml.

[4]蔡林海．低碳经济：绿色革命与全球创新竞争大格局[M]．北京：经济科学出版社，2009，8，1.

[5]常青．浅谈印度的环境和资源政策[J]．国际科技交流，1991(2)：1~5.

[6]陈俊荣．从《欧盟2020战略》看欧洲低碳经济发展[J]．环境保护，2011，(2)：87~89.

[7]程云，卢悦，余世实．巴西实施生物柴油计划的政策举措[J]．中外能源，2009，14(5)：41~46.

[8]单宝．欧洲、美国、日本推进低碳经济的新动向及其启示[J]．国际经贸探索，2011，1，1(27)：12~17.

[9]董岩，田国兴．美国智能电网的低碳法律政策及启示[J]．改革与战略，2011，10，27(218)：172.

[10]樊纲．走向低碳发展：中国与世界—中国经济学家的建议[M]．北京：中国经济出版社，2010，1：3~5.

[11]付亦重，袁佳，邱薇．欧美碳关税措施的新发展与我国的应对之策[J]．对外经贸实务，2010，5.

[12]付亦重，袁佳．碳关税与WTO等国际规则相符性探讨[J]．对外经贸实务，2011，02.

[13]国际能源网．BP发布《世界能源统计2011》[EB/OL]2011-6-21，http：//www. in-en. com/article/html/energy_08330833151049504. html.

[14]国家发展改革委环资司．节能政策赴澳大利亚和新西兰考察报告[R].2006.

[15]国家发展和改革委员会．财政部 国家发展改革委关于印发《节能技术改造财政奖励资金管理办法》的通知[EB/OL]．2011-6-21，http：//www. sdpc. gov. cn/zcfb/zcfbqt/2011qt/t20110701_ 421413. htm.

[16]国家林业局．林业发展“十二五”规划(摘要)[EB/OL]．2011-11-1，http：//www. forestry. gov. cn/uploadfile/main/2011-11/file/2011-11-1-4b12d4c81c4f4851a94a7aecd73a69b7. pdf.

[17]国务院．关于加快培育和发展战略性新兴产业的决定(国发〔2010〕32号)[EB/OL]．2010-10-18，http：//www. gov. cn/zwgk/2010-10/18/content_ 1724848. htm.

[18]贺熙炳．新加坡的环境政策与管理[J]．全球科技经济瞭望，1998(5).

[19]胡淙洋．低碳经济与中国发展[J]．科学对社会的影响，2008(1)：11~18.

[20]胡忠民．南非能源利用和电力发展及对我国西部开发的启示[J]．国际电力，2000(3)：4~9.

[21]姜卓青．欧盟发展低碳经济对中国的启示[D]．沈阳：东北财经大学，2010.

[22]蒋琛娴，武艺．全球气候变化治理中的美国_ 中美欧在全球气候变化治理中的行为研究之二[J]．市场论坛，2010(76)：2.

[23]靳志勇．实行低碳经济能源政策[J]．全球科技经济瞭望，2003，(10)：23~25.
[24]克里斯蒂诺．菲律宾新能源投资获政府大力支持[EB/OL].2010-09-17，http：//business.sohu.com/20100917/n275006299.shtml.
[25]李晴，石龙宇，唐立娜，等．日本发展低碳经济的政策体系综述[J]．中国人口 资源与环境，2011(S1)：489~492.
[26]李学华．南非推出海藻生物质液化反应器[EB/OL].2010-7-19，http：//www.39kf.com/yyjj/biotechnology/03/2010-07-19-664622.shtml.
[27]梁士兴，吴淑娟．美新能源发展阻力重重 专家称低碳经济远未到来[EB/OL].2010-5-20，http：//finance.sina.com.cn/world/mzjj/20100520/20437975408.shtml.
[28]林红梅．生态伦理学概论[M]．北京：中央编译出版社，2008.
[29]林宗棠．新加坡经济与环境协调发展的特色与启示[J]．环境保护，1995(3).
[30]刘少宁．澳大利亚与新西兰应对气候变化的新动向[J]．中国环境管理干部学院学报，2007，17(4)：5~10.
[31]刘志林，等．低碳城市理念与国际经验[J]．城市发展研究，2009，06.
[32]罗斯·加诺特．加诺特气候变化评估[R].2008.
[33]马修·约瑟夫．印度促进低碳经济发展的政策措施[EB/OL].2009-11-04，http：//business.sohu.com/20091104/n267951616.shtml.
[34]莫神星．论全球气候变暖下的欧盟低碳能源法律政策[N]．华北电力大学学报，2010.8(社会科学版).
[35]倪晓宁．低碳经济下的国际贸易问题研究[M]．北京：中国经济出版社，2012，5，1.
[36]齐晔．低碳发展蓝皮书：中国低碳发展报告[M]．北京：社会科学文献出版社，2011，11，1：103~127.
[37]齐晔．中国低碳发展报告(2013)[M]．北京：社会科学文献出版社，2013：3.
[38]秦江林．新西兰支持澳收碳税[N]．中国能源报，2011-7-18(8).
[39]沈兴兴，刘尊文，张小丹．中国政府绿色采购的实施策略研究[J]．中国政府采购，2006(7)：45~48.
[40]生物质能：南非将禁止用玉米制造生物燃料[EB/OL].2009-06-23，http：//www.northedu.com.cn/kjzc/show.jsp？informationid=200906231416545783.
[41]施用海．低碳经济对国际贸易发展的影响[J]．国际经贸探索，2011，2：4~6.
[42]宋蕾，华斌．各国发展低碳经济的财政政策体系比较分析[J]．云南财经大学学报，2011，3(149).
[43]孙超．前行中的困顿：京都时代与后京都时代的俄罗斯气候环境外交[J]．俄罗斯研究，2010(6)：89~102.
[44]孙超骥，郭兴方．日本低碳经济战略对我国经济发展的启示[J]．价格月刊，2011(9)：42~46.
[45]孙美楠，易露霞．欧盟主要国家低碳经济发展经验及对中国的启示[J]．特区经济，2011(11)：112~113.
[46]索尼亚拉巴特，怀特．碳金融：减排良方还是金融陷阱[M]．王震，等，译．北京：石油工业出版社，2010.
[47]特帕克·丹尼斯．国内政策及其与未来国际气候变化谈判之间的关系[M]．环境与能源集团出版社，2008：25~27.
[48]特帕克·丹尼斯．国内政策及其与未来国际气候变化谈判之间的关系[R]．环境与能源集团，2008：37~42.
[49]魏一鸣，等．中国能源报告(2008)：碳排放研究[M]．北京：科学出版社，2008：4~5.
[50]吴崇伯．东盟国家发展新能源的政策举措及其对我国的借鉴[J]．创新，2010(5)：8~12.

[51]吴可亮．简析韩国“低碳绿色增长”经济振兴战略及其启示[J]．经济视角，2010(12)：97~99.

[52]吴志华．巴西的能源农业战略[J]．求是，2006(10)：59~60.

[53]新华网．英国，发布“低碳”国家战略计划[EB/OL].2009-7-16，http：//news. xinhuanet. com/world/2009-07/16/content_ 11714821. htm.

[54]熊焰．低碳经济转型路线图：国际经验、中国选择与地方实践[M]．北京：中国经济出版社，2011，1，1：94~103.

[55]徐岩．美国_ 新能源成为经济复苏引擎_ 国外低碳经济政策与法规介绍(下)[J]．中国石油和化工，2010(8)：14

[56]许蔚．碳标签：国际贸易壁垒的新趋势[J]．经济研究导刊，2011，10.

[57]佚名．低碳经济在国内外的发展现状及政策[EB/OL].http：//wenku. baidu. com/view/6985dc76a417866fb84a8ea9. html.

[58]应对南非和全球能源危机，南非开发生物质合成油工艺[EB/OL].2008-3-3，http：//wenku. baidu. com/view/6985dc76a417866fb84a8ea9. html.

[59]于那那，孙达，王晓白．浅谈低碳文化构建[J]．吉林农业，2012，5.

[60]于胜民．中印等发展中国家应对气候变化政策措施的初步分析[J]．中国能源，2008，6，30(6)：17~27.

[61]张波．韩国低碳经济发展及对北京的启示[A]//低碳经济与世界城市建设——北京自然科学界和社会科学界联席会议2010高峰论坛论文集[C]．北京，2010.

[62]张东明．浅析韩国的绿色增长战略[J]．当代韩国，2011(2)：11~22.

[63]张庆阳．非洲——气候变暖重灾区[EB/OL].2010-09-08，http：//www. weather. com. cn/climate/qhbhyw/09/1003228. shtml.

[64]张蕊，张术环．美国绿色农业政策及其对中国发展低碳农业的启示[J]．世界农业，2011. 7(387)：36~39.

[65]赵刚．韩国推出“绿色新政”确立低碳增长战略[J]．科技促进发展，2010(7)：75~76.

[66]赵其国，钱海燕．低碳经济与农业发展思考[J]．生态环境学报，18，5.

[67]赵彦龙．关于低碳校园建设的若干问题研究[J]．会计之友，2010，9.

[68]中国科学院可持续发展战略研究组.2009中国可持续发展战略报告——探索中国特色的低碳道路[M]．北京：科学出版社，2009：120~137.

[69]中国人民大学气候变化与低碳经济研究所．中国低碳经济年度发展报告(2011)[M]．北京：石油工业出版社，2011.

[70]中国新闻网．解读坎昆协议：艰难妥协获成果 关键问题待落实.2010-12-11，http：//news. ifeng. com/world/special/kankun/content-0/detail_ 2010_ 12/11/3462421_ 0. shtml.

[71]中国银行业监督管理委员会．关于印发绿色信贷指引的通知[EB/OL]．2012-2-24，http：//www. cbrc. gov. cn/chinese/home/docView/127DE230BC31468 B9329EF B01AF78BD4. html.

[72]中新网．研究报告指我国发展低碳城市缺乏明确战略规划[EB/OL]．2011-11-24，http：//biz. cn. yahoo. com/ypen/20111124/719312. html.

[73]钟春燕．新西兰议会通过生物燃料法案[EB/OL].2009-10-06，http：//0car0. com/xnynews/xnyzc/2009/1006/

39627. html.

[74]周宏春．关于低碳经济的几个认识问题[A]//低碳发展论[C]．北京：中国环境发展论坛，2009，10.

[75]周剑，何建坤．欧盟气候变化政策及其经济影响[J]．现代国际关系，2009，(2)：38～43.

[76]周健．我国低碳农业研究综述[J]．环渤海经济瞭望，2011，10：24～26.

[77]周游．影响俄罗斯应对气候变化政策的因素分析[J]．社会科学辑刊，2010(2)：95～98.

[78]A Griffiths，N Haigh，J Rassias. A Framework for Understanding Institutional Governance Systems and Climate Change：The Case of Australia[J]. European Management Journal，25，6，December，2007：415～427.

[79]A S Dagoumas，TS Barker. Pathways to a low-carbon economy for the UK with the macro-econometric E3MG model [J]. Energy Policy，2010.

[80]Ann P Kinzig，Daniel M Kammen. National Trajectories of Carbon Emissions：Analysis of Proposals to Foster the Transition to Low-carbon Economies[J]. Global Environmental Change，8，3：183～208.

[81]Australia. Strong growth，low pollution－ modelling a carbon price[M]. July，2011.

[82]Bruce A McCarl，Uwe A Schneider. The，Cost of Greenhouse Gas Mitigation in U. S. Agriculture and Forestry[J]. Science，2001(December 21)，294，5551：2481～2482.

[83]C de Gouvello . Brazil Low-carbon Country Case Study[EB/OL]. 2010-www-wds. worldbank. org/.

[84]C Samaras K Meisterling . Life cycle assessment of greenhouse gas emissions from plug-in hybrid vehicles：Implications for policy-Environmental Science & Technology[M]. 2008-ACS Publications.

[85]Climate Action in Megacities：C40 Cities Baseline and Opportunities[J]. June，02，2011，ARUP，C40.

[86]Core Writing Team，Pachauri R K，Reisinger A. （Eds. ）IPCC：IPCC Fourth Assessment Report：Climate Change 2007 （AR4）[M]. Geneva，Switzerland：104.

[87]D Bongardt，M Breithaupt，F Creutzig. Beyond the fossil city：Towards low carbon transport and green growth[M]. Eschborn：Deutsche Gesell schaft，2010：23～25.

[88]David G Ockwell，Jim Watson，Gordon MacKerron，Prosanto Pal，Farhana Yamin. Key policy considerations for facilitating low carbon technology transfer to developing countries[J]. Energy Policy，Volume 36，Issue 11，November，2008：4104～4115.

[89]Demirdoven N，Deutch J. Hybrid cars now，fuel cell cars later[J]. Science，2004，305 (5686)：974～976.

[90]EU，An Energy Policy for Europe，COM(2007)，Brussels[EB/OL]. 2007-10-1，http：//ec. europa. eu/energy/energy_ policy/doc/01_ energy_ policy_ for_ europe_ en. pdf/.

[91]European Commission. A Roadmap for moving to a competitive low carbon economy in 2050[M]. 2011.

[92]EU. Green Paper：A European strategy for sustainable，competitive and secure energy[J]. Mar，2006，http：//ec. europa. eu/energy/strategies/2006/2006_ 03_ green_ paper_ energy_ en. htm.

[93]Farrell A E，Plevin R J，Turner B，T，Jones A D，O'Hare M，Kammen D M. Ethanol can contribute to energy and environmental goals[J]. Science，2006，311(5760)：506～508.

[94]Frank A. A Plug-in hybrid vehicles for a sustainable future[J]. American Science，2007，95 (2)：158～165.

[95]G Anandarajah，N Strachan，P Ekins，et al. Pathways to a low carbon economy：energy systems modelling[J]. Uke-

rc Energy, 2050, Working Paper1, November, 2008: REF UKERC/WP/ESM/2008/0012009-inference. phy. cam. ac. uk.

[96]G Curran. Ecological modernisation and climate change in Australia[J]. Environmental politics, 18, 2, 2009 : 201 ~217.

[97]Great Britain: Department of Energy and Climate Change, The UK low carbon transition plan: national strategy for climate and energy, 15th[M]. July, 2009.

[98]H Machado-Filho. Brazilian low-carbon transportation policies: opportunities for international support[J]. Climate Policy, 2009, 9, 5: 495~507.

[99]Harald Winkler, Andrew Marquand. Changing development paths: From an energy-intensive to low-carbon economy in South Africa[M]. Climate and Development, 1(2009): 47~65.

[100]Hendrickson C, Horvath A, Joshi S, Lave L. Economic inputoutput models for environmental life-cycle assessment [J]. Environment Science Technology. 1998, 32 (7): 184A~191A.

[101]Hendrickson C, Lave L, Matthews H S. Environmental Life Cycle Assessment of Goods and Services: An Input-Output Approach[M]. Resources for the Future: Washington, DC, 2006.

[102]I Begg EU expenditure to support transitions to a low carbon economy[R]. EU Consent EU Budget Working Paper, 2009-eu-consent net.

[103]IMF. World Economic Outlook October 2012 : Coping with High Debt and Sluggish Growth[EB/OL]. International Monetary Fund Publish. October, 2012, http: //www. imf. org/external/pubs/ft/weo/2012/02/.

[104]Intergovernmental Panel on Climate Change. Special Report on Renewable Energy Sources and Climate Change Mitigation(SRREN)[M]. May, 2011.

[105]International Energy Agency. Prospect of limiting the global increase in temperature to2oC is getting bleaker[M]. May, 2011.

[106]IPCC. Climate Change 2001: The Scientific Basis. Contribution of Working Group I to the Third Assessment Report of the Intergovernmental Panel of Climate Change[M]. Cambridge University Press: Cambridge, UK and New York, 2001.

[107]Jaramillo P, Griffin W M, Matthews H S. Comparative life cycle air emissions of coal, domestic natural gas, LNG, and SNG for electricity generation[J]. Environ Sci Technol, 2007, 41(17): 6290~6296.

[108]Joshi S V. Product environmental life cycle assessment using input-output techniques[J]. Journal of Industiral Ecology, 2000, 3 (2-3): 95~120.

[109]K Shimada, Y Tanaka, K Gomi, Y Matsuoka. Developing a long-term local society design methodology towards a low-carbon economy: An application to Shiga Prefecture in Japan[J]. Energy Policy, 2007-Elsevier.

[110]Kintner-Meyer M, Schneider K, Pratt R. Impacts assessment of plug-in hybrid vehicles on electric utilities and regional U. S. power grids, Part1: Technical analysis; Pacific Northwest National Laboratory [M]. Richland, WA, 2006.

[111]Kliesch J, Langer T. Plug-in hybrids: An environmental and economic performance outlook[R]. American Council

for an Energy Efficient Economy, 2006.

[112]Lave L B, MacLean H L. An environmental-economic evaluation of hybrid electric vehicles: Toyota's Prius vs. its conventional internal combustion engine Corolla. Transport Res Part D-Transport[J]. Environment, 2002, 7 (2): 155~162.

[113]Lipman T E, Delucchi M A. A retail and lifecycle cost analysis of hybrid electric vehicles. Transport. Res. Part D-Transport[J]. Environment, 2006, 11(2): 115~132.

[114]Maclean H L, Lave L B. Life cycle assessment of automobile fuel options[J]. Environment Science Technology, 2003, 37 (23): 5445~5452.

[115]Meier P J, Wilson P P H, Kulcinski G L, Denholm P L. US electric industry response to carbon constraint: a life-cycle assessment of supply side alternatives[J]. Energy Policy, 2005, 33(9): 1099~1108.

[116]Morrow W R, Griffin W M, Matthews H S. Modeling switchgrass derived cellulosic ethanol distribution in the United States. Environ Sci Technol, 2006, 40 (9): 2877~2886.

[117]OECD. Low-emission development strategies(LEDS): technical, institutional and policy lessons[M]. 2010.

[118]PR Shukla, S Dhar, D Mahapatra . Low-carbon society scenarios for India[J]. Climate Policy, 2008.

[119]Richard G Farasofsky, Stefanie Pfahl. Trading away the last ancient forests. The threats to forests from trade liberalization under the WTO[R]. Greenpeace International. 2001

[120]Rydh C J, Sandén B A. Energy analysis of batteries in photovoltaic systems. Part I: Performance and energy requirements[J]. Energy Convers Manage, 2005, 46 (11-12): 1957~1979.

[121]Schmidt W P, Dahlqvist E, Finkbeiner M, Krinke S, Lazzari S, Oschmann D, Pichon S, Thiel C. Life cycle assessment of lightweight and end-of-life scenarios for generic compact classpassenger vehicles[J]. Int J LCA2004, 9 (6): 405~416.

[122]Suh S, Lenzen M, Treloar G J, Hondo H, Horvath A, Huppes G, Jolliet O, Klann U, Krewitt W, Moriguchi Y, Munksgaard J, Norris G. System boundary selection in lifecycle inventories using hybrid approaches[J]. Environmental Science Technology, 2004, 38 (3): 657~664.

[123]Tilman D, Hill J, Lehman C. Carbon-negative biofuels from low-input high-diversity grassland biomass[J]. Science, 2006, 314 (5805): 1598~1600.

[124]Timothy Searchinger, Ralph Heimlich, R A Houghton, Fengxia Dong, Amani Elobeid, Jacinto Fabiosa, Simla Tokgoz, Dermot Hayes, Tun-Hsiang Yu: Use of U. S. Croplands for Biofuels Increases Greenhouse Gases Through Emissions from Land Use Change[J]. Science, 319 (5867), 2008: 1238~1240.

[125]U S Department of Transportation. 2001 National Household Travel Survey[M]. DOT: Washington, DC, 2004.

[126] UNCTAD. World Investment Report 2010: Investing in a Low-Carbon Economy [R]. United Nations, August 26, 2010.

[127]United Nations Environment Programme. Towards a Green Economy: Pathways to Sustainable Development and Poverty Eradication—A Synthesis for Policy Makers[M]. 2011.

[128]United Nations Framework Convention on Climate Change: "FCCC/SBI/2010/18"[R].

[129]United Nations. Framework Convention on Climate Change："FCCC/AWGKP/2011/INF. 1"[R].

[130]United Nations. Framework Convention on Climate Change："FCCC/SB/2011/INF. 1"[R].

[131]US OPPT. http：//www. epa. gov/oppt/

[132]Wirth T E，Gray C B，Podesta J D. The future of energy policy[J]. Foreign Affairs，2003，82 (4)：132～155.